2025年度版

中小企業診断士

最速合格のための 第1次試験過去問題集

1 企業経営理論

TAC中小企業診断士講座

はじめに

日本中小企業診断士協会連合会の発表によれば、令和６年度までの過去５年間の第１次試験の各科目の「科目合格者」等の平均値は次のようになっています。

	科目受験者数(①)	科目合格者数(②)	科目合格率(①/②)
経済学・経済政策	15,086	2,371	15.7%
財務・会計	15,251	2,352	15.4%
企業経営理論	14,884	3,993	26.8%
運営管理(オペレーション・マネジメント)	15,033	2,484	16.5%
経営法務	14,959	2,786	18.6%
経営情報システム	14,704	2,373	16.1%
中小企業経営・中小企業政策	15,761	1,910	12.1%

科目ごとに、科目合格者数および科目合格率は異なりますが、いずれにしても、「科目合格者」の存在は、同時に「科目不合格者」を生じさせる結果となっています。

初学者はもちろんのこと、不合格科目を残した受験経験者にとって、第１次試験の合格を果たすには、各科目の出題傾向を把握し、その対策を立てるということが必要となります。

受験生の皆さんは、次の言葉を一度は耳にしたことがあると思います。

知彼知己者　百戦不殆（彼を知り己を知れば、百戦して殆からず）

これは「孫子（謀攻篇）」にある名文句ですが、前段の「彼を知(り)る」ためには、これまでの受験生が戦ってきた「過去問」を活用することが必要です。

戦う相手を研究して熟知することは、スポーツや企業活動などの「戦いの場」では当然必要だ、ということはよくご理解いただけると思います。これは試験においても同様で、戦う相手である「試験委員」が作成した「問題」の研究は、勝つためには必要不可欠な作業だと考えてください。

また、「過去問」の活用目的として「己を知る」ということがあります。本試験の出題傾向や内容は極端に変化するものではありません。ですから、受験生の皆さんが常日頃取り組まれている学習の成果を測定するためのひとつの手段として「過去問」

を活用し、その成果をさらなる実力向上につなげていくことが必要であると理解してください。

先程引用した「孫子」の名文句の後には「不知彼不知己　毎戦必殆（彼を知らず己を知らざれば、戦う毎に必ず殆し）」という文が続いています。受験生の皆さんが取り組む戦いでこのような事態にならないように、相手である「本試験（過去問）」をよく研究し、さらに、普段の学習成果の目安として「過去問」を役立てていただければ、本試験での「勝利」は間違いないと確信しています。

2024年10月

ＴＡＣ中小企業診断士講座

講師室、事務局スタッフ一同

本書の利用方法

本書には、過去５年分の第１次試験の問題と詳細な解説を収載しています。

1．本書の問題には、学習における目安として、以下のマークを付していますので、参考としてください。

★ 重要 ★　基本的な論点だったり、過去に繰り返し出題されたりするなど、重要度の高い問題です。過去問はひと通り解くことが望ましいですが、時間的に余裕のない方は、このマークのある問題を優先的に解くとよいでしょう。

参考問題　出題年度以降に法律や制度改正があり、正解肢が変わったり、なくなったりした問題等を示しています。これらの問題は、今年度の第１次試験対策としてふさわしくない問題となりますので、出題形式や出題論点を確認する程度の利用にとどめていただければよいでしょう。

2．各年度の解説の冒頭に、解答・配点・TACデータリサーチによる正答率の一覧表を載せています。学習の際の参考としてください。

3．巻末に、「出題傾向分析表」を載せています。出題領域の区分は、弊社刊の「最速合格のためのスピードテキスト」の章立てに対応しているので、復習する際に便利です。

中小企業診断士
第１次試験
企業経営理論

目　次

令和6年度問題

令和  年度 問題

第1問

H.ミンツバーグによって提唱された創発的戦略に関する記述として、最も適切なものはどれか。

ア　創発的戦略とは、「意図された戦略」を「計画された戦略」に落とし込むための方策を表した概念である。

イ　創発的戦略とは、新たな事業ドメインをつくり出すための戦略と定義される。

ウ　創発的戦略とは、企業が新たな市場・製品分野に進出する際、シナジー効果の創出を意図する戦略である。

エ　創発的戦略とは、組織形態が戦略の選択肢を狭めるという、戦略策定過程の性質を表した概念である。

オ　創発的戦略とは、もともとの経営計画には組み込まれておらず偶発的に起こった事象に対応することで、事後的に生み出される戦略のことである。

第2問

伊丹敬之の提唱する「見えざる資産」に関する記述として、最も適切なものはどれか。

ア　見えざる資産とは、「ヒト・モノ・カネ・情報」以外で企業の有する資産を総称した概念である。

イ　見えざる資産とは、具体的には技術やノウハウ、組織風土を指し、目に見える価値であるブランドは含まれない。

ウ　見えざる資産は、いったん出来上がるとさまざまな形で多重に利用されることはない。

エ　見えざる資産は、企業と外部との間の情報の流れだけではなく、企業内部の情報の流れからも生じる。

オ　見えざる資産は、競争上の差別化の源泉にはなりにくい性質を有する。

第3問

ある企業では４つの事業を展開している。以下は、各事業（①～④）の事業内容とある年度における売上高である。製品Aと製品B、部品Cは技術的に関連しているものとする。

① 製品A事業：960億円
② 製品B事業：10億円
③ 部品C（製品Aの原材料の１つ）事業：20億円
④ 不動産事業：10億円

R.ルメルトの多角化の分類に基づいたこの企業の多角化の程度として、最も適切なものを下記の解答群から選べ。

なお、この多角化の分類では、多角化企業は以下の基準で分類されるものとする。
・専門化率が95％以上のものは単一事業企業
・専門化率が95％未満で垂直率が70％以上のものは垂直的主力事業企業
・専門化率と垂直率が70％未満で関連率が70％以上のものは関連事業企業
・専門化率と垂直率、関連率のいずれもが70％未満のものは非関連事業企業

［解答群］
ア 関連事業企業
イ 垂直的主力事業企業
ウ 単一事業企業
エ 非関連事業企業

第４問 ★重要★

以下の表は、企業Xのある年度の各事業の状況を示している。プロダクト・ポートフォリオ・マネジメント（PPM）の枠組みから示唆される記述として、最も適切なものを下記の解答群から選べ。

事業名	売上高	市場シェア	市場成長率
事業A	300億円	15％（業界３位）	25％
事業B	3,000億円	45％（業界１位）	５％
事業C	200億円	５％（業界５位）	５％
事業D	1,600億円	55％（業界１位）	25％

［解答群］
ア 事業Bは、成長余地がないので、できるだけ速やかに事業清算を行う。

イ　事業Dは、市場シェアや競争力の維持のために、事業からの収益を自事業に再投資する。
ウ　最も売上高の大きい事業Bから資金を投じ、事業Cを育成する。
エ　最も市場シェアの高い事業Dから技術シナジーを生むための技術供与を行い、事業Aを育成する。
オ　最も市場シェアの高い事業Dから資金を投じ、事業Cを育成する。

第5問

他社からの買収に対応する企業Aの行動に関する記述として、最も適切なものはどれか。

ア　「ゴールデンパラシュート」を導入し、経営陣が既存株主から自社の株式を直接購入して上場を廃止しようとする。
イ　自社の重要な資産をあらかじめ売却する「サメ除け」を行う。
ウ　買収企業が保有する企業Aの株式を、市場価格よりも高い価格で全て買い取ろうとする「パックマン戦法」を行う。
エ　買収企業による企業Aの株式の大量買付に備えて、買収企業以外の既存株主が新株を市場価格より安く取得できるなどの権利を事前に与える「ポイズンピル」を導入する。
オ　買収企業を逆に買収しようとする「ホワイトナイト」を探す。

第6問

企業が垂直統合を行う動機や理由はさまざまである。このうち、O.ウィリアムソンの取引コスト（transaction cost）理論の観点からの説明として、最も適切なものはどれか。

ア　相手企業との取引関係構築の際に、関係特殊的な資産への多額の投資を必要とするため。
イ　自社に蓄積された余剰資金を活用し、資本効率を高める必要があるため。
ウ　自社の企業規模を拡大し、規模の経済性を高めるため。
エ　市場の新規性が高く取引相手の企業が存在しないが、自社資源を柔軟に再配分して直接進出することができるため。
オ　複数の事業を傘下に収めることで、範囲の経済性を高めるため。

第7問

M.ポーターの「業界の構造分析（5フォース分析）」における代替品に関する記述として、最も適切なものはどれか。

ア　ある業界に代替品が存在することは、その業界の潜在的な収益性に正の影響を及ぼす。

イ　代替品となるものが少ないほど、代替品の脅威は大きくなる。

ウ　代替品のコストパフォーマンス比の向上が急速であるほど、その代替品の脅威は大きい。

エ　代替品を提供する業界の利益率が高いほど、代替品の脅威は小さい。

オ　何を代替品と見なすかは客観的に識別しやすいものである。

第8問

衰退業界とは、景気変動や短期的要因によるものではなく、長期にわたって販売数量そのものが下降を続けている業界のことである。M.ポーターの衰退業界の競争戦略に関する記述として、最も適切なものはどれか。

ア　買い手が価格に敏感でなく、かつ買い手の交渉力が小さいほど、業界の売上が縮小しても、残存者は利益を得やすい。

イ　企業が業界内で強力なポジションを占めているほど、企業による業界の衰退予想はより悲観的になりやすい。

ウ　急激かつ無軌道な衰退プロセスが予想されるほど、その業界の競争の激しさは減少する。

エ　業界衰退期の戦略の１つである刈り取り戦略とは、高い利益率を生み出す特定のセグメントを見い出し、その防衛を目指す戦略である。

オ　業界衰退の速度は、技術進歩や人口変化などの環境要因によって決まるもので、個々の企業の撤退戦略とは関係ない。

第9問

W.アバナシーとJ.アッターバックによって提唱された産業発展の段階とイノベーションのモデル（A-Uモデル）に関する記述として、最も適切なものはどれか。

ア　ある製品について、使用状況、仕様、評価基準が顧客の間で共有されるようになると、ドミナントデザインが定まってくる。

イ　生産者の評価基準は、工程イノベーションが主流になると、コストから製品の新規性に移っていく。

ウ　製品そのものや、それを背後で支える各種の要素技術の進歩をもたらす製品イノベーションは、ドミナントデザインが生じた後により多く現れる。

エ　ドミナントデザインが出現すると、機械的組織よりも有機的組織が、その産業において増えていく。

オ　ドミナントデザインが出現すると、製品イノベーションも工程イノベーションも活発化する。

第10問　★ 重要 ★

製品アーキテクチャーとは、製品を構成する個々の部品や要素の間のつなぎ方や製品としてのまとめ方である。製品アーキテクチャーに関する記述として、最も適切なものはどれか。

ア　インテグラル型のアーキテクチャーを持つ製品は、標準化が進んでいる。

イ　擦り合わせによって創造される価値が差別化要因になる製品については、モジュラー型のアーキテクチャーを持つことが多い。

ウ　部品間の相互依存性が高いインテグラル型のアーキテクチャーを持つ製品の場合、部門横断的に調整することが不可欠になる。

エ　モジュラー型のアーキテクチャーを持つ製品では、部品調達業者は、部品のコスト低減ではなく、部品の差別化をしなければならない。

第11問　★ 重要 ★

ある企業では、国際化に際して、「自社の事業特性を考え、標準化を最小限に抑えながら、現地適応を最重要視する」という方針を立てた。この方針と合致する、I-Rフレームワークに基づいた経営スタイルに関する記述として、最も適切なものはどれか。

ア　意思決定の権限や経営資源は海外子会社に分散され、親会社は子会社と緩やかにつながる。

イ　親会社が海外子会社を公式的に管理・統制し、子会社間の調整を行うが、日常業務の意思決定の権限や経営資源の多くは海外子会社に分散される。

ウ　各海外子会社が密接につながるネットワークとなり、各地での学習成果を企業全体で活用する。

エ　現地化と標準化の両立を図ることの負荷を下げるために、現地企業との戦略的提携体制を整える。

オ　重要な意思決定や経営資源は本国や親会社に集中し、集権的に海外子会社を統制する。

第12問

企業の社会的責任やESG投資に関する記述として、最も不適切なものはどれか。

ア「インパクト投資」とは、測定可能かつポジティブなインパクトを社会および環境に生み出す企業に、経済的リターンを求めず投資することである。

イ「統合報告書」には、企業の売上高や資産などのような従来の財務諸表で記載されている内容に加えて、温室効果ガスの排出量、有給休暇の取得率、経営者報酬の決め方などが記載される。

ウ　CSVとは、経済的価値を創造しながら、社会課題に対応することで社会的価値も同時に創造するアプローチである。

エ　環境・社会問題への取り組みが十分でないと思われる企業の株式や債券を売却することによって、投資家が企業に圧力をかけることを「ダイベストメント」と呼ぶ。

オ　環境に対して適切な対応をしているように見せて、実態は二酸化炭素を多く排出しているような企業を「グリーンウォッシュ」と呼ぶ。

第13問　★重要★

熟達した起業家にみられる意思決定の様式とされるエフェクチュエーションに即した行動に関する記述として、最も不適切なものはどれか。

ア　既存の製品を製造する時に使用していた温水に着眼し、その温水を利用してイチゴのハウス栽培を始めた。

イ　新規店舗を開設する際に、目標店舗数を設定するのではなく、許容できる損失額を重視して、段階的に店舗数を増やしていった。

ウ　大災害が起こったことによって大きな被害を受けたが、新聞報道などで被災地に注目が集まったことを利用して、自社製品の広告に力を入れた。

エ　他国で戦争が勃発し、エネルギー価格の変動が見込まれるため、過去20年分のデータを精査して、来年度の利益目標を立てた。

オ　発売した新製品に対してある顧客からクレームを受けたが、その顧客に製品改良のための活動に参加してもらい、製品の品質向上を図った。

第14問

J.ガルブレイスによれば、組織デザインの諸方策は、情報処理の必要性と情報処理能力の観点から評価できる。組織デザインの方策に関する記述として、最も適切なものはどれか。

ア　横断的な関係の創出は、情報処理能力を増大させる。
イ　自己完結的職務の創出は、情報処理の必要性を増大させる。
ウ　垂直的な情報システムへの投資は、情報処理能力を低減させる。
エ　スラック資源の創出は、情報処理の必要性を増大させる。

第15問

組織メンバーの行動や思考パターン、価値観などに影響を与えるものとして組織文化は注目されてきた。組織文化についての代表的な研究者であるE.シャインの組織文化論に関する記述として、最も適切なものはどれか。

ア　質問票調査は組織文化の内容を的確に把握するための有効な方法であることから、組織文化に関する質問票調査を定期的に実施すべきである。
イ　組織文化は組織内部の統合という問題の解決に役立ってきたものであるため、長く続いている組織では組織文化を変革すべきではない。
ウ　組織文化は明文化された経営理念・価値観に沿って醸成されるため、組織のリーダーがそれらの変更を行えば組織文化の変革がおのずと達成される。
エ　組織メンバーであれば、目に見える組織構造や儀礼といった「人工物（artifacts）」を手がかりとして組織文化の「基本的仮定」を読み解き、組織メンバーではない第三者に組織文化の全容を説明することは容易に行える。
オ　組織メンバーの採用や昇進の際にリーダーが適用する基準は、組織文化に影響を及ぼす。

第16問

複雑な意思決定において、意思決定者は完全な合理性を追求できるだけの情報処理能力を持たないとされる。このような「制約された合理性」の下での意思決定に関する記述として、<u>最も不適切なものはどれか</u>。

ア　意思決定者は、意思決定に際して利用可能な全ての代替案のうち、限られた数の代替案のみを考慮する。

イ　意思決定者は、代替案が満たすべき最低限の水準を設定し、その水準を満たす代替案を見つけた時点で、その代替案を選択するとともに代替案の探索を終了する意思決定原理に従う。

ウ　各代替案によって将来的に引き起こされる結果に関する知識は、不完全で部分的なものとなる。

エ　各代替案によって将来的に引き起こされる全ての結果に対して、それらを最も好ましいものから最も好ましくないものまで順位づける一貫した効用関数を、意思決定者はあらかじめ持つ。

オ　反復的な意思決定を行う状況では、意思決定者は行動プログラムのレパートリーを作り、それらを代替案の集合として意思決定に利用する。

第17問

社会や組織の転換期において、既存の体制や構造を変革するために発揮されるリーダーシップを「変革型リーダーシップ」と呼ぶ。変革型リーダーはフォロワーの価値観や態度を変化させ、フォロワーとの間で相互に刺激し合い高め合う関係を築くとされる。

一方で、定常的な状況下において有効な成果をあげるために、ギブ・アンド・テイクの交換関係をフォロワーとの間に築くことでフォロワーへの影響力を発揮するリーダーシップを「交換型リーダーシップ」と呼ぶ。

B.バスらによると、変革型リーダーシップと交換型リーダーシップは、それぞれ複数の異なる次元から構成される。これらの次元に則して、変革型リーダーシップと交換型リーダーシップの代表例を以下に示す。両リーダーシップとそれぞれの代表例との対応関係の組み合わせとして、最も適切なものを下記の解答群から選べ。

＜変革型リーダーシップまたは交換型リーダーシップの代表例＞

a　業績目標を達成した場合に何が報酬としてフォロワーに与えられるかを示す。

b　魅力的な将来ビジョンを打ち出し、ビジョンを実現する意義をフォロワーに話す。

c　フォロワーがルールや基準から逸脱していないか日常的に注意を払う。

d　フォロワーにとって理想的な模範となるべく率先して行動する。

e　前提を見直すことで、フォロワーに新たな視点から問題解決するよう促す。

f　個々のフォロワーのニーズや能力の多様性を認め、フォロワーの強みを伸ばそうと支援する。

g　フォロワーがリーダーや組織に対して誇りや尊敬の念を持つように促す。

h　問題が深刻になってから事後的に問題に介入する。

[解答群]

ア　変革型リーダーシップ：a、b、d、f、h
　　交換型リーダーシップ：c、e、g

イ　変革型リーダーシップ：a、c、d、e、g
　　交換型リーダーシップ：b、f、h

ウ　変革型リーダーシップ：a、c、e、f、g
　　交換型リーダーシップ：b、d、h

エ　変革型リーダーシップ：b、c、d、e、h
　　交換型リーダーシップ：a、f、g

オ　変革型リーダーシップ：b、d、e、f、g
　　交換型リーダーシップ：a、c、h

第18問

A.マズローの欲求段階説と、その修正を試みたC.アルダファーのERG理論に関する記述として、最も適切なものはどれか。

ア　ERG理論では、例えばある人との関係において関係欲求が満たされない場合、人間はその人との関係において関係欲求を満たすことを追求し続けると考える。

イ　ERG理論では、例えば成長欲求が満たされない場合、欲求段階説の想定とは異なり、より具体的で確実性の高い目標を志向する関係欲求を満たそうとするようになる可能性を想定する。

ウ　ERG理論における関係欲求の内容は、欲求段階説における生理的欲求の一部と安全欲求、および所属と愛の欲求の一部に対応する。

エ　欲求段階説では、人間の持つ欲求を生理的欲求、安全欲求、所属と愛の欲求、自己実現欲求の4つのカテゴリーに分類するのに対して、ERG理論では、生存欲求、関係欲求、成長欲求という3つのカテゴリーに分類する。

第19問

限られた資源や成果を組織メンバーに分配するに当たっては、公正な手続きを経る必要がある。このような分配手続きにおいて求められる公正を「手続き的公正」と呼ぶ。分配を受ける組織メンバーが、ある分配手続きを「公正である」と肯定的に評価する際の判断基準に関する記述として、最も適切なものはどれか。

ア　一般的な道徳や倫理基準の影響をできる限り排除した独自性の高い分配手続きであること
イ　特定の対象者だけに他者よりも優遇された分配手続きが適用されること
ウ　分配手続きの影響を受ける人々の関心や価値観をできる限り排除した分配手続きであること
エ　分配の決定プロセスにおいて修正や不服申し立ての機会があること
オ　分配を決定する際に利用される情報が曖昧さを含むものであること

第20問

組織や集団においては、意見の相違や利害の不一致から、個人間でコンフリクトが発生することが一般的である。コンフリクトへの対処は、自己の利益を追求する度合いと、相手の利益追求を許容し協力する度合いとの組み合わせに応じて、「回避」、「競争」、「協調」、「妥協」、「適応」の５類型に分類される。コンフリクトへの対処に関する記述として、最も適切なものはどれか。

ア「回避」とは、自己の利益を強く主張しない一方で相手の利益もあまり許容できない場合に、問題解決を延期して様子を見るという対処である。互いの対立点が表立つのを避けたい場合にとられやすい。
イ「競争」とは、相手の利益を最大限に許容しつつ、相手に命令したり相手を説得したりすることで自己の利益も追求するという対処である。権力志向的で高い職位の人間から、順応的な低い職位の人間に対してとられやすい。
ウ「協調」とは、双方がある程度の利益を獲得しつつ互いに犠牲も払うという対処である。互いの対立点を曖昧にすることでコンフリクトを自然に解消しようとする場合にとられやすい。
エ「妥協」とは、当事者の一方のみが自己の利益を犠牲にして相手の利益を最大限に許容するという対処である。互いにある程度の利益をとりつつ犠牲も払うという折り合いがつけられない場合にとられやすい。
オ「適応」とは、相手の利益を犠牲にして自己の利益を追求するという対処である。自己の利益を一方的に追求することで、相手との長期的な関係が損なわれても問題ないと判断される場合にとられやすい。

第21問

組織間関係や組織間ネットワークに関する記述として、最も適切なものはどれか。

ア 「埋め込まれた紐帯」では機会主義的行動が生じやすいため、組織間ネットワークにおける「埋め込まれた紐帯」の比率を減らすことが望ましい。

イ 「埋め込まれた紐帯」で結ばれた組織間ネットワークでは、暗黙的な知識の移転が促進されやすい。

ウ 「弱い紐帯の強み」を最大限享受しようとすれば、関係を取り結ぶ組織を絞り込み、弱い紐帯を強い紐帯に転換することが不可欠である。

エ 組織にとって新奇性の高い知識をより獲得するためには、これまでに築いてきた組織との紐帯をいっそう強めることが望ましい。

オ 他の組織からの影響を極力排除するためには、「埋め込まれた紐帯」のみによって構成される組織間ネットワークを構築することが望ましい。

第22問 ★重要★

組織学習に関する記述として、最も適切なものはどれか。

ア 「有能さの罠（competency trap）」とは、これまでの学習の結果として高い能力を構築し成果を上げているために、学習をやめてしまうことである。

イ 高次学習とは組織の上位階層のみで生じる行動レベルの学習であるのに対して、低次学習は組織の下位階層のみで生じる行動レベルでの学習である。

ウ 組織学習とは、組織ルーティンの変化の中で組織成果に正の貢献をもたらすもののみを指す。

エ 組織メンバーが環境の変化に対応した新しい知識を獲得しても、組織によって規定された役割が制約となって、組織としての学習が進まないことがある。

オ ダブルループ学習とは行動とその結果を振り返り行動を修正することを何度も繰り返すものであるのに対して、シングルループ学習とは行動を一度だけしか修正しないものである。

第23問 ★重要★

組織のライフサイクル仮説によれば、組織は発展段階に応じて直面する課題が異なる。組織のライフサイクルを起業者段階、共同体段階、公式化段階、精巧化段階に分けて考えるとき、それぞれの段階に関する記述として、最も不適切なものはどれか。

ア　起業者段階では、起業家の創造性や革新性が重視されるとともに外部からの資源獲得が優先されるが、組織の成長とともに経営管理を実行できるリーダーシップが求められるようになる。

イ　共同体段階では、組織メンバーの凝集性の向上を図るべくトップはリーダーシップを発揮するが、トップダウンによって部下のモラールダウンが生じないようにトップは権限委譲を進めることが求められる。

ウ　公式化段階では、さまざまな規則や手続きが導入され、公式的な調整によって安定性や効率性が追求されるようになるが、組織構造が複雑化するにつれて官僚制の逆機能が顕著に生じるようになる。

エ　精巧化段階では、安定性や効率性を省みず公式的な構造を解体するとともに、新たな成長機会を自ら発見するリーダーシップの発揮が課題となる。

第24問

労働者の募集及び採用、採用内定、試用期間、労働契約に関する記述として、最も適切なものはどれか。

ア　使用者が期限を定めない労働契約を締結する際の労働条件として3カ月の試用期間を定め書面により通知した場合、当該期間中に解雇するときは労働基準法の解雇予告制度の適用を受けない。

イ　使用者が労働者を募集及び採用するに当たり、転居を伴う転勤ができる者のみを対象とすることは、合理的な理由の有無にかかわらず、雇用の分野における性別に関する間接差別には該当しない。

ウ　労働契約は、労働者が使用者に使用されて労働し、使用者がこれに対して賃金を支払うことについて、労働者及び使用者が合意することによって成立する。

エ　労働契約を締結する承諾の意思表示をした新規学卒者の採用内定を使用者が取り消すことは、実際の就業が開始する前であることから、理由の如何（いかん）にかかわらず有効である。

第25問

労働者派遣に関する記述として、最も適切なものはどれか。

ア　紹介予定派遣は、労働者派遣法において禁止されている。

イ　派遣先の都合で労働者派遣契約を解除することになり、そのために派遣元事業主が当該派遣労働者に休業手当を支払うこととなった場合であっても、派遣先は当該休業手当のための費用を負担する必要はない。

ウ　派遣先は、派遣元事業主に無期雇用されている派遣労働者を、3年の派遣可能期間を超える期間継続して労働者派遣の役務の提供を受けてはならない。

エ　労働者派遣事業を行う事業主から労働者派遣の役務の提供を受けた事業主が、当該派遣労働者を、警備業務が労働者派遣事業の禁止業務であると知りながら当該業務に従事させた場合、当該派遣労働者に対して労働契約の申し込みをしたものとみなされる。

第26問

育児・介護休業法に規定する育児休業に関する記述として、最も適切なものはどれか。

ア　事業主は、繁忙期で代替人員を確保できない場合であっても、育児休業を取得する権利がある労働者からの育児休業取得申出を拒むことはできない。

イ　出生時育児休業は、養育する子の出生後8週間に男性労働者が取得することを目的とする制度であるため、養子縁組をした場合であっても、女性労働者は出生時育児休業の対象にならない。

ウ　使用者は、就業規則に定めがない場合であっても、育児休業期間中の労働者に対して平均賃金の6割を育児休業手当として支払わなければならない。

エ　労働者が育児休業を取得するためには、労使協定で育児休業をすることができないものとして定める場合を除き、育児休業を取得する時点で雇用期間が1年以上必要である。

第27問　★重要★

就業規則に関する記述として、最も適切なものはどれか。

ア　使用者は、就業規則において1日の労働時間について「8時間勤務とする」と定めた場合であっても、その事業場における具体的な始業及び終業の時刻並びに休憩時間について規定しなければならない。

イ　使用者は、新規に会社を設立し初めて就業規則を定めることになった場合は、その内容に関して、全労働者の過半数の同意を得なければならない。

ウ　使用者は、同一事業場において一部の労働者にのみ適用される「パートタイム就業規則」を変更する際には、当該事業場に労働組合がない場合には、全労働者の過半数を代表する者の意見を聴く必要はない。

エ　使用者は、変更後の就業規則を労働者に周知させ、当該変更が諸事情を考慮して合理的なものであると判断されたとしても、労働者と合意しなければ、就業規則の変更によって労働条件を不利益に変更することは一切できない。

第28問　★重要★

ブランド・マネジメントに関する記述として、最も適切なものはどれか。

ア　ある企業が既存事業とは異なる新たな事業領域に進出する際に、既存事業で構築してきた既存のブランドを新事業でも用いることを、ブランドのリポジショニングと呼ぶ。

イ　企業が既存製品と同一カテゴリーに新製品を投入する際には、そのカテゴリーの既存製品に用いてきたブランドを用いることも多いが、あえて新しいブランドをつけることがあり、これをマルチ・ブランド戦略と呼ぶ。

ウ　ブランドや企業の創業者の物語、目指す大きな方向性、専門性などをコーポレート・ブランドによって示し、その下に個々のプロダクト・ブランドが位置づけられることも多いが、これら２種類のブランドを同時に冠することをダブルチョップ戦略と呼ぶ。

エ　マーケティングにおいては、自社のブランドが消費者の想起集合に含まれるようにすることが極めて重要である。このためには、すでに想起集合に入っている競合ブランドと比較して際立った異質性を自社ブランドにもたせることが、まず最初に必要である。

第29問　★重要★

ソサイエタル・マーケティングなどソーシャル・マーケティングに関する記述として、最も適切なものはどれか。

ア　企業が文化支援を行うメセナや慈善行為を行うフィランソロピーの活動は、企業による社会貢献活動であるから、ソシオエコロジカル・マーケティングの一部と理解することができる。

イ　ソサイエタル・マーケティングの根底には、企業が行う社会貢献は当該企業の利益につながってはならないという考え方がある。

ウ　貧困問題を解決するといった社会課題においては、貧困者に自立を促すなどのコミュニケーション活動だけでなく、そもそも貧困が生まれる社会そのものを改革するといった構造的な問題解決も必要である。しかしこのような構造的な問題解決は、ソサイエタル・マーケティングが扱う分野ではない。

エ　マーケティングの4Pの1つである「製品（プロダクト）」とは、顧客にベネフィットをもたらす何らかの製品・サービスであるが、ソサイエタル・マーケティングにおける製品・サービスには、例えば「投票に行こう」というような、社会に向けた提案も含まれる。

第30問　★重要★

S社は、家庭用の充電式スティック型掃除機の新製品（「W」とする）を近々発売する予定である。そこでS社では、さまざまな顧客セグメントに対してカスタマー・ジャーニーを作成しようとしている。下図は、そのうち1つの顧客セグメント（図中の「顧客タイプX」）についてのカスタマー・ジャーニーを示している。

図中の空欄A～Dに入る語句の組み合わせとして、最も適切なものを下記の解答群から選べ。

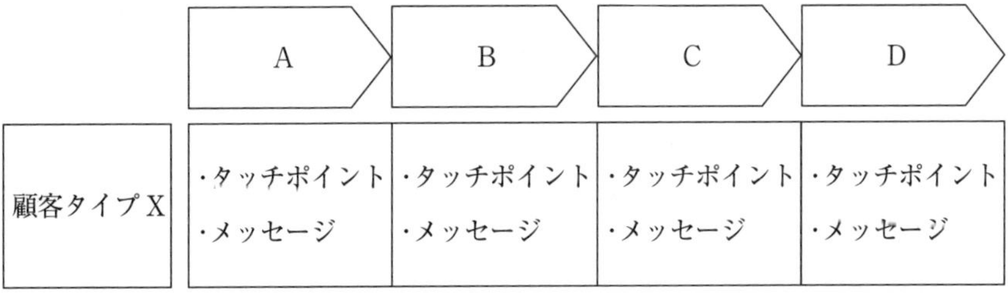

	A	B	C	D
顧客タイプX	・タッチポイント ・メッセージ	・タッチポイント ・メッセージ	・タッチポイント ・メッセージ	・タッチポイント ・メッセージ

［解答群］

ア　A：Wを知らない
　　B：スティック型掃除機をリピート購買する
　　C：スティック型掃除機の購入経験が一度ある
　　D：スティック型掃除機に関心がある

イ　A：Wをまだ知らない
　　B：Wを少し知っている
　　C：スティック型掃除機の具体的購入計画がある
　　D：スティック型掃除機に関心がある

ウ　A：スティック型掃除機を検討している
　　B：Wを推奨する
　　C：Wに関心がある
　　D：Wを認知する
エ　A：掃除機の買い替えを検討している
　　B：Wを推奨する
　　C：スティック型掃除機を検討している
　　D：掃除機の想起集合にS社が入っている
オ　A：掃除機の買い替えを検討している
　　B：スティック型掃除機に関心がある
　　C：スティック型掃除機を具体的に検討する
　　D：Wを購入する

第31問

BtoBマーケティングに関する記述として、最も適切なものはどれか。

ア　BtoBマーケティングでは、社内での慎重な検討を経て購買意思決定がなされるが、ブランドのイメージに頼る購買も存在する。

イ　BtoBマーケティングでは顧客は取引先企業であるため、不特定多数の消費者を対象とするBtoCマーケティングとは異なり、広告は不要である。

ウ　BtoBマーケティングにおける顧客とは取引先企業であるため、クチコミは発生しない。

エ　不特定多数の消費者を対象とするBtoCマーケティングとは対照的に、BtoBマーケティングでは特定少数の取引先企業との長期的関係が重要であるため、現在の取引先企業の要望に応えることだけに専念することが必要である。

第32問

マーケティング・コミュニケーションにおいては、コンテンツのマネジメントが重要である。下図は、典型的なコンテンツのマネジメント・プロセスを示している。図中の空欄A～Dに入る語句の組み合わせとして、最も適切なものを下記の解答群から選べ。

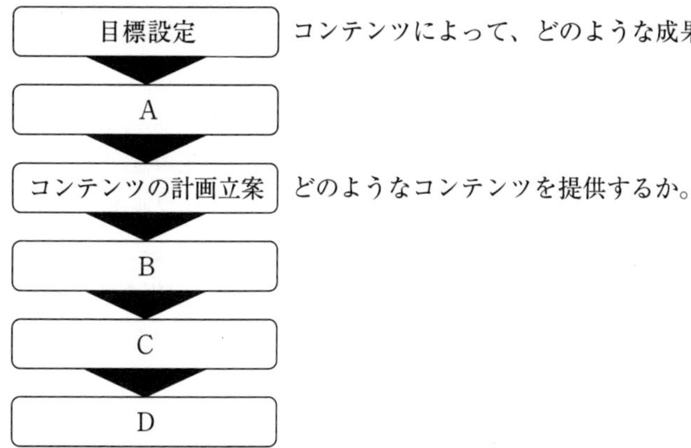

[解答群]

ア　A：差別化戦略の策定　B：セグメンテーション
　　C：コンテンツの制作　D：コンテンツの配信と拡散
イ　A：セグメンテーション　B：ターゲットの設定
　　C：コンテンツの制作　D：コンテンツの配信と拡散
ウ　A：セグメンテーション　B：ターゲットの設定
　　C：コンテンツの配信と拡散　D：リピートの獲得
エ　A：ターゲットの設定　B：コンテンツの制作
　　C：コンテンツの配信と拡散　D：コンテンツの評価と改善
オ　A：ポジショニング政策の立案　B：セグメンテーション
　　C：コンテンツの評価と改善　D：コンテンツの配信と拡散

第33問　★重要★

マーケティング・コミュニケーションにおけるSNSの利用やその役割に関する記述として、最も適切なものはどれか。

ア　SNS広告にはさまざまなタイプがあるが、利用者を目的ページへ遷移させることを意図していない。

イ　SNSとは、消費者が自由に投稿したり、相互にコメントしたり参照し合ったりする場である。このため、原則的には企業が開設するアカウントからSNS上に投稿されることはない。

ウ　消費者によって毎日SNS上に投稿されるクチコミは、消費者によって発信された情報であるために信頼性が高い。すなわち、SNS上のクチコミには信頼属性に関する情報が豊富に含まれている。

エ　フォロワー数が極めて多い著名人をインフルエンサーとして起用し、当該インフルエンサーを通じてSNS上で企業が情報発信を行う場合、当該企業の意図通りに実施されるように、企業は厳密にコミュニケーションを設計し、インフルエンサーを統制して情報発信を行っている。

オ　ほとんどの消費者は、自己のアカウントにログインした状態でSNSを利用する。このためSNSでは、基本的に企業はクッキーを使用せずに広告配信のターゲティングを行うことができる。

第34問

PR（パブリック・リレーションズ）に関する記述として、最も適切なものはどれか。

ア　PRの定義には、広報誌、ロビー活動、サンプル配布、プレスキット、セミナー、OOHが含まれる。

イ　ダイレクト・レスポンスとは、マスメディアを用いて特定のターゲットを対象としたメッセージを送り、直接反応を得るプロモーションであり、特定顧客との関係を構築するためのツールとして用いられてきた。

ウ　プロモーションの具体的な手法については、伝統的な分類では、広告、販売促進、ダイレクト・レスポンスおよびパブリシティをプロモーション・ミックスとしてきた。

エ　ペイド・パブリシティは、企業が取材費や記事制作経費などを負担することによってメディアに記事やニュースを掲載してもらう方法であり、実質的には広告と捉えることができる。

第35問

BtoCマーケティングにおける人的販売に関する記述として、最も適切なものはどれか。

ア　経営トップの意向や判断が強く影響するBtoBマーケティングでは、顧客企業との接点を担う営業人材の選好や判断が購買意思決定に反映されにくく、BtoCマーケティングに比べて、営業人材が担う役割は極めて小さい。

イ　消費者自身では購買意思決定が困難な製品・サービスや、購買に際して高い知覚リスクを感じるような製品・サービスの場合に適したプロモーション手段である。

ウ　全体的なプロモーション効果を高めるためには、購買プロセスの前半に購買者の選好、納得感、行動に強く影響を与える人的販売が実施され、購買プロセスの後半にリマインドのための広告や販売促進が実施される。

エ　対応可能な消費者の数が限られる一方、相手の状況や反応を把握しながら柔軟な対応ができるため、高い認知率を獲得するためには、極めてコスト効率が高いプロモーション手段である。

オ　ダイレクト・マーケティングは、消費者へのダイレクトな非人的チャネルを利用して、仲介業者を介さずに顧客に到達し、財やサービスを提供する活動であるため、これに人的販売は含まれない。

第36問　★ 重要 ★

以下のa～fは、新製品に関する先発優位または後発優位についての記述である。このうち、先発に比べて後発の方がよりメリットが大きいとされる記述の組み合わせとして、最も適切なものを下記の解答群から選べ。

a　経験効果が大きい。

b　製品の規格をコントロールしやすい。

c　金銭的コストや心理的コストなどの切り替えコストの発生を利用できる。

d　需要の不確実性を見極められる。

e　消費者の心の中に参入障壁を形成できる。

f　PLCにおいて主流となる顧客ニーズに対応しやすい。

[解答群]

ア　aとc　　イ　bとe　　ウ　cとf　　エ　dとe　　オ　dとf

第37問　★ 重要 ★

価格設定に関する記述として、最も適切なものはどれか。

ア　価格バンドリングでは、バンドリングされる２つの商品間におけるカニバリゼーションを避けるため、商品間の品質や価格などの差を十分に大きくしておく必要がある。

イ　キャプティブ・プライシングは、例えばプリンターとインクカートリッジのような組み合わせにおいて、プリンターの価格を安くして購入を促し、インクカートリッジで利益を確保していこうとする価格戦略である。

ウ　ダイナミック・プライシングは、宿泊や航空のサービスなどの需給に大きな変化が生じやすいカテゴリーでは適応されるが、自動販売機や小売店頭で販売されるような需給の変化が小さいカテゴリーでは適応されない。

エ　フリーミアムは、スマートフォンなどの高価格商品においては当該ブランドを選択する吸引力になりうるが、ファストフードのコーヒーなどの低価格商品においては当該店舗に来店する吸引力になりにくい。

第38問　★重要★

次の文章を読んで、下記の設問に答えよ。

消費者市場の分析は、企業が適正な製品を、適正なタイミングや方法で、適正なターゲット顧客に販売するために不可欠である。企業は、消費者を取り巻く①社会文化的要因や②個人的要因を分析することによって、各消費者に適したマーケティングの実現を目指している。

設問1

文中の下線部①に関する記述として、最も適切なものはどれか。

ア　グローバル市場参入における標準化と適応化の決定においては、日本製という原産国イメージを利用する場合には、標準化のマーケティングが実施され、原産国イメージを利用しない場合には、現地の消費者に及ぼす社会制度や文化などの分析に基づく適応化のマーケティングが実施される。

イ　社会階層は、人種や宗教などが多様な国や地域のセグメンテーションでは有効な変数であるが、日本においてはセグメンテーションの変数として有効ではない。

ウ　準拠集団の影響をイノベーションの普及理論に当てはめてみると、オピニオンリーダーは早期少数採用者として新製品の普及に影響を与え、インフルエンサーは後期多数採用者として当該製品の普及に大きな影響を与える。

エ　消費に関する他者の影響を説明する理論には、他者の消費行動が欲求を増大させるスノッブ効果、他者の消費行動が欲求を低下させるバンドワゴン効果、値段が高いことが欲求を増大させるヴェブレン効果などがある。

オ　デモグラフィック変数には、性別、年齢、年収、社会的地位、ライフステージが含まれ、サイコグラフィック変数には、趣味、価値観、関与、ライフスタイルが含まれる。

設問2 ●●●

文中の下線部②に関する記述として、最も適切なものはどれか。

ア　過去の経験や知識、自己との関連性などに基づき膨大な商業的情報に対して選択的に注意を向けるという知覚機能は、無意識に働きかける情報に対しては働かない。そのため、サブリミナル広告は製品のブランド化に大きな影響を与える。

イ　消費者の関与水準とブランド間の知覚差異によって購買行動を分類したアサエルによると、バラエティ・シーキングが最も起こりやすいのは、関与が低く、ブランド間の知覚差異が大きい場合である。

ウ　消費者の購買意思決定に影響を与える記憶では、一時的に情報を保持する手続き的記憶と、情報の保持期間が長く、一生にわたり潜在的に保持されるエピソード記憶や意味記憶の役割が明らかにされている。

エ　製品が魅力的に見えたりそうでなかったりすることに、天気や店舗の雰囲気といった、製品とは無関連な原因から生じている感情が影響を及ぼすことがある。同化効果と呼ばれるこのような現象は、感情が生じている原因を消費者が正しく認識している場合には見られない。

第39問　★ 重要 ★

マーケティング・リサーチに関する記述として、最も適切なものはどれか。

ア　サーベイ法では、間隔尺度、序数尺度、比例尺度、名義尺度によってデータが収集される。このうち、調査対象者の選択した回答番号が数字としての意味を持たず、回答番号の違いが単に対象者の質的な違いを分類するだけの意味を持つ尺度は間隔尺度である。

イ　自社ビールの売上が落ちてきている原因の１つとして「テイストが軽すぎる」という仮説が立てられた場合、自社ビールのテイストに関する消費者データを収集して分析し、仮説を明らかにしようとする調査をインサイト・リサーチと呼ぶ。

ウ　消費者の発言データは、コーディングにより頻度を算出したり、コード間の結びつきを図示したりするなどして解釈が行われる。データの解釈では、分析者の主観を排除し、客観的に結果を示すことが重視される。

エ　データ収集において、リサーチ対象となる母集団の全てを対象に調査を実施する全数調査に対し、母集団の一部を標本として抽出して調査を実施する悉皆（しっかい）調査では、母集団の属性を反映した標本を抽出することが重視される。

オ　マーケティング・リサーチで収集および利用されるデータの中で、自社の売上や顧客情報といったすでに社内に蓄積された内部データは一次データに該当し、他の組織が収集した外部データは二次データに該当する。

第40問

下図は、「自分でわかっている」自己と「他人がわかっている」自己の一致・不一致を、窓のように見える４つの枠に分類したジョハリの窓と呼ばれる概念図である。企業が消費者の自己に関するデータを収集する場合、どのリサーチ手法が、どの窓の自己データ収集において有効かを記した記述として、最も適切なものを下記の解答群から選べ。

	自分でわかっている	自分ではわからない
他人がわかっている	開放の窓	盲点の窓
他人はわからない	隠された窓	未知の窓

[解答群]

ア　インタビュー調査は、どの窓の自己データの収集についても有効ではない。

イ　行動観察調査は、「開放の窓」についてのデータを得るために有効ではない。

ウ　行動観察調査は、「盲点の窓」についてのデータを得るために有効である。

エ　定量的なアンケート調査は、「開放の窓」と「盲点の窓」についてのデータを得るために有効である。

オ　定量的なアンケート調査は、「未知の窓」についてのデータを得るために有効である。

令和 6 年度 解答・解説

問題	解答	配点	正答率※
第1問	オ	3	D
第2問	エ	2	A
第3問	ウ	3	A
第4問	イ	3	B
第5問	エ	2	B
第6問	ア	3	C
第7問	ウ	2	A
第8問	ア	3	B
第9問	ア	3	C
第10問	ウ	2	A
第11問	ア	3	C
第12問	ア	2	C
第13問	エ	2	C
第14問	ア	3	B
第15問	オ	3	A
第16問	エ	2	B
第17問	オ	3	B
第18問	イ	2	C
第19問	エ	3	B
第20問	ア	3	C
第21問	イ	2	B
第22問	エ	3	A
第23問	エ	2	B
第24問	ウ	2	B
第25問	エ	2	E
第26問	ア	2	B
第27問	ア	2	B
第28問	イ	3	C
第29問	エ	3	C
第30問	オ	3	A
第31問	ア	3	A
第32問	エ	3	B
第33問	オ	2	D
第34問	エ	2	B
第35問	イ	2	A
第36問	オ	2	A
第37問	イ	2	A
第38問（設問1）	オ	2	C
第38問（設問2）	イ	2	C
第39問	ウ	2	C
第40問	ウ	2	B

※TACデータリサーチによる正答率
　正答率の高かったものから順に、A～Eの５段階で表示。
A：正答率80%以上　B：正答率60%以上80%未満　C：正答率40%以上60%未満
D：正答率20%以上40%未満　E：正答率20%未満

解答・配点は一般社団法人日本中小企業診断士協会連合会の発表に基づくものです。

令和6年度 解説

【解　説】

令和６年度の企業経営理論は、TACデータリサーチ上の速報値によれば、平均点が65.12点となり、令和５年度より5.81点の上昇となり、TACデータリサーチ上で過去最高の平均点となった。令和６年度は令和５年度と比較して、Aランクの数は変わらなかったものの、Bランクの数が２題増加、Cランクの数が３題増加した。一方、Dランクの問題が５題減少した（Eランクの数は変わらず）。そのため、着実に得点できる問題が増えた状況であったと言える。A、Bランクをいかに取りこぼすことなく得点できたかが合否の分かれ目であり、さらに得点を稼げたかどうかの分かれ目であったと考えられる。

企業経営理論の大まかな傾向は、戦略論がもっとも得点しやすく、組織論がもっとも得点しにくい、そして、マーケティングは年度によって難易度の変動が大きい、というものであるが、令和６年度は令和５年度と比較して、経営戦略論と労働関連法規が例年並みもしくは例年よりも易化、経営組織論とマーケティング論が例年よりも易化した。毎年数問はある、多くの受験生が初見に近い問題においても、問題文や選択肢の説明、表現を読み解くことで正解を選択できるような問題も多く見られた。

経営戦略論は、令和５年度と比較して、Bランクが１題減少、Cランクは１題増加となった。この変化は誤差の範囲であり､昨年並みの難易度といえる。前述のとおり、経営戦略論は近年得点しやすい状況が続いているので、その点では本年も同じような傾向を示したといえる。

経営組織論は、令和５年度と比較して、Aランクが２題減少したものの、Bランクが３題増加、Cランクが２題増加、Dランクが２題減少、Eランクが１題減少となった。総じて難易度は易化したと考えられる。

労働関連法規と人的資源管理については、令和５年度と同様に人的資源管理からの出題がなく、労働関連法規から４題という構成であった。労働関連法規は、比較的基礎的な論点が出題される場合と対応が困難な場合に分かれるが、令和６年度は令和５年度と同様、比較的対応しやすい出題になった。

マーケティングは、令和５年度と比較して、Aランクが３題増加、Bランクが１題減少、Cランクが１題増加、Dランクが３題減少（Eランク無し）となった。令和６年度の平均点上昇の大きな要因は、マーケティング論の得点向上と考えられる。

第1問

H.ミンツバーグの創発的戦略（Emergent Strategy）に関する問題である。

ア　×：「意図された戦略（Intended Strategy）」とは、企業が将来に向けて計画し達成しようとする戦略のことである。また、「計画された戦略（Deliberate Strategy）」とは、「意図された戦略」が組織内で実際に遂行され意図した通りに実行された戦略のことである。計画された戦略が成立するためには、外部環境の安定性が要件となる。「創発的戦略」とは、**計画されていない戦略が偶発的な状況により形成されるプロセス**を指す。外部環境の変化により、意図された戦略の実現可能性が低下した中、新たな機会や問題に対応するプロセスにおいて偶発的に形成された戦略が「創発的戦略」である。

イ　×：「創発的戦略」は、選択肢**ア**の解説にも触れたように、計画されていない戦略が偶発的な状況により形成されるプロセスということができる。「創発的戦略」は結果的、偶発的に新たな事業ドメインを創出することにつながるが、**新たな事業ドメインを創出することを目的とした戦略ではない**。

ウ　×：本肢は、選択肢**ア**でも触れた**「意図された戦略」の説明**である。意図された戦略における新市場・新製品分野への進出は、既存市場・既存製品分野とのシナジー効果を期待することが多い。しかし、外部環境の変化により、意図された戦略が実現することが難しい場面で**偶発的に生じる「創発的戦略」は、必ずしも既存事業とのシナジー効果が得られるとは限らない**。

エ　×：H.ミンツバーグは、戦略と組織形態との関係において、**官僚制のような中央集権的で硬直した組織形態では**、既存のルールやプロセスに縛られ現場での柔軟な対応を妨げるため「意図された戦略」の実行には適するものの、**「創発的戦略」が生まれる余地は小さくなる**としている。**「創発的戦略」は、柔軟性が高い組織構造において生じやすくなる**ともいえる（創発的戦略は、**組織形態が戦略の選択肢を狭めるという、戦略策定過程の性質を表した概念ではない**）。

オ　○：正しい。選択肢**ア・イ**の解説のとおりである。

よって、**オ**が正解である。

第2問

伊丹敬之の「見えざる資産」に関する問題である。伊丹敬之は、経営資源（ヒト・モノ・カネ・情報）の中の情報的経営資源を、目に見えない資源ということで「見えざる資産」と名付けた。企業活動の成否は、ヒト・モノ・カネといった目に見える物的な経営資源で決まるのでなく、「見えざる資産」の質や活用度合いの影響が大きいとしている。また、「見えざる資産」の具体例として、技術開発力、熟練やノウハウ、特許、ブランド、顧客の信頼、顧客情報の蓄積、組織風土などを挙げている。

ア　×：上記のとおり、見えざる資産とは、「ヒト・モノ・カネ・情報」の経営資源の中の**情報的経営資源のこと**である。

イ　×：上記のとおり、技術やノウハウ、組織風土が見えざる資産に含まれることは正しい。また、**ブランドも見えざる資産に含まれる**。

ウ　×：見えざる資産は、下記の３つの理由から**多重利用が可能である**。

・同時に複数の人が利用可能

・使い減りしにくい

・活用しているうちに、他の情報との結合により新しい情報が生まれることがある。

実際に、ある製品においてブランドを構築できると、別の製品領域においてもそのブランド力を活用して販売しやすくなることがある。

エ　○：正しい。見えざる資産は、その資産がどのような情報の流れに関連したものかということをベースに下記の３つに分類される。

①　環境情報：環境（外部）から企業（内部）への情報の流れ
　　技術ノウハウ、顧客情報の蓄積　など

②　企業情報：企業（内部）から環境（外部）への情報の流れ
　　ブランド、企業の信用、流通・下請けへの影響力　など

③　内部情報処理特性：企業内部での情報の流れ
　　組織風土、現場のモラール、経営管理能力　など

本肢の「企業と外部との間の情報の流れ」とは上記の①と②を指し、「企業内部の情報の流れ」が上記の③を指す。

オ　×：見えざる資産は、物的な経営資源と比較して、目に見えないこと、模倣困難性が高いことから**差別化の源泉になりやすい**。

よって、**エ**が正解である。

第３問

R.ルメルトの多角化の分類に関する問題である。R.ルメルトは多角化について７つのタイプに分類している。

（量的な尺度：売上高比率）

①　特化率（専門化率）：最大の売上規模をもった事業の売上高の、総売上高に占める比率

②　垂直比率（垂直率）：垂直統合している事業分野の売上高の、総売上高に占める比率

③　関連比率：事業間に関連がある場合、その最大関連事業の合計売上高の、総売上高に占める比率

（質的な尺度：資源展開のパターン）

①　集約型：事業間の関連性が緊密で、少数の経営資源を複数の事業で共通利用するタイプ

②　拡散型：緊密な資源の共通利用関係は生じず、すでに蓄積された経営資源を梃子に新分野へ進出し、その新分野で蓄積した経営資源をベースにさらに新しい分野に進出するタイプ

（なお、本問では量的な尺度の①特化率（専門化率）②垂直比率（垂直率）③関連費率の分類のみが問われている）

７つのタイプ	特化率（専門化率）	垂直比率（垂直率）	関連比率	特徴
専業型 **（単一事業企業）**	95％以上	—	—	売上のほとんどを主力事業が占める
垂直型 **（垂直的主力事業企業）**	95％未満	70％以上	—	垂直的な関連をもつ事業グループの売上が、総売上の大部分を占める
本業・集約型	70％以上 95％未満	70％未満	—	主力事業が売上の大部分を占める
本業・拡散型	70％以上 95％未満	70％未満	—	主力事業が売上の大部分を占める
関連・集約型 （※）	70％未満	70％未満	70％以上	技術や市場で関連のある事業グループの売上が総売上の大部分を占める
関連・拡散型 （※）	70％未満	70％未満	70％以上	技術や市場で関連のある事業グループの売上が総売上の大部分を占める
非関連型 **（非関連事業企業）**	70％未満	70％未満	70％未満	事業間に関連がなく、売上比率の中で大きな部分を占める事業がない

※本問では２つ合わせて「**関連事業企業**」としている。

本問で示された事業は以下のとおりである（数値は売上高）。

①　製品Ａ事業：960億円

②　製品Ｂ事業：　10億円

③　部品Ｃ事業：　20億円

④　不動産事業：　10億円　（売上高合計：1,000億円）

①の製品A事業の売上高960億円は、企業全体の売上高1,000億円の96％を占める。これは専門化率が96％（95％以上）であることを示す。したがって、この企業は上記分類において「**単一事業企業**」ということができる。

よって、**ウ**が正解である。

第4問

PPMに関する問題である。

PPMでは、市場シェア（相対的市場占有率）と市場成長率の２つの値を用いて、問題児、花形、金のなる木、負け犬の４つのカテゴリーに分類を行う。

	市場シェア（相対的市場占有率）	市場成長率
問題児	低い	高い
花形	高い（業界１位のみ）	高い
金のなる木	高い（業界１位のみ）	低い
負け犬	低い	低い

相対的市場占有率は「自社のシェア÷自社を除く最大競争相手のシェア」で求めることができ、花形と金のなる木は1.00以上の値となる。1.00以上というのは、業界１位の時のみに満たすことができる。

以上から、本問に与えられた各事業部は、下記のように分類できる。

事業名	売上高	市場シェア	市場成長率	PPMの分類
事業A	300億円	15％（業界３位）	25％	問題児
事業B	3,000億円	45％（業界１位）	５％	金のなる木
事業C	200億円	５％（業界５位）	５％	負け犬
事業D	1,600億円	55％（業界１位）	25％	花形

※売上高の情報は、PPMの分類には用いない。

ア　×：事業Bは金のなる木に該当し、キャッシュフローの源となる事業であるため、**速やかに事業清算は行わない**。

イ　○：正しい。事業Dは花形に該当する。花形の事業は成長率が高く、業界他社との競争が激しいため、市場シェアの維持・向上のためにはマーケティングコスト等の大きな投資が必要となる。業界１位であり、当該事業から得られる大きな収入を自事業への再投資に向けることが基本的な戦略となる。

ウ　×：事業Bは金のなる木に、事業Cは負け犬に該当する。PPMでは、金のなる木で得た資金は問題児や花形の事業への投資に向けるが、**市場成長率も市場シェアも**

低調である負け犬事業への投資は原則的には行われない。

エ　×：PPMでは、**経営資源を財務資源の観点からのみ考える**。そのため、**技術シナジーや技術供与などについては考慮されない**。さらに、花形（事業D）から問題児（事業A）に投資（技術供与）をするという考え方もしない。

オ　×：PPMでは、花形（事業D）から負け犬（事業C）に投資するという考え方はしない。

よって、**イ**が正解である。

第5問

買収防衛策に関する問題である。

ア　×：経営陣が既存株主から自社の株式を直接買い取ることを「MBO (Management Buyout)」といい、資本市場から撤退（上場廃止）し、他の株主からの影響を抑制して事業を構築、運営する際に用いられることもある。なお、「ゴールデンパラシュート」とは、被買収側の経営陣が解雇された場合に巨額の退職金を設定しておき、買収側の買収意欲を削ぐ方法のことをいう。

イ　×：自社の重要な資産（クラウンジュエル）をあらかじめ売却する手法は「**焦土作戦**」という。「サメ除け」とは、買収しにくくするような多くの社内規定を規定しておくことである。

ウ　×：企業の株式を大量に買い集めた後、その株式を高値で会社に売り戻すことで利益を得ようとする組織もしくはその戦略を「グリーンメーラー」という。**グリーンメーラーへの対応**の1つとして、本肢のように、株式を買い集められた企業（企業A）は市場価格よりも高い価格ですべて買い戻すことがある。また、「パックマン戦法」とは、敵対的買収を仕掛けられた時に、その相手に対し逆に敵対的買収を仕掛けるという対抗措置である。

エ　○：正しい。本肢は、「ポイズンピル」の具体例である。

オ　×：買収企業を逆に買収しようとするのは、選択肢**ウ**の「**パックマン戦法**」である。「ホワイトナイト」とは、敵対的買収に対抗して、友好的に買収をしてくれる会社のことである。

よって、**エ**が正解である。

第6問

取引コストアプローチに関する問題である。O.ウィリアムソンは、取引コストの観点から、企業が垂直統合する場合に考慮するコストとして以下の2つを挙げている。

①　垂直統合を行わずに通常の商取引を行う場合に生じる、取引対象物の情報収集や

分析、取引相手との交渉などに要する取引コスト

② 外部組織との商取引を行うのではなく、流通段階の異なる他企業を垂直統合する場合に生じる、統合に係る諸手続や組織統合などに要する内部管理コスト

その上で、①垂直統合を行わない場合の取引コストが、②垂直統合を行う場合の内部管理コストを上回る場合に垂直統合が行われる、としている。

ア ○：正しい。関係特殊的な資産への投資とは、一般的多数の取引相手向けに使用することはできないが、ある買い手の特有の需要に応えるためだけに行う投資のことである。関係特殊的な投資を要する買い手は、売り手との交渉から契約成立に至るコストや契約成立後の売り手の管理コストなどの取引コストを多く要することがある。その場合、コストの最小化の観点から、垂直統合を行う動機が高まる。

イ ×：自社に蓄積された余剰資金を活用し、資本効率を高めるために垂直統合が行われることはあるが、**取引コスト理論の観点と関連するものではない。**

ウ ×：自社の企業規模を拡大し、規模の経済性を高めることはあるが、**取引コスト理論の観点と関連するものではない。**

エ ×：市場の新規性が高く取引相手の企業が存在しないが、自社資源を柔軟に再配分して直接することができることはあるが、**取引コスト理論の観点と関連するものではない。**

オ ×：複数の事業を傘下に収めることで、範囲の経済性を高めることはあるが、**取引コスト理論の観点と関連するものではない。**

よって、**ア**が正解である。

第7問

M.ポーターの５フォース分析における「代替品の脅威」に関する問題である。

ア ×：代替品が現れると価格に天井が生じ、業界の潜在利益は抑え込まれる。製品性能やマーケティングなどの手段で代替品を遠ざけないと、**業界の収益性は低下し、将来の成長も見込めなくなるため、潜在的には負の影響が大きい。**

イ ×：代替品となるものが少なければ、既存の製品やサービスが代替品に取って代わられる可能性は低くなるため、**代替品の脅威は小さくなる。**

ウ ○：正しい。代替品のコストパフォーマンス比が高いというのは、既存の製品と同じ機能を低単価でつくることができるということである。この比率が急速に向上するのであれば、既存の製品が代替される可能性が非常に高くなるため、代替品の脅威は大きくなる。たとえば、レンタルビデオ店にとっての代替品は、オンデマンドサービスやインターネット動画サイトである。これらのサービスはコストパフォーマンス比が非常に高いため、レンタルビデオ店にとって大きな脅威となる。

エ　×：代替品を提供する業界の利益率が高いほど、その業界は余力が大きくなるため、開発やマーケティング等、今後さらに発展することに投資を行うことができる。**代替品のさらなる品質やコストパフォーマンス比の向上などが行われやすくなるため、代替品の脅威は大きくなる。**

オ　×：代替品は、同じ製品だけではなく、同様の機能をもつ異なる製品も対象となり得る。そのため、姿形が既存の製品やサービスとあまりにも異なっていることもあり、見落とされやすい。たとえば、父の日のプレゼントを探している人にとっては、ネクタイの代替品は電動工具かもしれないし旅行券かもしれない。そのため、**客観的には識別しにくい。**

よって、**ウ**が正解である。

第8問

衰退業界（産業）の競争戦略に関する問題である。M.ポーターは、衰退業界での戦略として以下の4つがあるとしている。

① 市場リーダーシップ戦略：限られた市場の中でシェアを上げて、自分たちだけが生き残る

② ニッチ戦略：比較的安定して衰退が緩やかなセグメントを見つけ、そのセグメントで生き残る

③ 収穫（刈り取り）戦略：回収できるだけ回収して撤退する

④ 撤退戦略：すぐに撤退する

上記の戦略は個別に遂行してもよいし、場合によっては順番に複数の戦略を進めることもできるとしている。

ア　○：正しい。衰退業界では販売数量が下降するため、固定的な間接費（家賃や減価償却費や給与など）のことを考えると、価格を引き上げないと利益が得られない。買い手が価格に敏感でなく、かつ買い手の交渉力が小さいというのは、売り手が価格を引き上げたとしても、買い手は引き上げられた価格で買い続けるということであるため、残存者は利益を得やすい。

イ　×：業界内で強力なポジションを占めているというのは、市場リーダーシップ戦略を行うことが可能な状態である。市場でのリーダーシップを握ることができると、衰退のプロセスを制御し、投資を行うなどして不安定要因となる価格競争を回避しやすい状況を生み出すことができる。そのため、**企業による業界の衰退予想は相対的に悲観的になりづらい。**

ウ　×：急激かつ無軌道な衰退プロセスが予想される場合、業界の競争環境はますます不安定になり、業界大手の企業などが撤退を選択することがある。すると、業界

の買い手企業は今後の供給状況に不安を感じ、需要を大きく縮小することが考えられる。このようにして、**業界の競争の激しさは増大することが多い**。

エ　×：本肢の内容は、**ニッチ戦略**の説明である。刈り取り戦略とは、衰退する市場の中で回収できるだけ回収して、その後に撤退する戦略である。

オ　×：選択肢**ウ**の解説でも触れたが、業界の衰退速度は、技術進歩や人口変化などの環境要因だけではなく、**業界大手などの個々の企業が撤退するか否か（撤退戦略）の影響も大きく受ける**。

よって、**ア**が正解である。

第9問

W.アバナシーとJ.アッターバックのA-Uモデルに関する問題である。

A-Uモデルは、産業の初期には製品に関するラディカルな（急進的な）イノベーション（プロダクトイノベーション）が多く生じるが、ドミナントデザインの登場により、工程に関するイノベーション（プロセスイノベーション）や、製品や工程に関するインクリメンタルな（漸増的な）イノベーションへとシフトしていくことを示したモデルである。

ア　○：正しい。ドミナントデザインとは「ある製品における大多数のユーザーの要求性能をみたした設計基準」といえる。使用状況、仕様、評価基準が顧客の間で共有されるようになると、産業の規制と政府の介入、業界企業の戦略行動の影響を受けながらドミナントデザインが定まってくる。

イ　×：生産者の評価基準は、ラディカルなプロダクトイノベーションが影を潜め、工程イノベーション（プロセスイノベーション）が主流になると、**製品の新規性からコストに移っていく**。

ウ　×：前述のとおり、プロダクト（製品）イノベーションは、ドミナントデザインが形成される前に出現され、ドミナントデザインが形成された後には出現数が**減少していく**。

エ　×：ドミナントデザインが出現すると、ラディカルイノベーションからインクリメンタルイノベーションに移行されていく。インクリメンタルイノベーションを進めていくにおいては、ラディカルイノベーションを進めるのに対し、官僚的で分業が進んだ**機械的組織がその産業において増えていく**。

オ　×：ドミナントデザインが出現すると、プロセス（工程）イノベーションは活発化していくが、**プロダクト（製品）イノベーションは影を潜めていく**。

よって、**ア**が正解である。

第10問

製品アーキテクチャーに関する問題である。

ア ×：インテグラル型アーキテクチャーでは、製品の持つ機能が複数のコンポーネント（部品）にまたがって複雑に配分されている。**コンポーネント間の相互依存性が高いため模倣困難性も高く、標準化が進みづらい。**一方で、モジュール型アーキテクチャーでは、モジュール間の相互依存性も低いため、模倣困難性も低くなる。良い製品があると、他社は模倣を行いやすくなるため、標準化が進みやすい。実際に、モジュール型アーキテクチャーでは、技術力が低い企業でも容易に完成品の製造が可能になるため、コモディティ化（製品差別化が困難で価格競争が生じやすい状態）が進行しやすい。

イ ×：モジュラー型（モジュール型）アーキテクチャーでは、**モジュール間のインターフェースを固定化することで、擦り合わせ（相互調整）が不要**になるという特徴がある。**擦り合わせによって価値を創造できるのは、インテグラル型アーキテクチャーをもつ製品が多い。**

ウ ○：正しい。インテグラル型アーキテクチャーはコンポーネント間の相互依存度が高いため、1つのコンポーネントに変更を加えると、他の多くのコンポーネントに変更を加えなくてはならない。そのため、部門横断的に調整することが不可欠になる。

エ ×：前述したとおり、モジュラー型のアーキテクチャーをもつ製品は標準化しやすく、コモディティ化が進行しやすくなる（**部品の差別化は困難である**）。価格競争は激化し、**部品のコスト低減の必要性も増すこととなる。**

よって、**ウ**が正解である。

第11問

C.A.バートレットとS.ゴシャールのI-R（Integration-Responsiveness、統合－適合）フレームワークに関する問題である。C.A.バートレットとS.ゴシャールは、企業の国際化の形態を、全世界的な標準化（グローバル統合）を図る度合いと、進出した海外現地市場への適合（ローカル適合）を図る度合いという2つの観点から、4つに分類している。

グローバル統合 ＼ ローカル適合	低	高
高	【グローバル型】 親会社で開発した技術や製品を海外に移転させる。海外子会社は親会社の指示に従い戦略実行することに専念し、ローカル適合を図る意思は弱い。	【トランスナショナル型】 海外の地域ごとに役割を持たせ、世界的に経営を統合させる。各地域で開発された技術や製品などは世界中で共有される。
低	【インターナショナル型】 技術や製品の開発など中核部分は親会社に集中させ、それ以外の部分は海外子会社に委任する。グローバル型よりは海外子会社に運営権限がある。	【マルチナショナル型】 海外子会社が自律的な運営を行い、徹底したローカル適合を図る。海外子会社間の相互関係は弱い。

本問の「標準化を最小限に抑えながら､現地適応を最重要視する」という方針から、経営スタイルは「**マルチナショナル型**」と合致する。

ア　○：正しい。マルチナショナル型の説明である。標準化を最小限に抑えながら、現地適応を最重要視する場合、海外子会社に多くの意思決定権限を与え、多くの経営資源を分配して自律的な運営を行わせる必要がある。

イ　×：**インターナショナル型**の説明である。親会社が海外子会社を公式的に管理・統制することから、**日常業務**の意思決定の権限や経営資源の多くが海外子会社に分散されたとしても、**非日常的な戦略策定などは親会社が決定することになる**。したがって、「標準化を最小限に抑えながら、現地適応を最重要視する」方針とは合致しない。

ウ　×：**トランスナショナル型**の説明である。各地での学習成果を全世界的に企業全体で活用するためには、親会社の強いコントロールが必要となるため、**標準化を最小限に抑えるわけではない**。また、**各海外子会社が現地市場への適応も考慮した事業を推進するが、最重要視しているわけでもない**。

エ　×：現地化と標準化の両立を図ることの負荷を下げるために、現地企業との戦略的提携体制を整えること自体は有効である。しかし、**I-Rフレームワークでは現地企業との戦略的提携体制は規定されていない**。また、**戦略的提携体制が標準化を最小限に抑えることに有効なわけではない**。

オ　×：**グローバル型**の説明である。重要な意思決定や経営資源を本国や親会社に集中し、集権的に海外子会社を統制すると、標準化を最小限に抑えるどころか**標準化の程度は高くなり、現地適応の困難性は高まる**。

よって、**ア**が正解である。

第12問

企業の社会的責任（CSR）に関する問題である。

ア ×：金融庁によると、インパクト投資とは「**一定の投資収益確保を図りつつ、**社会・環境的効果（インパクト）の実現を企図する投資」のことをいう（**経済的リターンを求めないわけではない**）。

イ ○：正しい。統合報告書とは、売上高や資産などの財務情報に加えて、社会的責任（CSR）や企業統治などの非財務情報を統合的にまとめたものである。

ウ ○：正しい。CSV（Creating Shared Value）とは2011年にM.ポーターが提唱したものである。社会的課題を解決することによって、社会価値と経済価値を同時に創造するという考え方である。

エ ○：正しい。海外では、環境保護の観点から、石油や石炭などの化石燃料関連の株式を売却した事例もある。

オ ○：正しい。「グリーンウォッシュ」とは、ごまかすという意味の「ホワイトウォッシュ」と環境を意味する「グリーン」を掛け合わせた造語である。適切なESG投資先を見つけるためにも、「グリーンウォッシュ」かどうかの見極めは重要になっている。

よって、**ア**が正解である。

第13問

エフェクチュエーションの考え方およびエフェクチュエーションを構成する5つの行動原則に関する問題である。

エフェクチュエーションとは、インド人経営学者のサラス・サラスバシーが、27人の起業家に対してスタートアップによって直面する典型的な10の意思決定課題への回答を求め、その思考内容を分析したものであり、その結果から、優れた起業家が産業や地域、時代に関わらず、共通の理論や思考プロセスを活用していることに着目して研究し、誰もが後天的に学習可能な理論として体系化したものである。そして、対比する概念に「コーゼーション」がある。

「コーゼーション」は、最初に「目的」があり、その達成のために「何をすべきか」を考える。つまり、「目的」から逆算して「手段」を考えて事業を進めていく。現実には未来は不確定・不確実なものだが、これをできる限り予想しながら進めていく。そのため、目的や意思決定がブレないメリットがある反面、未来予測（仮説）が外れた時には失敗するリスクがある。

「エフェクチュエーション」は、「手段」を用いて何ができるかを考え「目的」をデザインしていく。もともと予測不可能なものは、いくら予測してもわからないため、自ら影響を与えて周囲を変えていき、可能な限り不確実な未来をコントロールしていく。コーゼーションと比較すると、リスクが軽減される一方で、目的が変化する可能性を含むスタンスである。

エフェクチュエーションを構成する５つの行動原則には、「手中の鳥の原則」、「許容可能な損失の原則」、「レモネードの原則」、「クレイジーキルトの原則」、「飛行機のパイロットの原則」がある。

ア ○：正しい。本肢は、手中の鳥（bird in hand）の原則の具体例である。手中の鳥の原則とは、目的を起点にそれを達成する新しい方法を考えるのではなく、有している既存の手段を起点に新しいものを作ろうとする考え方である（もともと自分が持っているリソースを使って行うことである）。

イ ○：正しい。本肢は、許容可能な損失（affordable loss）の原則の具体例である。許容可能な損失の原則とは、プロジェクトから期待できる利益を計算して投資（期待利益の最大化）するのではなく、どこまで損失を許容できるか（損失の最小化）に基づいてコミットメントを決めることである。

ウ ○：正しい。本肢は、レモネード（lemonade）の原則の具体例である。レモネードの原則とは、「粗悪なレモンを避ける」のではなく、「粗悪品ならそれをレモネードにしてしまおう」と発想を転換する、つまり不確実な状況を避けて、克服、適応するのではなく、むしろ予測できないことを前向きに捉え、不確実性をテコのように活用しようとすることである。

エ ×：**エフェクチュエーションの考え方と対義的な「コーゼーション」に即した行動である。**コーゼーションの考え方では、不確実な将来の中で少しでも予測可能なものは何かに焦点を当て、可能な限り予測して望ましい結果を出そうとする。一方、エフェクチュエーションでは、予測不可能な将来の中でコントロール可能なものは何かに焦点を当て、未来の環境の一部を創造する行動に集中する。これは、エフェクチュエーションでは、飛行機のパイロットの原則（pilot-in-the-plane）といわれる。

オ ○：正しい。本肢は、クレイジーキルト（crazy-quilt）の原則の具体例である。クレイジーキルトの原則とは、事業に関わるパートナーについて自分以外との関係性をあらかじめ作成した設計図に基づいてつくるのではなく、起業後に自分を取り巻く関与者と交渉しながら（積極的に）関係性を構築していくことである。

よって、**エ**が正解である。

第14問

J.ガルブレイスの組織デザインに関する問題である。J.ガルブレイスは、組織設計のモデルを下図のように示している。

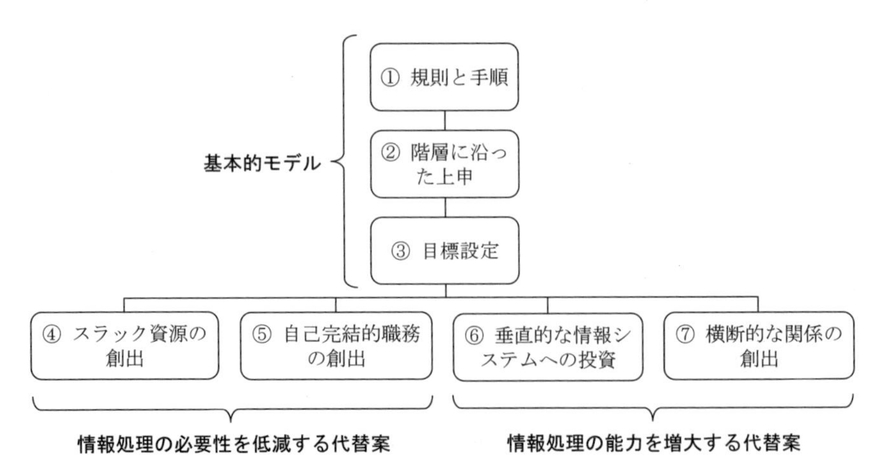

出所：Galbraith [1973]　をもとに筆者作成。

（出典：『経営組織』安藤史江他　中央経済社　p.142を一部改変）

その概要は、以下のとおりである。

① 組織的に業務を行う際は、一つひとつの作業に標準作業ルールや標準手順を設計する。

② 標準作業や標準手順では対応できない際は、上司に報告し対処法を仰ぐ。

③ 環境の不確実性が高まり、②の報告が頻発すると上司の対応が間に合わなくなるため、現場担当者に一定の裁量を与える。具体的には、目標（アウトプット）を設定し、目標を達成しさえすれば、それに至るプロセスはある程度自由にさせる。

ここまでは、官僚的な機能別組織で行われるが、予測できない事象の発生増加に伴い、③の適切な目標設定が困難になるため、随時新たな情報がもたらされると同時に、社内各部署で業務プロセスの更新などの処理がなされるようになる。

各部署内での情報処理量が膨大となると企業はその対処として、「情報処理の必要性を低減する代替案」（図中の④⑤）、もしくは「情報処理能力を増大する代替案」（図中の⑥⑦）を講じることとなる。

ア　○：正しい。横断的な関係の創出（図中⑦）は、情報処理能力を増大させる。

イ　×：自己完結的職務の創出（図中⑤）は、情報処理の必要性を**低減させる**。

ウ　×：垂直的な情報システムへの投資（図中⑥）は、情報処理能力を**増大させる**。

エ　×：スラック資源（余裕資源）の創出（図中④）は、情報処理の必要性を**低減させる**。

よって、**ア**が正解である。

第15問

E.シャインの組織文化論に関する問題である。

ア ×：組織構成員に対する質問票調査は、組織文化の特に定量的な側面を把握するために有効な方法となる。一方、E.シャインは**組織文化の深層を理解するためには、観察法やインタビューなどの定性的側面を把握する手法が重要である**と主張している。

イ ×：組織文化が組織内部の統合という問題の解決に役立ってきたものであることは正しい。しかし、E.シャインは、**外部環境の変化に応じた文化の変革の必要性**を強調している。固定化された組織文化は外部環境への対応の面で後手に回ってしまう要因ともなる。

ウ ×：組織文化は明文化された経営理念・価値観に沿って時間をかけて醸成されることは正しい。しかし、**組織のリーダーがそれらを変更するだけで組織の深層に根ざした価値観や信念が変わるわけではなく、組織文化の変革がおのずと達成されるとはいえない**。

エ ×：E.シャインによる「人工物（artifacts）」とは、目に見える物理的環境や組織構造、儀礼といった組織文化の表層を示すものである。また、「基本的仮定（Basic Assumption）」とは、目に見えない人間の本質に関する信念や仕事の本質に対する認識など、組織文化の最も深層に存在し、組織のメンバーが無意識に共有している根本的な価値観を指す。「人工物」は「基本的仮定」を読み解く手がかりにはなるものの、それだけで本質を深く理解することは難しく、理解を深めるためには選択肢**ア**の解説で触れた**観察法やインタビューなどの定性的側面を把握する手法が重要**であるとしている。このような手法を用いた**深い洞察を行うことなくして、第三者に組織文化の全容を説明することは容易に行うことはできない**。

オ ○：正しい。E.シャインは、リーダーが採用や昇進時に適用する基準が組織文化に与える影響を重視している。これらの基準が組織文化を形成し、維持する重要な要素となると考えられている。

よって、**オ**が正解である。

第16問

H.サイモンの制約された合理性（または限定合理性）に関する問題である。

サイモンは、人間の認知能力には限界があるため、意思決定において完全な合理性を追求することは不可能であり、限定的な合理性に基づく意思決定を行う、としている。

合理的な意思決定	制約された合理性に基づく意思決定
・すべての代替案を理解している。 ・各代替案を実行することにより将来的にもたらされる結果をすべて知っている。 ・各代替案がもたらす結果の優劣を正確に順序づけできる（選択肢**エ**）。 ・結果に対する順序づけに基づいて、最も好ましい代替案を選択することができる。	・すべての代替案のうち、限られた数の代替案のみを考慮する（選択肢**ア**）。 ・各代替案を実行することにより将来的にもたらされる結果を部分的にのみ知っている（選択肢**ウ**）。 ・各代替案がもたらす結果の優劣に対する順序づけは不完全である。 ・常に最も好ましい代替案を選択できるわけではない（選択肢**イ**）。

ア　○：正しい。選択肢のとおりである。

イ　○：正しい。複数の代替案を評価する際に、一定の満足水準を満たす代替案が見つかった時点で採用し、他の代替案の探索を終了することで、労力を削減することができる。たとえば、「3,000円で食べ放題」という水準を設定し、それに該当する店が見つかった時点で店探しを終える、ということである。このような意思決定行動を、満足化原理という。

ウ　○：正しい。選択肢のとおりである。

エ　×：本肢の内容は、**合理的な意思決定**の説明である。制約された合理性に基づく意思決定では、各代替案がもたらす結果の優劣に対する順序づけは不完全である。

オ　○：正しい。行動プログラムとは、意思決定のきっかけとなる刺激があったときに、選択肢**イ**の満足化原理のような選択行動さえも行わず、習慣的、日常的に代替案を選択する仕組みのことである。たとえば、「雨が降ったら、帰り道の弁当店で弁当を買って帰る。」ということが習慣化されることで、飲食店で食べて帰ろうか、その際にはどの店にしようか、などの選択行動をとる必要がなくなる。人間は、膨大な量の行動プログラムのレパートリーを作り、レパートリーの中のプログラムを代替案として意思決定を行う。さらに、レパートリーは人間の経験の蓄積などにより、新たに追加、更新されていく。

よって、**エ**が正解である。

第17問

B.バスらの「変革型リーダーシップ」と「交換型リーダーシップ」に関する問題である。

「変革型リーダーシップ」は、フォロワーの価値観や態度に影響を与え、組織や社会の根本的な変革を目指すリーダーシップのスタイルである。問題に与えられた代表例では、以下のものが該当する。

【変革型リーダーシップの次元と代表例】

次元	代表例
理想的影響力（Idealized Influence）	d：フォロワーにとって理想的な模範となるべく率先して行動する。 g：フォロワーがリーダーや組織に対して誇りや尊敬の念を持つように促す。
知的刺激（Intellectual Stimulation）	e：前提を見直すことで、フォロワーに新たな視点から問題解決するよう促す。
個別的配慮（Individualized Consideration）	f：個々のフォロワーのニーズや能力の多様性を認め、フォロワーの強みを伸ばそうと支援する。
動機付けの魅力（Inspirational Motivation）	b：魅力的な将来ビジョンを打ち出し、ビジョンを実現する意義をフォロワーに話す。

また、「交換型リーダーシップ」は、リーダーとフォロワーとの間で報酬や罰などの交換を通じて影響力を発揮するスタイルである。問題に与えられた代表例では、以下のものが該当する。

【交換型リーダーシップの次元と代表例】

次元		代表例
随伴的報酬（Contingent Reward）		a：業績目標を達成した場合に何が報酬としてフォロワーに与えられるかを示す。
例外による管理（Management by Exception）	能動的	c：フォロワーがルールや基準から逸脱していないか日常的に注意を払う
	受動的	h：問題が深刻になってから事後的に問題に介入する。

以上より、変革型リーダーシップに該当するのはb、d、e、f、gであり、交換型リーダーシップに該当するのはa、c、hであるため、**オ**が正解である。

第18問

A.マズローの欲求段階説とC.アルダファーのERG理論に関する問題である。

A.マズローの欲求段階説では、低次欲求から順に、生理的欲求、安全の欲求、所属と愛の欲求、尊重の欲求、自己実現の欲求の５段階に人間の欲求を分類し、低次欲求を満たすと高次の欲求が生じるとしている。また、最上位の自己実現の欲求は、満たされるほどにいっそう関心が強化される成長動機とされる。そして、特徴的なのは、高次欲求が満たされない場合に、低次欲求に関心が戻ることはないという「不可逆性」

を主張している点である。

これに対し、C.アルダファーはA.マズローの欲求段階説の概要は認めつつ、一部修正を加えたERG理論を示している。主な修正点は、欲求段階説の５段階を生存（Existence）欲求、関係（Relatedness）欲求、成長（growth）欲求の３段階にしたことと、高次欲求が満たされない場合に、低次欲求に関心が戻ることがあるとしている点である。

ア ×：欲求段階説では、ある人との関係において関係欲求（欲求段階説では所属と愛の欲求に相当する）が満たされない場合には、低次欲求である安全の欲求に関心が戻ることはなく、その人との関係に関心がとどまるとされる（不可逆性）。一方、**ERG理論では、関係欲求が満たされない場合、低次欲求である生存欲求に関心が戻る**、としている。

イ ○：正しい。前述のとおり、欲求段階説では不可逆性を示しているのに対し、ERG理論では高次欲求である成長欲求が満たされない場合には、成長欲求よりも低次の欲求である関係欲求に関心が戻ることが想定されている。

ウ ×：ERG理論における関係欲求の内容は、欲求段階説における**安全の欲求の一部と所属と愛の欲求、および尊重の欲求の一部に対応する**。なお、欲求段階説における生理的欲求はERG理論では生存欲求に対応する。

エ ×：前述のとおり、本肢後半のERG理論の３欲求は正しい。しかし、欲求段階説は、生理的欲求、安全の欲求、所属と愛の欲求、**尊重の欲求**、自己実現の欲求の５段階で構成される。

よって、**イ**が正解である。

第19問

組織における「手続き的公正」(procedural justice) に関する問題である。組織内の限られた資源の分配に関する「公正」の概念は、分配の結果に対する「分配的公正」と、分配の過程に対する「手続き的公正」とに大別される。「手続き的公正」とは、資源の分配に関するプロセスがどれだけ公正であるかを評価する概念であり、従業員の信頼や満足度に大きな影響を与えるため、組織内のモラールやエンゲージメントを高めるための重要な概念となる。レーベンタールによる手続き的公正の基準は、以下のとおりである。

① 一貫性

手続きが適用される人や時期に関わらず、一貫して同様の手続きを適用する。

② 偏見抑制

手続きに個人的な利益や先入観、偏見を反映しない。

③　正確性

　多くの正確で良質な情報に基づいて手続きを行う。

④　修正可能性

　過去の手続きの過程に誤りがあった場合、修正する機会が存在する。

⑤　代表性

　手続きの過程が、手続きの影響を受ける人々の関心、価値観を反映している。

⑥　倫理性

　手続きが基本的な道徳的、倫理的な価値観に適合している。

ア　×：一般的な道徳や倫理基準の影響をできる限り排除した独自性の高い分配手続きは、上記⑥の「倫理性」に反する。

イ　×：特定の対象者だけに他者よりも優遇された分配手続きが適用されることは、上記①の「一貫性」に反する。

ウ　×：分配手続きの影響を受ける人々の関心や価値観をできる限り排除した分配手続きであることは、上記⑤の「代表性」に反する。

エ　○：正しい。分配の決定プロセスにおいて修正や不服申し立ての機会があることは、上記④の「修正可能性」に該当する。

オ　×：分配を決定する際に利用される情報が曖昧さを含むものであることは、上記③の「正確性」に反する。

よって、**エ**が正解である。

第20問

コンフリクトへの対処に関する問題である。コンフリクトへの対処は、自己の利益を追求する度合い（自己主張的の高低）と、相手の利益追求を許容し協力する度合い（協力的の高低）から、「回避」、「競争」、「協調」、「妥協」、「適応」の５類型に分類される。

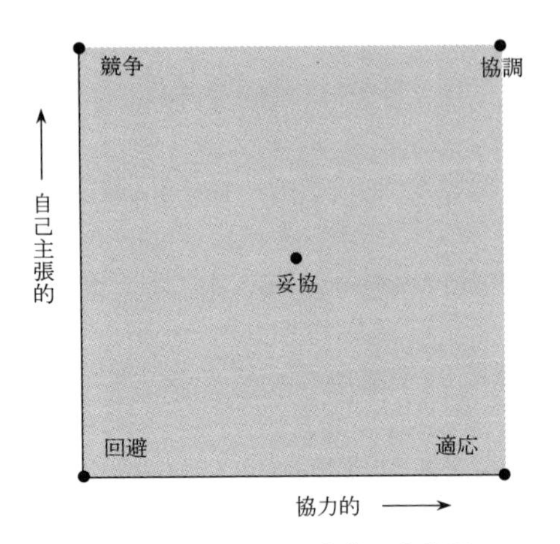

（出典：『組織論』桑田耕太郎、田尾雅夫著、有斐閣アルマ　p.263を一部改変）

ア　○：正しい。「回避」は自己主張的ではないが、協力的ではない対処策である。問題解決の先延ばしともいえる。

イ　×：本肢は、「**協調**」の説明である。協調は、自己主張も行うが、相手の利益も尊重する対処策である。高い職位の人間が弱い職位の人間に、「あなたの利益を最大限に確保するから自分に協力しなさい」というスタンスをとることがある。

ウ　×：本肢は「**妥協**」の説明である。妥協は、自分の利益も相手の利益も最大化することなく、ある程度ずつ獲得することをねらう対処策である。対立に対し特別な対策をとらなければ、お互いにある程度ずつの利益を確保し、ある程度ずつの犠牲も払う、という自然解消の形が取られやすい。

エ　×：本肢は「**適応**」の説明である。適応は、自分の利益を捨てて、相手の利益を最大限に尊重する対処策である。選択肢**ウ**の「妥協」の折り合いがつかない場合に、どちらかが折れるという場面にたどり着きやすい。

オ　×：本肢は「**競争**」の説明である。競争は、自分の利益を最大限に主張し、相手の利益は認めないという対処策である。一方的な勝利を目指すため、長期的な関係が損なわれる可能性が高まるが、それでもよいと考える際に採用されやすい。

よって、**ア**が正解である。

第21問

組織間関係や組織間ネットワークに関する問題である。

ア　×：「紐帯」とは、組織間ネットワークを意味する。「埋め込まれた紐帯」とは、ある企業とその利害関係者（ステークホルダー）間に問題が生じたときも、構築された信頼関係により問題解決できるような密な関係のことをいう。**「埋め込まれた紐帯」では機会主義的行動（駆け引きにより相手から少しでも多くの利益を奪い取ろうとする行動）が生じにくい**という特徴がある。また、ある企業と直接のステークホルダーとのつながりを「1次のつながり」、そのステークホルダーのステークホルダーとのつながりを、ある企業から見た「2次のつながり」といい、「1次のつながり」では「埋め込まれた紐帯」の比率が高いほどある企業の存続率は高くなるとされ、「2次のつながり」では「埋め込まれた紐帯」の比率が高すぎず低すぎない時にある企業の存続率が高くなる、とされる。したがって、**「埋め込まれた紐帯」の比率を減らすことが望ましいとはいえない。**

イ　○：正しい。選択肢**ア**の解説で触れたように、「埋め込まれた紐帯」は強い信頼関係で結ばれた組織間ネットワークであるため、曖昧な情報や機密性の高い情報などの暗黙的な知識の移転が促進されやすい。

ウ　×：M.グラノヴェッターは「弱い紐帯の強み」という理論を提唱している。「弱い紐帯」とは、社会的なつながりが弱い相手とのつながりを意味する。そして、有益で新奇性の高い情報は、社会的なつながりが強い人からよりも、弱い人からもたらされることが多いとされる。このことを「弱い紐帯の強み」という。**「弱い紐帯の強み」を最大限享受するためには、関係を取り結ぶ組織を拡大し、薄く広くネットワークを構築することが望まれる。**

エ　×：選択肢**ウ**の解説を参照。

オ　×：**「埋め込まれた紐帯」**は強い信頼関係で構築されたネットワークであり、（良くも悪くも）**他の組織からの影響を強く受ける**。他の組織からの影響を極力排除するためには、むしろ**「埋め込まれた紐帯」ではなく、ビジネスライクな結びつきの弱いネットワークを構築すべきである。**

よって、**イ**が正解である。

第22問

組織学習に関する問題である。

ア　×：「有能さの罠」とは、過去の学習の結果として高い成果を上げているがゆえ、**既存の価値観や方法を向上させる低次学習に偏り、新たな価値観や方法を向上させる高次学習が軽視される**状態のことである（**学習をやめてしまうわけではない**）。

イ　×：高次学習は、組織の上位階層で発生することが多いが、下位階層で行われないということはなく、組織全体で行うべき組織学習である。また、低次学習は組織の下位階層で行われることも多いが、上位階層にも必要な組織学習である。**双方とも、組織の階層に関わらず行われる。**

ウ　×：組織学習は、組織が経験から学び、知識を蓄積し、ルーティンやプロセスを改善していくプロセスである。組織成果に正の貢献をもたらすもののみでなく、**短期的には失敗やムダとされる経験なども、組織の蓄積として組織学習の対象に含まれる**。

エ　○：正しい。本肢は、組織学習サイクルにおける「役割制約的学習」の説明である。

オ　×：**ダブルループ学習**は、行動とその結果を振り返り、**表面的な行動だけでなく、背後にある前提やルール自体を見直す学習である**。一方、**シングルループ学習**は、行動と結果を振り返り、**行動だけを修正するものであり、根本的な前提は変えることはない**。「ダブル」や「シングル」が意味するのは「回数」ではなく、「表面的なものと背景的なもの」という２面的なものか、「表面的なもののみ」という１面的なものか、ということである。

よって、**エ**が正解である。

第23問

組織のライフサイクルに関する問題である。

ア　○：正しい。起業者段階では、起業家の創造性や革新性が重視され、外部から資金や人材、技術などの資源獲得が優先される。また、組織の成長とともに、事業ポートフォリオの決定や獲得した資源の配分などの経営管理を実行できるリーダーシップが求められる。

イ　○：正しい。共同体段階では、起業者段階よりも事業規模や組織規模が大きくなり、トップの力だけで事業を推進することが難しくなるため、組織メンバーが担う役割が重みを増す。トップは組織メンバーのモラールに配慮しつつ、権限委譲を進める必要がある。

ウ　○：正しい。公式化段階では、組織規模の拡大に応じて、規則や手続きが厳密に明文化され、安定的、効率的な組織運営が志向されるが、官僚制の逆機能による組織の硬直化が生じやすくなる。

エ　×：精巧化段階では、安定性や効率性を維持しつつ、公式的な構造を一部解体し、プロジェクトチームやタスクフォースなどを導入しながら組織を柔軟化していくことが求められる（**安定性や効率性を省みずに行うわけではない**）。また、新たな成長機会は必ずしもトップ自らが発見する必要はなく、柔軟化した組織が新たな外部環境との関係構築をしながら成長機会と遭遇することもある。

よって、**エ**が正解である。

第24問

労働者の募集及び採用、採用内定、試用期間、労働契約に関する問題である。

ア ×：解雇予告が除外される労働者は以下のとおりである。

解雇予告の適用除外者	解雇予告が必要となる場合
日日雇い入れられる者	1か月を超えて引き続き使用されるに至った場合
2か月以内の期間を定めて使用される者	所定の期間を超えて引き続き使用されるに至った場合
季節的業務に4か月以内の期間を定めて使用される者	
試の使用期間（試用期間）中の者	14日を超えて引き続き使用されるに至った場合

3か月の試用期間のうち14日を超えた場合、**解雇予告制度の適用を受ける。**

イ ×：男女雇用機会均等法では、事業主は、募集および採用などであって労働者の性別以外の事由を要件とするもののうち、措置の要件を満たす男性および女性の比率その他の事情を勘案して実質的に性別を理由とする差別となるおそれがある措置については業務の遂行上特に必要である場合などその他合理的な理由がある場合でなければ、これを講じてはならないとしている。

実質的に性別を理由とする差別となるおそれがある措置とは具体的には以下のようなものである。

① 労働者の募集または採用に関する措置であって、労働者の身長、体重または体力に関する事由を要件とするもの

② 労働者の募集もしくは採用、昇進または職種の変更に関する措置であって、労働者の住居の移転を伴う配置転換に応じることができることを要件とするもの

③ 労働者の昇進に関する措置であって、労働者が勤務する事業場と異なる事業場に配置転換された経験があることを要件とするもの

本肢は上記の②に該当し、**合理的な理由がなければ、雇用の分野における性別に関する間接差別に該当する。**

ウ ○：正しい。当事者の合意により契約が成立することは契約の一般原則であり、労働契約についても当てはまる。

エ ×：採用内定の取消事由は、採用内定当時知ることができず、また知ることが期待できないような事実であって、これを理由として採用内定を取り消すことが社会通念上相当として是認できるものに限られる。よって、**理由の如何にかかわらず採用内定を使用者が取り消すことが有効であるわけではない。**

よって、**ウ**が正解である。

第25問

労働者派遣に関する問題である。

ア　×：紹介予定派遣とは労働者派遣のうち、派遣元事業主が労働者派遣の役務の提供の開始前または開始後に、当該労働者派遣に係る派遣労働者および派遣先について、職業安定法その他の法律の規定による許可を受けて、または届出をして職業紹介を行い、または行うことを予定するものをいう。また、当該職業紹介により、当該派遣労働者が当該派遣先に雇用される旨が、当該労働者派遣の役務の提供の終了前に当該派遣労働者と当該派遣先との間で約されるものを含むものとする。派遣先は、紹介予定派遣を受け入れるに当たっては、6か月を超えて、同一の派遣労働者の労働者派遣を受け入れないこととされているが、**紹介予定派遣が禁止されているわけではない。**

イ　×：派遣先は、派遣先の都合による労働派遣契約の解除に当たっては、当該労働者派遣に係る派遣労働者の新たな就業の機会の確保、派遣元事業主による当該派遣労働者に対する休業手当等の支払いに要する費用を確保するための当該費用の負担その他の当該派遣労働者の雇用の安定を図るために必要な措置を講じなければならない。よって、**派遣先は休業手当のための費用を負担する必要がある。**

ウ　×：原則として、派遣先は、当該派遣先の事業所その他派遣就業の場所ごとの業務について、派遣元事業主から3年を超える期間継続して労働者派遣の役務の提供を受けてはならない。しかし、**派遣労働者が派遣元事業主に無期雇用されている場合や60歳以上の者である場合は3年を超える期間継続して労働者派遣の役務の提供を受けることができる。**

エ　〇：正しい。原則として、派遣先は派遣労働者を派遣禁止業務の規定に該当する業務に従事させた場合は、派遣先から派遣労働者に対し、その時点における当該派遣労働者に係る労働条件と同一の労働条件を内容とする労働契約の申し込みをしたものとみなされる。派遣禁止業の規定に該当するものは、一定の例外を除き、港湾運送業務、建設業務、警備業務、医療関連業務である。しかし、派遣先が派遣禁止業務の規定に該当することを知らなかったことにつき過失がなかったときはこの限りではない。本肢の場合、派遣先事業者が労働者派遣事業の禁止業務であると知りながら当該業務に従事させているため、当該派遣労働者に対して労働契約の申し込みをしたとみなされる。

よって、**エ**が正解である。

第26問

育児・介護休業法に規定する育児休業に関する問題である。

ア　○：正しい。原則として、育児休業は1歳に満たない子を養育する労働者が対象となる。事業主は育児休業を取得する権利がある労働者からの育児休業取得申出を拒むことはできない。

イ　×：出生時育児休業とは子の出生後8週間以内に4週間まで取得可能なものであり、産後パパ育休と呼ばれている。主に男性労働者が取得するが、**養子縁組などにより自身が出産していない出生後8週間の子どもがいる場合は、女性労働者であっても出生時育児休業の対象となる。**

ウ　×：育児休業期間中は労務を提供していないため、使用者は、**育児休業期間中の労働者に対して賃金を支払う必要はない。**

エ　×：育児休業の取得要件は子が1歳6か月までの間に契約が満了することが明らかでないことであり、**育児休業を取得する時点で雇用期間が1年以上必要ではない。**

よって、**ア**が正解である。

第27問

就業規則に関する問題である。

ア　○：正しい。就業規則に記載する内容には絶対的必要記載事項と相対的必要記載事項がある。絶対的必要記載事項とは就業規則に必ず記載しなければならない事項であり、相対的必要記載事項は当該事業場で定めをする場合に記載しなければならない事項である。労働時間について定めた場合であっても、その事業場における具体的な始業および終業の時刻ならびに休憩時間は絶対的必要記載事項であり、規定しなければならない。

イ　×：就業規則の作成または変更するためには労働者の過半数で組織する労働組合または労働者の過半数を代表する者の意見を聴かなければならないのであって、**過半数の同意を得る必要はない。**

ウ　×：事業場の一部の労働者を対象とした就業規則であっても、労働者の過半数で組織する労働組合または労働者の過半数を代表する者の意見を聴かなければならない。この場合の労働者の過半数とは当該事業場の全労働者の過半数ということであり、**全労働者の過半数を代表する者の意見を聴く必要がある。**

エ　×：原則として、使用者が、労働者にとって不利益な労働条件を一方的に課すような就業規則の作成または変更することは許されない。しかし、合理的な理由があれば労働者にとって不利益な変更であっても有効であるとされている。よって、**就業規則の変更によって労働条件を不利益に変更することは一切できないわけではない。**

よって、**ア**が正解である。

第28問

ブランド･マネジメントに関する問題である。論点としては、ブランドの採用戦略、4つのブランド戦略、既存製品におけるブランド戦略などがある。

ア　×：ある企業が既存事業とは異なる新たな事業領域に進出する際に、既存事業で構築してきた既存のブランドを新事業でも用いることは、コトラーの4つのブランド戦略における**ブランド拡張**に該当する。

<P.コトラーの4つのブランド戦略>

		製品カテゴリー	
		既存製品	新製品
ブランド名	既存のブランド名	ライン拡張	ブランド拡張
	新たなブランド名	マルチ・ブランド	新ブランド

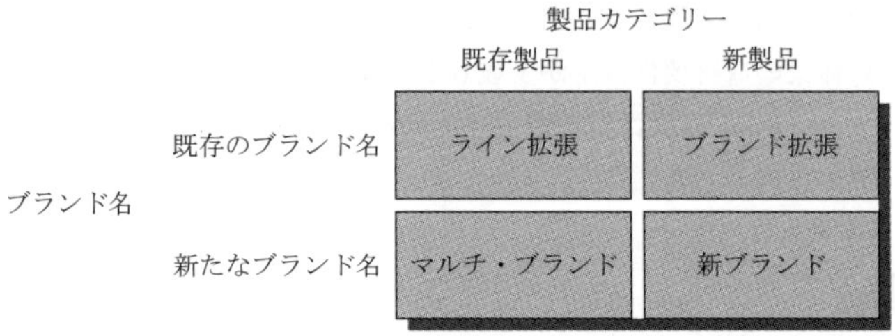

（『マーケティング原理（第9版）』フィリップ・コトラー／ゲイリー・アームストロング著 ダイヤモンド社　p.367）

ブランド拡張は、新製品に既存ブランド名をつける戦略を指す。ブランド名自体は既に成功して世の中に浸透しているので、そのブランドを他の事業領域に使うことで培ってきたブランド力が活用できるメリットがある。ブランドのリポジショニングとは、ブランドのアイデンティティは保持したまま市場でのブランドの立ち位置、消費者からの認識や市場からの評価を変えていくことを指す。

イ　○：正しい。選択肢**ア**の図において、既存製品と同一カテゴリーに新製品を投入する際に、あえて新しいブランドをつける戦略をマルチ・ブランド戦略という。メリットとして、①メーカーが小売店の店舗の陳列スペースを確保することができる、②ブランドスイッチする消費者を自社内にとどめることが可能になる、といったものがある。また主力ブランドを守るために、脇を固めるブランドとして展開したい場合や地域別・国別にブランドを区別したい場合にも用いられる戦略である。

ウ　×：本肢は、ブランド採用戦略におけるダブルブランド戦略についての説明である。

<ブランド採用戦略>

製品ライン間のイメージや競争地位の類似性

標的市場の類似性	同質	異質
同質	ファミリーブランド	ダブルブランド
	分割ファミリーブランド	
異質	ブランド・プラス・グレード	個別ブランド

ブランド採用戦略は「製品ライン間のイメージや競争地位の類似性」と「標的市場の類似性」の２つの次元からどのようにブランドを冠するかを決めるものである。ダブルブランドは、標的市場は同質だが、製品ライン間の競争地位やイメージが異質的である場合に、統一的なブランド（多くは社名）と個々のブランドを組み合わせるもので、統一的なブランドの認知度を利用しつつ、個々の製品ラインの特徴をもう１つのブランドで表現する。一方で、ダブルチョップ戦略とは、１つの商品に対して２つの異なる企業のブランドを併記することをいう。多くの場合、ナショナルブランドとプライベートブランドの両方を併記する形になる。

エ　**✕**：ブランド・カテゴライゼーションに関する選択肢である。

<ブランド・カテゴライゼーション>

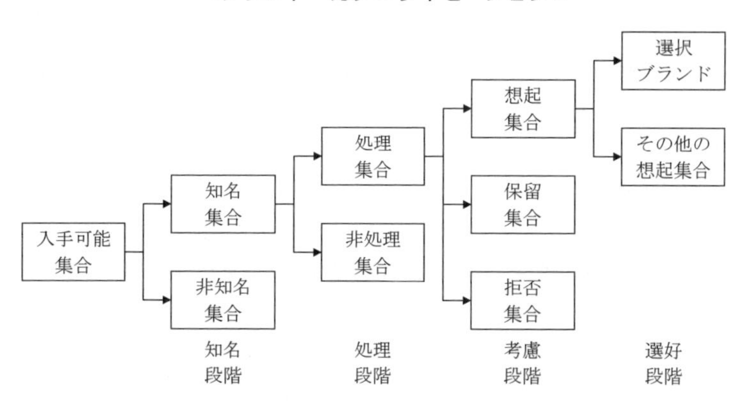

ブランド・カテゴライゼーションは自社のブランドや競合ブランドが消費者の頭の中でどのように位置付けられているかを理解するための考え方で、入手可能なすべてのブランドから消費者が購買に至るブランドを選択するまでを「知名段階」「処理段階」「考慮段階」「選好段階」の４つに分類している。考慮段階に属する想起集

合は、消費者が購買の候補として受け入れることができるとみなしているブランドの集合であり、消費者は想起集合に含まれるブランドから最終的に購買するブランドを選択する。よってマーケティングにおいて自社のブランドが想起集合に含まれるようにすることが極めて重要であることは正しい。しかし、まず最初に必要なことは入手可能なすべてのブランドの中で消費者に知られているブランドの集合である「知名集合」に入ることであり、ここに入らなければ購買の検討すらされない。よって、**すでに想起集合に入っている競合ブランドと比較して際立った異質性を自社ブランドに持たせることが、まず最初に必要なわけではない。**

よって、**イ**が正解である。

第29問

ソーシャル・マーケティングに関する問題である。広義には非営利組織のマーケティング、ソサイエタル・マーケティングなどがあり、狭義にはコーズリレーテッド・マーケティング、サステイナブル・マーケティングなども含まれる。

ア　×：企業が文化支援を行うメセナや慈善行為を行うフィランソロピー活動は、企業による社会貢献活動であるから、**ソサイエタル・マーケティング**の一部と理解することができる。ソサイエタル・マーケティングとは、企業が行うマーケティング活動によって、地球環境や社会に対して悪い影響が生じないようにするという、顧客と企業だけでなく社会的利益を考慮したマーケティング活動のことである。現在の企業のニーズと将来の消費者ニーズを満たしていくことに主眼が置かれている。ソシオエコロジカル・マーケティングとは、企業などが地球環境に優しい商品やサービスを提供するために、環境負荷を最小限に抑制することを目指す事業活動の全般を指し、ソーシャル・マーケティングのうち特に自然環境の保全に力点をおくものである。

イ　×：選択肢**ア**の解説でも触れたように、ソサイエタル・マーケティングは顧客と企業だけでなく社会的利益も考慮したマーケティング活動のことである。よって、**企業が行う社会貢献は当該企業の利益につながってはならないという考えが根底にあるわけではない。**

ウ　×：選択肢**ア**の解説でも触れたように、ソサイエタル・マーケティングとは、企業が行うマーケティング活動によって、地球環境や社会に対して悪い影響が生じないようにするという、顧客と企業だけでなく社会的利益を考慮したマーケティング活動のことである。これは、単に製品やサービスを売るだけでなく、社会的な問題を解決することも目的としている。その考えは地球環境という社会的利益を考慮したエコロジカル・マーケティング、あるいはグリーン・マーケティングを生みだし、製造やパッケージング、物流などのマーケティング諸活動における環境負荷の低減といった問題が取り扱われるようになるとともに、環境保護、社会的公正、貧困削減といった広範囲な社会課題の達成へと広がっている。したがって、**貧困問題のような構造的な問題解決もソサイエタル・マーケティングが扱う分野に含まれる。**

エ　○：正しい。ソサイエタル・マーケティングには「啓発された自己利益」という概念がある。これは「企業が社会貢献を行うことは、直接的な利益にはつながらないが、長期的あるいは間接的に企業にとっては利益になる」という考え方である。つまり通常のマーケティング活動は4Pを通してマーケティング目標を達成しようとするが、ソサイエタル・マーケティングにおいては従来の4Pも活用しつつ、社会貢献を通して社会的課題に対応していくことで社会の利益も考慮しようとする。よって、社会をよくするような「投票に行こう」といった社会に向けた提案も4Pに含まれることになる。

よって、**エ**が正解である。

第30問

カスタマー・ジャーニーに関する問題である。

カスタマー・ジャーニーとは、消費者が製品やサービスを知り、情報を集め、購入・使用し、その体験をシェアするまでの購買意思決定プロセスの各段階にタッチポイントを位置付けたものである。

購買意思決定プロセスの各段階は、扱う製品やサービスによって、またマーケティング・キャンペーンの目的や制約によって異なるが、一般的に①認知、②検討、③行動、④推奨が用いられる。

選択肢の内容から最終段階であるDには③行動段階の「購入」か④推奨段階の「推奨」が入ると考えられる。この段階で選択肢**オ**を選択できる。

選択肢**オ**の他の段階を確認すると、A「掃除機の買い替えを検討している」において顧客Xはスティック型掃除機である新製品Wをまだ認知していないので①「注目」の段階になる。B「スティック型掃除機に関心がある」においてはスティック型掃除機に関心を示しており②「興味」の段階になる。C「スティック型掃除機を具体的に検討する」においては新製品Wを含めたスティック型掃除機に興味を持ち多数検討することになるので③「欲求」の段階になる。そしてD「Wを購入する」に至る。

したがって、①注目、②興味、③欲求、④行動のAIDAモデルが購買意思決定プロセスと考えられる。

よって、**オ**が正解である。

第31問

BtoBマーケティングに関する問題である。

ア　○：正しい。BtoB（Business to Business）マーケティングとは、企業・組織が企業・組織に向けて行うマーケティングのことである。対象となる財は、産業財・生産財である。多くの場合、購買する側の企業・組織は組織購買行動をとる。よって、高額かつ比較評価や条件折衝が必要になり、一般的な消費者購買行動よりも慎重な検討を経て購買意思決定がなされる。その際に品質や価格、配送条件などが同じであったり、技術的あるいは品質的に複雑過ぎて購買担当者が論理的に判断できなかったりする場合には、企業イメージやブランドイメージといったブランド力に頼る購買も行われることになる。

イ　×：BtoBマーケティングでは顧客は取引先企業であることは正しい。しかし、**広告が不要というわけではない**。BtoBマーケティングにおける広告はBtoB広告という。これは「広告の送り手と受け手の双方が事業者」の広告のことで、生産財広告、産業広告、流通広告、専門広告などの分野がある。そのうち、生産財広告ないしは産業広告とは企業や組織に向けた産業財・生産財の広告のことで、広告メディアとして経済紙誌、工業紙誌、業界紙誌が頻繁に用いられる。マスメディアについてはテレビCMなども一部の広告主の間では積極的に行われている。

ウ　×：BtoBマーケティングでは顧客は取引先企業であることは正しい。しかし、**クチコミが発生しないわけではない**。選択肢**ア**の解説でも触れたとおり、BtoBマーケティングにおいて購買主体は企業であり組織購買行動をとることになる。その際、組織の購買意思決定において何らかの役割を果たす個人やグループ（購買センターという）が主体になる場合が多い。購買センターは、様々な役割の多数の人から構成され、コミュニケーション主体は個人であるため、クチコミが発生しないとはいえない。

エ　×：一般的に組織間の取引は、少数の取引先を対象に長期的な取引が行われることが多い。これは購入設備の長期間の組み立てや保守・修繕業務、業務用消耗品や関連ソリューションの提供など１度購買すると耐用年数もさることながら関連する様々なサービス等が生じるからである。よって、長期的な関係が重要であることは正しい。しかし、**現在の取引先企業の要望に応えることだけに専念することが必要なわけではない**。新たな取引先を開拓するための要望の収集や新製品・新サービスの開発なども必要となる。

よって、**ア**が正解である。

第32問

マーケティング・マネジメント・プロセスに関する問題である。

マーケティング・マネジメント・プロセスとはマーケティング活動の基本構造である分析・計画・実行・統制の流れを具体的に示したものである。マーケティング活動はマーケティング環境を分析し、マーケティング目標を明確化する「分析（analysis）」から始まる。次に目標を達成するために、セグメンテーション・ターゲッティング・ポジショニングでターゲットマーケティングを行い、4Pの開発・策定を行う「計画策定（planning）」で目標の達成方法を定める。そして定めたマーケティング計画を実際に行う「実行（implementation）」を経て、実行結果を測定し、それを評価し修正作業を行う「統制（control）」が行われる。これを本問にあてはめると、まずDは統制の内容が入るので、「コンテンツの評価と改善」が該当する。この段階で選択肢は**エ**に絞られる。他のA～Cを順にみていくとAは分析の内容である「目標設定」と計画策定の内容である「コンテンツの計画立案」の間にあるので「ターゲットの設定」は妥当性がある。B及びCも計画策定と統制に間にあるので実行の内容が入ると考えれば、B「コンテンツの制作」、C「コンテンツの配信と拡散」も妥当性がある。

よって、**エ**が正解である。

第33問

SNSの利用やその役割に関する問題である。

ア　×：SNS広告とはSNS（ソーシャルネットワーキングサービス）のプラットフォーム上で配信される広告のことである。一般的に、SNS上に表示された広告をクリックすると、広告主のWEBサイトやECサイトに誘導されることが多い。よって、**利用者を目的ページへ遷移させることを意図していないわけではない。**

イ　×：SNSはその種類により機能や特徴が異なるものの、基本的に消費者が自由に投稿したり、相互にコメントしたり参照し合ったりする場であることは正しい。しかし、個人間のコミュニケーションはもちろん、企業と個人の間でもコミュニケーションツールとして活用されており、**企業が開設するアカウントからSNS上への投稿は頻繁に見られる。**

ウ　×：**SNS上のクチコミに豊富に含まれているのは経験属性に関する情報**である。経験属性とは、購入以前に品質を把握することは不可能であるが、実際に体験することにより、その品質を把握することが可能な属性のことである。一方、信頼属性とは、実体験があってもその品質を把握することができない属性のことである。SNS上のクチコミに多いのは、実体験に基づく製品等の評価であるため、豊富に含まれているのは信頼属性に関する情報ではなく、経験属性に関する情報といえる。

エ　×：インフルエンサーを通じてSNS上で企業が情報発信することを、インフルエンサーマーケティングという。しかし、**すべてのインフルエンサーマーケティングが、当該企業の意図通りに実施されるように、企業は厳密にコミュニケーションを設計し、インフルエンサーを統制して情報発信を行っているわけではない**。インフルエンサーの持つ求心力を活用したクチコミ施策という側面から、インフルエンサー独自の訴求方法を前面に出す場合もある。ただし、当該企業が関与していることを明示していない情報発信はステルスマーケティングに該当する場合があり、その場合には景品表示法違反になることがある。

オ　○：正しい。クッキー（Cookie）とは、WebサーバがWebブラウザに送信する制御情報の一種で、ブラウザが動作しているコンピュータに永続的に記録・保管されるテキストファイルのことであり閲覧者の識別などに利用される。広告配信時にはWebサイトの閲覧履歴を元に、興味関心があると推測される商品の広告を配信する、といった活用法が挙げられる。一般的に、クッキーはウェブブラウジング中にユーザーの行動履歴を追跡するために使用されるが、消費者が自己のアカウントにログインした状態でSNSを利用した場合、クッキーを使用せずにターゲットユーザーを特定することが可能となる。

よって、**オ**が正解である。

第34問

PR（パブリック・リレーションズ）に関する問題である。

PRとは、組織を取り巻くさまざまな利害関係者との間に、良好な関係を築くためのコミュニケーション活動の総称である。

ア　×：PRの定義には、**OOHは含まれない**。OOH（Out Of Home）は電車の中吊り広告や駅構内広告などの交通広告、商業施設の垂れ幕や大型ビジョンなどの屋外広告等、家庭以外の場所で展開する広告メディアのことであり、プロモーションの具体的手法である広告に該当する。

イ　×：**本肢はダイレクト・マーケティングの内容である**。ダイレクト・マーケティングは個人を絞り込んで多くの情報を提供することで、対象者からの直接的な反応の獲得を目的としたプロモーション（コミュニケーション）である。顧客との関係性構築を重視したマーケティングであり、小売業者を介さず顧客と直接コミュニケーションを行うマーケティングである。ダイレクト・レスポンスとは、ダイレクト・マーケティングにおける新規顧客の獲得時に、消費者が「広告を見てWEBサイトにアクセスする」「スマートフォンでサンプルを申し込む」などの行動を起こすことを意味し、それらの行動を喚起するコミュニケーション手法のことをダイレクト・

レスポンス広告という。

ウ ×：プロモーションの具体的な手法については、広告・販売促進・**人的販売**・**PR**およびパブリシティの4つをプロモーション・ミックスとしてきた。したがって、ダイレクト・レスポンスはプロモーションの具体的な手法ではない。

エ ○：正しい。プロモーション戦略におけるPRを含むパブリシティに関しては、広告と異なりメッセージを企業が管理することができない。しかし記事広告の形で発信されるペイド・パブリシティは新聞や雑誌などで展開されることが多く、お金を出して記事を編集してもらう編集記事の体裁をとるので、企業が取材費や記事制作経費を負担する意味を持つとともに企業とメディアが協力して編集記事として違和感のない紙面を作成することができる。実質的に広告と捉えることができるが、広告よりも信頼性の高いメッセージを伝達することができる。

よって、**エ**が正解である。

第35問

BtoCマーケティングにおける人的販売に関する問題である。

ア ×：BtoBマーケティングは企業・組織が企業・組織に向けて行うマーケティングである。そのため営業担当者が企業・組織間の仲介役になって情報を提供し、顧客と交渉・説得を行い、最後に受注に至るという形が取られることが多い。扱う財もBtoCと異なり産業財・生産財であるため購買の専門家が販売対象であることから、営業担当者による活動にウエイトが置かれる。したがって、**BtoCマーケティングに比べて、営業人材が担う役割が極めて小さいわけではない**。一般的にBtoCでは広告の重要性が高く、BtoBでは営業・人的販売の重要性が高いといわれている。

イ ○：正しい。人的販売とは、販売員などが主に店頭に置いて顧客に対して1対1でメッセージを口頭で伝える活動である。人的販売は双方向のコミュニケーションであるため、受け手の情報要求に合わせて対応しやすい。したがって消費者自身では購買意思決定が困難で、より詳細な製品情報や説明が求められるような製品・サービスや購買に際して高い知覚リスクを感じるような専門品や高額品といった製品・サービスに活用される傾向があるプロモーション手段である。

ウ ×：購買プロセスにおける購買意思決定過程を、問題認識→情報探索→代替案評価→購買→購買後評価と考えた場合、問題認識～情報探索の段階では消費者に購買を動機づけることが重要になる。そのため斬新なアイデアを提供したり製品の必要性を喚起したりする広告や、店頭POPや製品の発表会や展示会など販売促進が実施され消費者に製品・サービスの情報を提供するとともに購買意欲を喚起する。そして代替案評価～購買の段階では消費者に製品・サービスを選んでもらうために、販売員による1対1の人的販売で消費者の情報要求に合わせた情報提供を双方向のコミュニケーションによって行うことで、納得感を醸成し実際の購買へと結びつける。このように**購買プロセスの前半で広告や販売促進、後半で人的販売を実施することで全体的なプロモーション効果が高まることになる。**

エ　×：選択肢**イ**の解説でも触れたように、人的販売とは、販売員などが主に店頭において顧客に対し1対1でメッセージを口頭で伝える活動である。よって対応可能な消費者の数が限られる一方、相手の状況や反応を把握しながら柔軟な対応ができることは正しい。しかし、マス広告などは費用が高額であるものの多数の消費者に情報を伝えることができるので一人当たりの情報伝達コストは低いが、人的販売は1対1の対応であるため一人当たりの情報伝達コストがマス広告に比べ格段に高くなる。したがって、**高い認知率を獲得するためには、極めてコスト効率が高いプロモーションであるわけではない。**

オ　×：ダイレクト・マーケティングは、顧客データベースに基づいて、顧客との関係性構築を重視したマーケティングであり、小売業者を介さずに顧客と直接コミュニケーションを行うマーケティングのことである。特性としてチャネル面で場所や時間の制約がないことがあげられる。いわばマルチチャネルであり、ネット通販、テレビショッピング、カタログ通販、店舗など多様なチャネルを活用できる。ネットで注文し店舗で受け取る、逆に店舗で注文しネットで受け取ることも考えられる。そして双方向のコミュニケーションも特性の一つである。顧客情報を活用し顧客ごとに双方向のコミュニケーションを行うことで顧客生涯価値の向上、一人の顧客に複数の製品・サービスを販売するアップセリングとクロスセリングの実施などによりマーケティング効果を高めている。したがって店舗や店舗以外での1対1のコミュニケーションが可能であり、**ダイレクト・マーケティングに人的販売が含まれないわけではない。**

よって、**イ**が正解である。

第36問

新製品に関する先発優位性または後発優位性に関する問題である。

先発優位性とは、競争相手よりもいち早く市場に参入することで超過利潤を手にすることができるという現象である。その逆が後発優位性で、後発の方がリスクを回避できることから有利になるという現象である。

後発優位性の内容としては次のものがある。

・需要の不確実性を見極めることができる（dに該当）

・プロモーションコストを節約できる

・模倣により研究コストを節約できる
・顧客の変化に対応しやすい（fに該当）
・技術面の不確実性に対応できる

また、先発優位性の内容には次のものがある
・消費者の心の中に「参入障壁」を形成できる（eに該当）
・（早期に）経験曲線効果を実現できる（aに該当）
・利用者の生の声をいち早く得られる
・最も有利な市場ポジションを先取りできる
・製品の規格（例：デファクトスタンダート）を決定しやすい（bに該当）
・製品の切り替えコスト（スイッチングコスト）の発生を利用できる（cに該当）
したがって後発優位性の方が大きいとされる記述の組み合わせはdとfである。

f「PLCにおいて主流となる顧客ニーズに対応しやすい」について補足すると、PLC（Product Life Cycle）は「導入期」「成長期」「成熟期」「衰退期」の各段階に分けて考えるが、まずは「導入期」で新製品を市場に導入、いわば先発することから始まる。この段階では広告宣伝費や営業費用等で損失の方が大きく売上も少ない。「成長期」になると革新的採用者（イノベーター）や初期少数採用者（アーリー・アダプター）が主要顧客となり新製品が市場を形成し始め、成長期後半に多数採用者が使用し始めると今度は様々なニーズがフィードバックされる。このタイミングで参入することで顧客ニーズに対応した製品を提供することが可能になるので後発優位性のメリットが大きいということである。

よって、**オ**が正解である。

第37問

価格設定に関する問題である。

ア　×：価格バンドリングとは、複数の製品やサービスを組み合わせて個々の製品やサービスの合計よりも低い価格にする価格設定法のことである。ただし、価格バンドリングといわれるのは組み合わせる製品やサービスが補完的（パソコンとソフトウェアなど）であるか、まったく無関係な場合に限られ互いに代替的（バニラアイスとチョコアイス）である場合はあてはまらない。そして、カニバリゼーションとは同一企業内の類似製品間で同一市場を奪い合う現象のことである。**そもそも価格バンドリングは互いに補完的または無関係の組み合わせなのでカニバリゼーションは起こらない。**

イ　○：正しい。キャプティブ・プライシングは、本体製品を比較的安くすることで購買意欲を刺激し、本体製品を使用する期間は必要になる消耗品を比較的高く設定することで利益を確保する価格設定法である。

ウ　×：ダイナミック・プライシングが宿泊や航空のサービスなどの需給に大きな変化が生じやすいカテゴリーで適応されることは正しい。しかし、**自動販売機や小売店頭で販売されるような需給の変化が小さいカテゴリーでは適用されないわけではない**。たとえば、閉店間際の小売店など来店客が少なくなる時間帯に値引き販売を行うことはダイナミック・プライシングの一例である。そして、そもそもの話であるが、需給に生じる影響の大小でダイナミック・プライシングが適用されるかどうかが判断されるわけではない。ダイナミック・プライシングが成功するためには**製品やサービスの需要の価格弾力性に注意しなくてはならない**。需要の価格弾力性は、価格の変化に対して需要がどれだけ変化するかを示すものだが、この値が高いほど価格の変化に対して需要が大きく変化する。つまり、値下げすれば需要が増加し、値上げすれば需要が減少することとなる。そして、ダイナミック・プライシングには幾つか種類があるが、基本的には時期（時間）によって需給が変化する市場環境において導入される価格設定法である。本肢のような宿泊や航空のサービスはオンシーズンとオフシーズンがある。オンシーズンには価格を高く、オフシーズンには価格を低く設定することになるが、需要の価格弾力性が高い場合には効果的であるが、低い場合には効果は薄くなる。さらに、宿泊や航空サービスには提供側のキャパシティの問題もある。需要が多い時期に高値を設定するのは、供給に対する過剰な需要を抑える側面が強い。宿泊や航空サービスと、自動販売機や小売店で売られている製品の需要の価格弾力性がどのようであるか、需要抑止の効果が見込めるかが重要であり、**単にカテゴリー的に需給の変化の大小でダイナミック・プライシングの適用是非が決まるものではない**。

エ　×：フリーミアム（freemium）とは、ソフトウェアなどの基本バージョンを無料で提供しながら、高機能バージョンを有料で購入してもらう手法のことである。特にデジタル財は基本的な製品やサービスができてしまえば、それを提供するコストがほぼ掛からない。クラウドサービスやソフトウェアを無料版からアップグレードするときにユーザー側は決済情報を入力するだけでその他は何も変わらないことから想像しやすいであろう。したがって、**本肢はフリーミアムの内容ではない**。

よって、**イ**が正解である。

第38問

設問1 ●●●

消費者を取り巻く社会文化的要因の分析に関する問題である。

ア ×：グローバル市場への展開を考える場合に、全世界共通の戦略を用いる標準化のマーケティングは基本的な考えになる。一方で、国や地域により社会文化的環境は異なるので、それぞれの国や地域の環境に合わせた個別のマーケティングプログラムが必要になる。これを現地化（適応化）という。インターネットの普及によるグローバル化が進展した環境下においては、世界市場の類似性を見出し、全世界的に通用する広告やマーケティング・コミュニケーション戦略を標準化することで、生産と流通に規模の経済が働いて生産性が高まり、単純化された戦略はコスト低減などの大きなメリットが得られる。そして、標準化のマーケティングは、異なる文化をもつ複数の地域・国においても普遍的に魅力が感じられる製品・サービスにおいて高い効果を発揮する。また、「この製品カテゴリーならこの国のものが優れている」という世界規模の社会的認識がある場合もまた効果的である。ただし、標準化のマーケティングは魅力的な一方で、最終的には各国・各地域の文化や社会システムに合わせたカスタマイズが必要な場合も多い。よって、**本肢にあるような原産国イメージの利用可否によって標準化と適応化（現地化）の決定が必ずしもされるわけではない。**

イ ×：社会階層は、人種や宗教などが多様な国や地域のセグメンテーションでは有効な変数であることは正しい。社会階層は社会文化的変数ともいわれ、最上流、上流の下、中流の上、中流階層、労働者階層、下層の上、最下層などが典型的な区分である。そして、**これらは日本においてはセグメンテーション変数としては有効でないとはいえない。**「一億総中流」などといわれた高度経済成長が終わり、現在の日本社会では様々な「格差」が問われるようになっており、2000年代以降社会階層がより明確化してきたといわれている。社会階層は消費者の購買行動全体に強い影響を及ぼすといわれており、そういった面からも社会文化的変数の有効性は高いといえる。

ウ ×：準拠集団の影響をイノベーションの普及理論に当てはめてみると、オピニオンリーダーは早期少数採用者（アーリー・アダプター）として新製品の普及に影響を与えることは正しい。オピニオンリーダーは新製品の価格や技術的な不確実性などの「リスク要因」も考慮した上で実際の採用に踏み切る。そして、自ら採用した経験を踏まえた彼らの意見は、周囲の人々に強い影響を有することになる。一方で、インフルエンサーは、クチコミ情報の信頼性が高い消費者のことである。そして、**オピニオンリーダーと同様に他の消費者に対して影響力が強い消費者のことを指**

す。したがって、**インフルエンサーが後期多数採用者（レイト・マジョリティー）であるわけではない（オピニオンリーダーと同様に当該製品の普及の早い段階で大きな影響を与える）**。

エ　×：スノッブ効果、バンドワゴン効果、ヴェブレン効果は、アメリカの経済学者ハーヴェイ・ライベンシュタインが提唱した概念である。スノッブ効果は「ある選択肢に多くの需要がある場合､個々人のその選択肢に対する需要が小さくなる現象」のことで、他人とは違うものが欲しいという心理を表す。バンドワゴン効果は「ある選択肢に多くの需要がある場合に、その選択肢に対する需要が更に大きくなる現象」のことで､他人が持っているから自分も欲しいという心理を表す。したがって、**本肢はスノッブ効果とバンドワゴン効果の内容が逆**になっている。そして、ヴェブレン効果が、値段が高いことが欲求を増大させる効果であることは正しい。ヴェブレン効果は、高級ブランド品などの高価な品を所有することによる自己顕示欲を表す。

オ　○：正しい。市場細分化の基準に用いられる変数には､ジオグラフィック変数(地理的変数)､デモグラフィック変数（人口統計的変数)､サイコグラフィック変数（心理的変数)、行動変数などがある。デモグラフィック変数には性別、年齢、年収、社会的地位、ライフステージなどが含まれる。ジオグラフィック変数とデモグラフィック変数をまとめてデモグラフィック変数とする場合もある。サイコグラフィック変数はデモグラフィック変数を用いた基準では区別できない、消費者の心理的な側面に焦点をあてるものであり、趣味、価値観、関与、ライフスタイルなどが含まれる。

よって、**オ**が正解である。

設問2　●●●

消費者を取り巻く個人的要因の分析に関する問題である。

ア　×：知覚とは、消費者が外部の情報を意味づけするプロセスであり、情報への接触段階、注意段階、解釈段階の各段階を経る。注意段階においては、人間の脳がもつ情報処理能力には限界があるため、消費者は接触した情報のすべてではなく一部にのみ注意を向ける性質を持っている。これを、知覚の選択性あるいは選択的知覚という。消費者は、自身の過去の経験や知識をベースにしたフィルターを備えており、注意を向け解釈すべき対象を常に選択している。しかし、人間の脳は意識的に注意を向けた情報のみを処理しているわけではない。たとえば、何かを学習しようという意図がないときにも、気がつかないうちに視覚場面の情報を学習しているという「潜在学習」のように、人間の無意識に働きかける情報に対しても処理を行っている。よって、**知覚機能が無意識に働きかける情報に対して働かないわけではない**。サブリミナル広告とは、ある知覚刺激が非常に短時間である場合に意識として認識できないが、潜在意識（無意識）に対しては一定の影響を及ぼすことがあるというサブリミナル効果を活用した広告のことである。サブリミナル広告が効果的に実施されれば、製品のブランド化に大きい影響を与えるといえる。

イ　○：正しい。アサエルの購買行動類型では「製品や購買に対する関与の度合い（製品関与・購買関与）」と「消費者がブランドに対して認識している違い（ブランド間知覚差異）」という２つの要素によって消費者がどのような購買行動をとるかを分類するものである。

【アサエルの購買行動類型】

製品関与・購買関与

ブランド間知覚差異 ＼ 関与	高	低
大	情報処理型	バラエティ・シーキング型
小	不協和解消型	習慣型

（出所）H. Assael [1987], *Consumer Behavior and Marketing Action*, Kent Publishing, P.87を修正。

（『価格・プロモーション戦略』上田隆穂・守口剛編　有斐閣アルマp.89）

バラエティ・シーキング型とは、消費者の関与は低いがブランド間知覚差異が大きい場合の行動類型であり、「失敗してもいいので新しいものを試してみよう」という気持ちが芽生え色々なブランドを買って試すような行動を指す。

ウ　×：手続き的記憶とは、「自転車の乗り方を覚える」「楽器の演奏を覚える」といった記憶で、同じような経験の繰り返しによって獲得される記憶のことである。一旦形成されると、意識的な処理を伴わず自動的に機能し、長期間保存される。したがって、**手続き的記憶は長期記憶の一種である**。また、エピソード記憶とは「個人が経験した出来事に関する記憶」であり、何を経験したかに加え、その際どのような状況であったのかなどの付随情報と共に記憶される長期記憶の一種である。意味記憶とは、言葉の意味や知識、概念に関する記憶で、たとえば「１年は365日である」

といったものである。これも長期記憶の一種である。購買意思決定においては、情報を一時的に保持する「短期記憶」から、長期的に保持する「長期記憶」に変換し(これを符号化という)、長期記憶に知識を「貯蔵」していくプロセスが重要になる。貯蔵された知識は長期記憶が検索されるたびに他の情報と結びつけられ、好ましい態度が形成されやすくなることで想起集合に入っていくことになる。

エ　×：本肢は**対比効果**の内容である。対比効果は、期待とパフォーマンスの食い違いが実際よりも大きく見えてしまうことを意味する。たとえば、あまり料理の味を期待せずに入ったレストランで、よい接客を受けたり店内の雰囲気がよかったりした場合、それほど高いパフォーマンス水準（料理の味）でなくても大きな幸福度を感じるであろう。このように、対比効果は料理の味といった本質的な部分以外が原因で消費者の感情に大きな影響を及ぼす。一方で、同化効果とは顧客が予想した水準が実際に感じた水準とは異なっていたとしても、それを誤差の範囲だと認識し、一致していると認知してしまうことである。これは、認知的不協和とも呼ばれる。たとえば、何かの製品を買ったものの「思っていたのと違う」といった不協和が生じると、消費者はその製品の良い情報を集めたり、購入しなかった他の製品の短所を探ったりする行動に出ることで、不協和を解消しようとすることとなる。

よって、**イ**が正解である。

第39問

マーケティング・リサーチに関する問題である。

ア　×：サーベイ法は一次データの収集に使用される定量調査の一手法であり、質問票を用いるリサーチ法である。そして、間隔尺度、序数尺度（順序尺度）、比較尺度、名義尺度の４つの尺度を使用することは正しい。しかし、調査対象者の選択した回答番号が数字としての意味を持たず、回答番号の違いが単に対象者の質的な違いを分類するだけの意味を持つ尺度は間隔尺度ではなく、**名義尺度**である。間隔尺度とは、ある製品を買ってみたいかどうかを「非常にそう思う」から「まったくそう思わない」までの５段階で解答する場合などで用いられる尺度である。また、この３と４、４と５といった尺度内の間隔は一定になる。

イ　×：一般的に、リサーチはその目的によって探索的リサーチと検証的リサーチに大別される。探索的リサーチは、アイデアと洞察を得ることを目的とし、検証的リサーチは、ある特定の仮説を検証し、因果関係を調べることを目的としている。したがって、自社ビールの売上が落ちてきている原因の１つとして「テイストが軽すぎる」という仮説が立てられた場合、自社ビールのテイストに関する消費者データを収集して分析し、仮説を明らかにしようとする調査は**検証的リサーチ**である。検証的リサーチの主な方法には、サーベイ法や観察法などがある。一方で、インサイト・リサーチとは回答者の潜在意識下にあるような、いわゆる「ホンネ」を探り出す調査方法のことである。

ウ　○：正しい。マーケティング・リサーチにおけるコーディングとは、発言や記述内容に関して代表的な言葉や意見内容をまとめてカテゴリーに分類しコード(符号)変換する作業のことである。この作業により、発言や記述内容といった定性データを定量データとして分析することが可能になる。コードごとの頻度や結びつきをコード間の関係性として図示することで、データのパターンやテーマの関連性を視覚的に理解することができるようになる。もちろん、分析に関しては主観を排除し客観的に結果を示すことが重視される。

エ　×：データ収集において、リサーチ対象となる母集団の全てを対象に調査を実施する全数調査に対し、母集団の一部を標本として抽出して調査を実施する調査は**標本調査**である。標本調査とは、母集団から一部を抽出して標本とする調査のことである。母集団のサイズが大きい時に全数調査をすると、経費的、時間的、作業的負担が大きくなること、非標本誤差も増えることなどから、これらの負担を軽減する目的で実施される。標本調査において、母集団の属性を反映した標本を抽出することが重視されることは正しい。なお、悉皆調査とは全数調査の別称である。

オ　×：マーケティングにおけるデータには一次データと二次データがある。一次データとは、ある目的のために実験や調査を行うことによって新規に収集されたデータのことで、二次データとは他の目的のために既に収集されているデータであり、組織内に蓄積されている内部データと図書館や業界団体といった組織外に存在している外部データがある。したがって、**本肢に書かれているような内部データか外部データかで一次データか二次データかを判断するものではない。**

したがって、**ウ**が正解である。

第40問

マーケティング・リサーチ手法に関する問題である。

「ジョハリの窓」とは米国・サンフランシスコ州立大学の心理学者であるハリ・インガム氏、ジョセフ・ルフト氏が発表した「対人関係における気づきのグラフモデル」の名称で、「自分から見た自分」と「他者から見た自分」の情報を切り分けることにより円滑なコミュニケーションを図るものである。

４つの窓が示されているが、それぞれ

【開放の窓】自分も相手もよく知っている領域

【隠された窓】自分は知っているが、相手には隠している領域

【盲点の窓】相手は知っているが、自分は気付いていない領域
【未知の窓】自分も相手も知らない領域
そして、良好かつ円滑な対人関係の構築には【開放の窓】を拡大していくことが重要となる。

ア ×：インタビュー調査は面接法ともいい、インタビュアーと回答者が直接会って行う調査である。調査結果がインタビュアーの能力に左右される面があるものの、回答者のデータを引き出すために行われるものであり、**どの窓の自己データの収集についても有効といえる。**

イ ×：行動観察調査は、他者が観察者として個人の行動を記録し、その行動に基づいてフィードバックを提供する手法であり、調査対象者の行動や反応を直接調査者が観察することができるので、**調査者も調査対象者もよく知っている領域を拡大することに貢献する。**よって、**「開放の窓」についてのデータを得るために有効な調査手法である。**

ウ ○：正しい。選択肢**イ**でも触れたように、行動観察調査は調査対象者の行動や反応を直接調査者が観察することができるので、調査者は知っているが調査対象者は気付いていない領域である「盲点の窓」についてのデータを得るためにも有効である。

エ ×：定量的なアンケート調査は、数値データを収集するための手法であり、主に客観的なデータを得るために使用される。そして「開放の窓」と「盲点の窓」についての情報は、自分も相手もよく知っている、もしくは相手は知っているが自分は気付いていない領域のものであり、主観的な自己認識や相手からのフィードバックに基づく情報である必要がある。**これらは定量的なアンケート調査では十分に把握することができない**ので、**「開放の窓」と「盲点の窓」についてのデータを得るために有効であるわけではない。**

オ ×：選択肢**エ**と同様の理由により、**「未知の窓」についてのデータを得るために有効であるわけではない。**

よって、**ウ**が正解である。

令和 5 年度問題

令和5年度問題

Questions

第1問 ★重要★

ドメインに関する記述として、最も適切なものはどれか。

ア　PPMを用いた事業間の資源配分の決定を基に、企業ドメインが決定される。

イ　企業ドメインには、多角化の広がりの程度、個別事業の競争戦略の方針、差別化の在り方および日常のオペレーションといった内容が含まれる。

ウ　経営者は事業間でシナジー効果がどれくらい働くのかを考えて、企業ドメインを決定する。

エ　事業ドメインには、部門横断的な活動や他の事業分野との関連性、将来の企業のあるべき姿や経営理念といった内容が含まれる。

第2問 ★重要★

J.B.バーニーが提唱した「VRIOフレームワーク」に則った記述として、最も適切なものはどれか。

ア　外部環境の機会を適切に捉えた価値がある経営資源であれば、業界内において希少でなくても、持続的な競争優位の源泉となる。

イ　価値があり、業界内において希少で、別の経営資源で代替される可能性が少ない経営資源を保有していても、それが組織体制とコンフリクトを起こすようであれば、組織体制を変更せずに経営資源を見直さなければならない。

ウ　価値が高く、業界内で希少な経営資源では、一時的な競争優位を得ることはできない。

エ　業界内で模倣困難かつ希少で価値ある経営資源を有していても、競争優位性を持続的に確立できないことがある。

第3問 ★重要★

下表では、業界A～Eの競争状況が示されている。M.ポーターの「業界の構造分析（5フォース分析）」に基づき、既存企業間の対抗度の最も低い業界を下記の解答群から選べ。ただし、他の条件は全て等しいものとする。

	業界A	業界B	業界C	業界D	業界E
ハーフィンダール指数	0.7	0.7	0.5	0.3	0.3
製品差別化の程度	低い	高い	低い	高い	低い

[解答群]
ア　業界A
イ　業界B
ウ　業界C
エ　業界D
オ　業界E

第4問　★重要★

経験曲線効果を用いた価格戦略に関する以下の記述について、空欄A～Cに入る語句の組み合わせとして、最も適切なものを下記の解答群から選べ。

それまでにない全く新しい製品を発売する場合や、製品自体の存在が認識されておらず市場がなかなか拡大しない場合、製品ライフサイクルの初期段階でコストリーダーとなるためには、[A]戦略をとる必要がある。この戦略は、需要を喚起させるために思い切った低価格を設定し、ライバル企業よりも先に自社製品の生産数量および販売数量を増やすというものである。当該製品の経験曲線効果が[B]、コスト低下のペースが[C]場合、この戦略はより効果的である。

[解答群]
ア　A：上澄み価格　B：大きく　C：速い
イ　A：上澄み価格　B：小さく　C：遅い
ウ　A：上澄み価格　B：小さく　C：速い
エ　A：浸透価格　B：大きく　C：速い
オ　A：浸透価格　B：小さく　C：遅い

第5問　★重要★

下表では、ある市場のある年度におけるメーカー企業（企業A～D）の売上高（売上数量と売上金額）が示されている。「競争地位別戦略」に基づいた、各社のとる戦略に関する記述として、最も適切なものを下記の解答群から選べ。

	企業A	企業B	企業C	企業D	市場全体
売上数量	300万個	50万個	150万個	500万個	1,000万個
売上金額	300億円	75億円	105億円	600億円	1,080億円

[解答群]

ア　企業Aは、数量シェアを増加させるために、積極的に価格を下げる。

イ　企業Bは、製品単価が最も高く市場拡大の利益が大きいため、市場全体の拡大を第一に目指す。

ウ　企業Cは、製造コストを上げて製品品質を高めながら、競合からの顧客獲得を狙う。

エ　企業Dは、最大のシェアを維持するためには、他社の行動に対して同質化を行うだけでなく、自社からのイノベーションも検討する。

第6問　★重要★

企業の先行者優位性に関する記述として、最も適切なものはどれか。

ア　技術が特許によって保護される状況では、技術の模倣や売買が不可能であるため、先行者となる企業の優位性が維持されやすい。

イ　顧客側のスイッチングコストが高い状況では、先行者となる企業の優位性が維持されやすい。

ウ　顧客の嗜好（しこう）の変化や新しい顧客ニーズが次々に生まれる状況では、先行者となる企業の優位性が維持されやすい。

エ　先行者の投資に対して後発者が大きく「ただ乗り」できる状況では、先行者となる企業の優位性が維持されやすい。

オ　非連続的な技術革新が頻繁に起こる状況では、先行者となる企業の優位性が維持されやすい。

第7問　★重要★

M&Aや戦略的提携に関する記述として、最も適切なものはどれか。

ア　異業種間のM&Aでは、自社の必要としない資源までも獲得することがあり非効率が生じやすいが、規模の経済のメリットを享受できる。

イ　戦略的提携では、パートナーが裏切る可能性があり、それを抑制するために事前にデューデリジェンスを行うことが必須である。

ウ　戦略的提携では、パートナーに開示する情報を選択することを通じて、パートナーの学習速度に影響を与えることができる。

エ　同業種間のM&Aは、範囲の経済と習熟効果の実現というメリットがあることから、異業種間のM&Aに比べて統合コストは低い。

オ　買収者以外の株主にオプションを与えるなどして買収コストを引き下げようとすることを、ポイズンピルと呼ぶ。

第8問　★重要★

新事業や新市場の創出に関する記述として、最も適切なものはどれか。

ア　E.リースの「リーン・スタートアップ」理論に基づけば、不確実性が非常に高い事業の場合、成功要因の把握は非常に難しいため、多額の調査費を投入して潜在的な需要を把握し、時間をかけて綿密な計画を立てる必要がある。

イ　G.A.ムーアの「キャズム」理論に基づけば、イノベーターとアーリー・アドプターはテクノロジーに対する姿勢は共通するが、実用性志向の程度が異なり、その相違によって新市場の拡大において越えることが最も難しい大きな溝（キャズム）が生み出されている。

ウ　S.D.サラスバシーの「エフェクチュエーション」理論に基づけば、熟達した起業家は、事前に市場を明確に定義して、セグメンテーションやターゲティング、ポジショニングを設定することによって、不確実性の高い状況でも新事業を創出することができる。

エ　W.チャン・キムとR.A.モボルニュの「ブルーオーシャン戦略」に基づけば、顧客価値を高める差別化の要素を持つことと、コストを押し下げることを併せ持つことが、新市場の創出に重要である。

オ　他社に先駆けてデファクト・スタンダードを獲得することは新事業における競争優位につながるため、デファクト・スタンダードの決定に重要な役割を果たすISOのような国際的な標準化機関との間で調整や協議を進める必要がある。

第9問

企業におけるイノベーションには外部からの知識が欠かせない場合が多い。イノベーションのプロセスにおいて重要とされる吸収能力（absorptive capacity）に関する記述として、最も適切なものはどれか。

ア　多くの企業にとって、吸収能力を高めることが研究開発投資の最大の目的である。

イ　企業の吸収能力は、新しい知識やスキルを組織内部のメンバーに共有させる組織能力であり、組織内の個人が保有する既存の知識とは関係がない。

ウ　企業の吸収能力は、個々の構成メンバーの吸収能力に大きく左右されるため、個人の吸収能力の総和と考えられる。

エ　吸収能力とは、既存知識によって新しい情報の価値に気付き、それを活用する能力である。

オ　吸収能力は、研究開発部門に特有の能力である。

第10問　★ 重要 ★

プラットフォームを用いた戦略に関する記述として、最も適切なものはどれか。

ア　1つのプラットフォームには、同業者だけを参加させる方が効果的かつ効率的である。

イ　参加者がプラットフォームから得られる効用は、参加者が増加するにつれて指数関数的に増加する。

ウ　プラットフォームに参加する人が増えるほど、参加者がそのプラットフォームから得られる効用が増加することをフレーミング効果と呼ぶ。

エ　プラットフォームは社会にとっての価値を生み出すものなので、規制は必要とされない。

オ　プラットフォームを用いたビジネスでは、サービスの受益者には課金されない。

第11問　★ 重要 ★

野中郁次郎が提唱した組織的知識創造理論における中核的な概念の1つである暗黙知に関する記述として、最も適切なものはどれか。

ア　ある時代や分野において支配的規範となる物の見方や捉え方であるパラダイムは、手法的技能としての暗黙知である。

イ　暗黙知は言語化が困難な主観的知識を意味し、そのまま組織的に共有させることが容易である。

ウ　経験は意識的な分析や言語化によっても促進されるため、暗黙知が形式知化されると新たな暗黙知を醸成する。

エ　知識創造の過程は暗黙知と形式知の相互変換であり、集団における暗黙知の共有や一致が知識創造の唯一の出発点である。

オ　豊かな暗黙知の醸成には、経験を積み重ねることが重要で、形式知化を行わないことが推奨される。

第12問　★重要★

企業活動のグローバルな展開が進んでいる。企業の国際化に関する記述として、最も適切なものはどれか。

ア　C.バートレットとS.ゴシャールによれば、トランスナショナル戦略を追求する多国籍企業の中核となる資産や能力は、主に企業の本国において存在しており、他の国や地域における開発は不可能である。

イ　C.バートレットとS.ゴシャールによれば、マルチナショナル企業はグローバル企業に比べて、個々の地域や市場への適応の度合いが高いため、国別の現地法人の自主性や独立性が高いという特徴を有する。

ウ　J.ストップフォードとL.ウェルズのモデルによれば、一般的な企業の国際化の進展経緯は、地域別事業部制から製品別事業部制へ移行した後、グローバル・マトリックス組織形成に向かう。

エ　R.バーノンは、米国の大企業の海外進出過程を分析し、製品ライフサイクルの進展に伴う発展途上国から先進国への生産拠点移転現象をモデル化した。

第13問

企業の社会的責任に関する記述として、最も適切なものはどれか。

ア　A.キャロルの社会的責任ピラミッドのフレームワークでは、社会貢献責任をピラミッドの土台に、経済的責任を最上部を形成するものと位置づけた。

イ　M.フリードマンによると、企業の社会的責任とは株主利益の最大化であるが、彼の企業の社会的責任論は、法律や社会規範を遵守した上での競争を行うというルールを前提としたものである。

ウ　P.ドラッカーによると、20世紀初頭までの経営者に企業経営における社会的責任を意識した者はいなかったので、企業の社会的責任は現代の経営者の持つべき新しい課題であるとした。

エ　企業の社会的責任に関し、R.フリーマンは、企業とステークホルダーは利害を巡って決定的な対立関係にあることを指摘し、両者の相互依存的関係を危険視する主張を展開した。

第14問　★重要★

主要な組織形態に関する記述として、最も適切なものはどれか。

ア　機能別組織では、機能別部門の管理をそれぞれの部門の長に任せることから、事業部制組織よりも次世代経営者の育成を行いやすい。

イ　機能別組織では、知識の蓄積が容易であるため、事業の内容や範囲にかかわらず経営者は意思決定を迅速に行いやすい。

ウ　事業部制組織では、各事業部が自律的に判断できるために、事業部間で重複する投資が生じやすい。

エ　事業部制組織では、各事業部が素早く有機的に連携できるため、機能別組織よりも事業横断的なシナジーを創出しやすい。

オ　マトリックス組織は、複数の命令系統があることで組織運営が難しいため、不確実性が低い環境において採用されやすい。

第15問

T.バーンズとG.M.ストーカーは、外部環境の安定性の程度と組織内部の管理システムの関係性を検討し、「機械的管理システム」と「有機的管理システム」という2つの管理システムのモデルを提唱した。

これらのモデルの対比に関する記述として、最も適切なものはどれか。

ア　機械的管理システムでは、有機的管理システムよりも上司への服従が強調される。

イ　機械的管理システムでは、有機的管理システムよりも水平的なコミュニケーションによる助言や相談がよくなされる。

ウ　有機的管理システムでは、機械的管理システムよりも個々のタスクは抽象的な性質を帯びている。

エ　有機的管理システムでは、機械的管理システムよりもその組織に特有な知識やスキルが重要視される。

オ　有機的管理システムでは、機械的管理システムよりも役割に関する責任が詳細に定められる。

第16問　★ 重要 ★

職務に対する従業員のモチベーションは、組織から与えられる報酬だけではなく、担当する職務の特性それ自体からも影響を受ける。

J.R.ハックマンとG.R.オルダムによって提唱された職務特性モデルに関する記述として、最も適切なものはどれか。

ア　技能多様性、タスク完結性、タスク重要性の度合いが高いほど、従業員はその仕事に価値や意義を見出すようになる。

イ　職務特性モデルでは、従業員の心理状態が中核的な職務特性を介して従業員の仕事の成果に影響を及ぼすと考える。

ウ　成長欲求の程度が低い従業員は、その程度が高い従業員と比べて、自律性の高い仕事を与えられた場合に、仕事の結果への責任感をより強く感じる傾向がある。

エ　タスク完結性とは、仕事のスケジュールや手順を決めるにあたって、担当者が自己完結的にそれらを自由に決められる程度を指す。

オ　幅広い工程を一貫して担当することが求められるタスクは、細分化された１つの工程を担当するタスクよりもタスク重要性が高い。

第17問　★ 重要 ★

E.A.ロックとG.P.レイサムらが提唱した目標設定理論に則した管理者の判断と行動に関する記述として、最も適切なものはどれか。

ア　自分には目標を達成できる能力があるという信念を持つ人ほど、達成が困難な状況になると目標を断念する傾向があるため、自分の能力を過信しないように部下に伝えた。

イ　達成に多くの努力を要する目標は、達成できる見込みが立てづらく部下からの反発や抵抗が予想されるため、容易に達成できる業績目標を設定した。

ウ　達成の難易度が高い目標を設定するにあたっては、部下にその目標を受容させることが重要であるため、その目標が公正で妥当であることを強調して部下に伝えた。

エ　一人ひとりの目標の内容が職場で公表されると、目標に対するコミットメントが阻害されるため、各自の目標が互いに知られることのないように配慮した。

オ　明確な数値目標を設定すると、目標達成に対する心理的プレッシャーが高まり、部下の達成意欲が低下するため、自由に解釈できる定性的な目標を設定した。

第18問　★重要★

リーダーシップの条件適合理論の1つであるパス・ゴール理論に関する記述として、最も適切なものはどれか。

ア　自分の行動とその結果を自分自身が統制していると考える部下は、リーダーから意思決定に関して相談されたり提案を求められたりすることに強い満足を得る傾向がある。

イ　タスクの内容と達成方法を具体的に指示するリーダーシップは、部下のタスクが曖昧な場合よりも高度に構造化されている場合の方が、部下の満足度を高めやすい。

ウ　タスクを遂行する自らの能力が高いと認識する部下ほど、タスクの内容や達成方法を具体的に指示するリーダーシップに対する満足度が高くなる。

エ　部下の感情面への配慮を示すリーダーシップは、タスクを遂行すること自体から得られる部下の満足度が低い場合よりも高い場合の方が、部下の満足度を高めやすい。

オ　リーダーは、自らの性格的な特性に応じて、指示型、支援型、参加型、達成志向型のいずれかの行動スタイルをとることで部下の満足度を高められる。

第19問　★重要★

集団の中にいる人間の意思決定や行動は集団から影響を受ける。集団の機能と集団内の人間行動に関する記述として、最も適切なものはどれか。

ア「凝集性」が高い集団では、集団内の規範と組織全体の業績目標とが一致するため、集団内の個人の生産性が高まりやすい。

イ「グループシフト」とは、集団のメンバーが個人として当初有していた極端な態度や意見が、集団で討議した結果、より中立的な方向に収束する現象を指す。

ウ「集団圧力」を受けやすい状況下でも、正しい答えが明白な課題に取り組む場合は、個人が多数派の意見に同調して誤った答えを選択することはない。

エ　全体の和を重んじる集団では、意思決定に際して多数派の意見だけではなく少数派からの異論も奨励する「グループシンク」が促進されやすい。

オ　人が集団の中で働くときに単独で働くときほど努力しない「社会的手抜き」という現象は、個人の貢献と集団の成果との関係が曖昧な場合に生じやすい。

第20問　★重要★

J.G.マーチとJ.P.オルセンが示した組織学習サイクル・モデルにおける不完

全な学習サイクルに関する記述として、最も適切なものはどれか。

ア「曖昧さのもとでの学習」とは、組織の行動がもたらした環境の変化を適切に解釈できず、個人の信念が修正されないことを指す。

イ「傍観者的学習」とは、個人が、環境の変化について傍（かたわ）らから観察しているかのように、自らの行動を変化させないことを指す。

ウ「迷信的学習」とは、個人が自ら確信している迷信に従って、自身の行動を変化させ、さらに組織の行動の変化も導こうとすることを指す。

エ「役割制約的学習」とは、環境の変化によって自らの信念が変化した個人がその行動を変化させるものの、そうした変化が自らの役割の範囲内のみにとどまっていることを指す。

オ　不完全な学習サイクルとは、「環境の変化→個人の行動→組織の行動→個人の信念」という連結サイクルのいずれかが切断されていることを指す。

第21問　★重要★

資源依存パースペクティブでは、組織がさまざまな資源をステークホルダー（利害関係者）に依存していることに注目している。

メーカーであるA社が、事業活動に必要な原料Xを、Xのみを製造販売しているB社から継続的に購買している場合に、両社間に生じうるパワー関係に関する記述として、資源依存パースペクティブの観点から、最も不適切なものはどれか。

ア　A社がB社以外の他社から原料Xをどの程度購買しているかどうかが、両社間のパワー関係に大きな影響を与える可能性がある。

イ　A社が保有している機械設備の資産評価額が、B社が保有する機械設備の資産評価額よりも相対的に大きいことが、両社間のパワー関係に大きな影響を与える可能性がある。

ウ　B社の販売量全体におけるA社向けの販売量が占める比率が、両社間のパワー関係に大きな影響を与える可能性がある。

エ　原料Xの販売についてのB社の自由裁量に関して法律などによる制約があるかどうかが、両社間のパワー関係に大きな影響を与える可能性がある。

オ　原料Xを入手できなくてもさほど大きな問題が生じずにA社が事業活動を営むことができるかどうかが、両社間のパワー関係に大きな影響を与える可能性がある。

第22問

組織における制度的同型化に関する記述として、最も適切なものはどれか。

ア　ある組織形態が社会的に高い評価を得ている場合には、その組織形態を採用しなければ取引関係にある組織から批判されることから、強制的同型化が生じやすくなる。

イ　環境が安定的であり、どのようにすれば社会から評価されるかが明確であれば、模倣的同型化が生じやすくなる。

ウ　政府が特定の組織形態を採用することを求める規制を行えば、制度的環境からの期待が明示的になって競争が緩和されるため、模倣的同型化が生じやすくなる。

エ　専門家団体のような組織横断的な専門家ネットワークが発達することにより、規範的同型化が生じやすくなる。

オ　取引関係にある組織同士は、資源を相互に依存しあっているために、それらの組織間では規範的同型化が生じやすくなる。

第23問　★重要★

組織には、環境変化とそれに伴う組織変革に対して抵抗を示す側面がある。組織において変化や変革に対する抵抗が生じる理由に関する記述として、最も不適切なものはどれか。

ア　業務プロセスを変革したとしても、それと整合するように組織構造や業績評価システムといった他のサブシステムも併せて変革しない限り、変革を元に戻す組織的な作用が働きやすいから。

イ　現状の資源配分パターンから最も大きな利益を得ている部門は、環境変化に伴う資源配分パターンの変革を脅威と見なし抵抗する傾向があるから。

ウ　支援的な組織風土によって組織の心理的安全性を高めに維持しようとする構造的慣性が組織には存在するから。

エ　従業員が所属する集団の規範が、変革に対する従業員の前向きな考えや行動を抑制するように作用する可能性があるから。

オ　従業員の思考や行動を同質化する組織社会化のプロセスが、組織の革新性を阻害する可能性があるから。

第24問

賃金又は退職金に関する記述として、最も適切なものはどれか。

ア　従業員の業務実績に応じて、一定比率を賃金とする出来高払制度によって賃金計算をする労働契約を締結している場合には、使用者は、労働時間に応じた一定額の賃金保障をする必要がなくなる。

イ　使用者は、最低賃金法による最低賃金の適用を受ける労働者に対し、その最低賃金額以上の賃金を支払わなければならず、同法には、この最低賃金支払義務に違反した者に対して罰金に処する旨の規定が設けられている。

ウ　懲戒解雇の場合には、使用者は、労働基準法の規定により退職金として、懲戒解雇等の理由がない場合に支払われるべき額の６割を支払わなければならない。

エ　労働基準法により賃金は毎月一回以上一定の期日を定めて支払うこととされているため、従業員が疾病治療の費用に充てるために既往の労働に対する賃金を請求した場合であっても、使用者は、あらかじめ定めた支払期日前に当該賃金を支払わなくてよい。

第25問

労働基準法上の労働者に関する記述として、最も適切なものはどれか。

ア　インターンシップにおける学生は、当該学生が直接生産活動に従事するなど当該作業による利益・効果が受け入れ企業に帰属し、かつ、受け入れ企業との関係において使用従属関係が認められる場合であっても、労働基準法上の労働者に該当しない。

イ　株式会社の代表者は、事業主体との関係において使用従属関係が認められないため、その役員報酬が著しく低額の場合であっても、労働基準法上の労働者に該当しない。

ウ　物品を配送する事業を営む事業主より委託を受けて自転車により物品配送に従事する者は、当該従事者に事業者性を肯定する要素がなく、かつ、当該事業主体との関係において使用従属関係が認められる場合であっても、労働基準法上の労働者に該当しない。

エ　労働基準法上の事業は、営利を目的として行われるものに限定されることから、社会事業団体や宗教団体が行う継続的活動に従事する者は、当該団体との関係において使用従属関係が認められる場合であっても、労働基準法上の労働者に該当しない。

第26問 ★重要★

労働時間に関する記述として、最も適切なものはどれか。

ア　１週間の所定労働時間が37時間30分で１日の所定労働時間が７時間30分の完全週休二日制の事業場において、就業規則に延長勤務を指示することがある旨規定され労働者に周知されている場合に、使用者は、時間外労働に関する書面による労使協定を締結していなくても、所定労働時間外の労働の制限がない労働者を法定労働時間以内である30分間は延長して勤務させることができる。

イ　12時から13時までを昼食休憩として休憩時間を与えている事業場において、一斉休憩の適用除外に関する書面による労使協定を締結したうえで、この時間帯に電話及び来客対応のために労働者の一人を当番制により待機させている場合、当番中に電話も来客も全くなかったときは、当該時間は労働時間ではなくなる。

ウ　使用者が実施する技術水準向上のための教育又は研修が所定労働時間外に実施される場合には、当該教育又は研修が、参加しない労働者に就業規則で定めた制裁を科すなど不利益取り扱いによって参加を強制するものではない自由参加制であっても、その時間は時間外労働になるため、時間外労働に関する書面による労使協定の締結が必要となる。

エ　定期路線トラック業者において、運転手に対してトラック運転の他に貨物の積み込みを行わせることとして、トラック出発時刻の数時間前に出勤を命じている場合、貨物の積み込み以外の時間の労務の提供がない手待ち時間は労働時間ではない。

第27問

次の記述は、株式会社Ａを経営するＢ社長から、Ｃ中小企業診断士への相談内容をまとめたものである。健康保険諸法令及び厚生年金保険諸法令に照らし、各相談事項に対する正しい回答として、最も適切なものを下記の解答群から選べ。

雑貨を製造・販売する株式会社Ａを新しく設立したＢ社長は、従業員から「健康保険と厚生年金保険はどうなっていますか。」と質問を受けた。Ｂ社長は、健康保険及び厚生年金保険（以下、両者を併せて社会保険ということがある）については全く理解していなかったため、会社を設立する際に支援を受けたＣ中小企業診断士に相談することとした。Ｂ社長の相談内容は、「社会保険の手続きはどのようにするのか。従業員に対してどのように説明するのか。社会保険の保険料の納付と負担は誰がどのようにするのか。手続きをした後の毎月の保険料は変わらないのか。ボーナス支給時にも保険料がかかるのか。」というものであった。

株式会社Ａでは、従業員として30歳代の正社員３名を使用しており、被扶養者に該当する家族を有する者はいない。ボーナスは夏期と年末の年２回支給を予定している。なお、株式会社Ａは全国健康保険協会管掌健康保険の適用事業所であり、電子申請は行っていないものとする。

[解答群]

ア　社会保険の手続きについては、事業主は、事業所が新規に社会保険の適用事業所となったこと及び従業員が被保険者の資格を取得したことについて、新規適用届及び被保険者資格取得届など必要書類を日本年金機構に提出することが必要です。

イ　社会保険の保険料の納付と負担については、事業主が毎月、従業員の給与から源泉徴収して納付することになっていますが、口座振替の申出をすることもできます。また、事業主の義務は源泉徴収した保険料を納付することであって、保険料を負担する義務は保険給付の受給者になり得る被保険者だけが負います。

ウ　従業員に対しては、被保険者資格取得の確認通知書が届いたらその内容を従業員に通知して、今後資格情報に変更が生じた場合や被扶養者が増えるときは、従業員が各自で住所地最寄りの年金事務所に届け出るように説明してください。

エ　手続き後の毎月の社会保険の保険料については、昇給の都度変更することがあります。ボーナス支給時には厚生年金保険に関してのみ保険料を納付することになっており、健康保険に関する保険料の納付は不要です。

第28問　★ 重要 ★

顧客価値に関する記述として、最も適切なものはどれか。

ア　顧客が製品やサービスに期待する最も基本的な機能によってもたらされる価値を、機能的価値という。最も基本的な価値であるため、機能的価値が不十分であったり不明確であったりする製品やサービスが顧客に受け入れられることはない。

イ　実際に製品やサービスを購入し、使用感などを経験してみなければ分からない価値を経験価値という。経験価値によって製品やサービスを訴求するためには、すでに利用した顧客によるクチコミなどをなるべく発生させないようにしつつ、プロモーションを行うべきである。

ウ　製品やサービスの機能的価値は、「あって当たり前」の本質機能と、付加的な付随機能に分けることができる。このうち本質機能による機能的価値は、1つでも欠ければ競合する製品やサービスに比べて大幅に魅力が劣るため、自社の製品やサービスを差別化するために最も力を入れなければならない価値である。

エ　どのような基本的な機能を期待するかは顧客ごとに異なるのに対して、多くの顧客が製品やサービスに期待する感覚的価値は一般的に似通っているため、感覚的価値を訴求する製品やサービスは差別化が難しく、価格競争に陥りやすい。

オ　文脈価値とは、顧客が製品やサービスを利用した際の状況に依存する。すなわち、顧客による特定の製品やサービスの利用と、その際の周辺環境や情景あるいは誰と一緒に利用したか、などの状況とともに創り出される価値である。

第29問

消費者の購買意思決定において用いられる代替案の評価方法には、大きく分けて補償型と非補償型がある。これらの評価方法に関する記述として、最も適切なものはどれか。

ア　耐久消費財などの複雑な製品の購買意思決定においては、非補償型の評価方法のみが用いられることが多い。

イ　非補償型の評価方法の1つに分離型がある。この方法では、代替製品の各属性に十分条件を設定し、いずれかの属性においてこの条件を満たした製品を選択する。

ウ　非補償型の評価方法の1つに連結型がある。この方法では、代替製品の各属性に必要条件を設定し、いずれかの属性においてこの条件を満たした製品を選択する。

エ　補償型とは、ある属性のマイナス面が他の属性のプラス面によって相殺（補償）され得る評価方法であり、最も簡略な方法であるため、日常の簡便な意思決定や衝動型購買などの場面でしばしば用いられる。

オ　補償型の評価方法は、ヒューリスティックスとも呼ばれる。

第30問　★ 重要 ★

製品の売り上げや人気が消費者間の影響力に大きく左右されるようになった結果、近年は企業と消費者が共同して製品開発を行う例が多く見られる。このことに関する記述として、最も適切なものはどれか。

ア　オープン・イノベーションとは、一般に企業が企業外部のアイデアなどを取り入れながら価値を創造する取り組みであるが、企業が自社内のアイデアなどを積極的に外部に出すこともある。

イ　企業と消費者が共同で開発した製品は、新奇性や好意的評価、これらに基づく売り上げなどにおいて従来型の製品開発による製品を上回ることも多い。しかし、製品ライフサイクルの長さにおいて従来型の製品より短い場合が多く、このことが課題である。

ウ　企業と消費者が共同で製品開発を行う取り組みにおいては、そのための資金をクラウド・ソーシングによってオンライン上の多数の消費者から広く調達することも多い。

エ　消費者と共同するのではなく、伝統的な製品開発手法に基づき市場のニーズを重視して自社単独で製品を開発しようとする企業は、シーズ志向であるということができる。

第31問

次の文章を読んで、下記の設問に答えよ。

食品メーカーＡ社では、これまで①卸売業者や小売業者を介した間接流通チャネルと電子商取引を用いてきた。近年は多くの食品メーカーが②Ｄ２Ｃに乗り出しており、この動きにどのように対応するかも１つの課題であると考えている。

設問１

文中の下線部①に関する記述として、最も適切なものはどれか。

ア　ある業界において多くのメーカーが零細である場合、卸売業者の役割は小さいため、その業界の流通チャネル上に存在する卸売業者の数も少なくなる傾向がある。

イ　ある業界において中小小売業者が多いほど、これら中小小売業者とメーカーをつなぐ卸売業者が多段階化し、その数も多くなる傾向がある。

ウ　卸売は卸売業者だけが行うものではなく、小売業者によって行われることもある。しかしメーカーが販社を作って行う小売業者向けの販売は、卸売ではない。

エ　小売とは最終消費者に対して商品を再販売する商業活動であるのに対して、卸売とは最終消費者だけでなく他の卸売業者や小売業者、産業用使用者に対して商品を再販売する商業活動である。

オ　大規模に成長した小売業者との取引を確保・拡大するために、近年の卸売業者に求められている方策の１つがロジスティックス機能の強化である。この機能は一般にサードパーティ・ロジスティックスと呼ばれ、卸売業者の生き残りをかけた重要な戦略となっている。

設問2 ●●●

文中の下線部②に関する記述として、最も適切なものはどれか。

ア　一般にD２Cとは、卸売業者や小売業者から構成される従来の流通チャネルを介することなく、自社サイトや大手ネットショッピング・モールを通じて、自社の製品を直接消費者に販売することを指す。

イ　米国のスタートアップ企業などが自社サイトを活用して自社の世界観を伝え、顧客との接点を育てながら自社製品を直接販売して急速に成長したのがD２Cの始まりであるが、SNSを積極的に利用することも多くのD２Cに見られる特徴の１つである。

ウ　メーカーがD２Cに進出するためには、自社サイトを構築し、顧客管理、決済システムなどを単独で開発する必要がある。

エ　メーカーが流通チャネルを介さずに直接消費者に自社製品を販売することは、従来「メーカー直販」と呼ばれてきた。ほとんどのメーカーは、既存の間接流通チャネルとメーカー直販を両立させ、間接流通チャネルの卸売業者や小売業者の支持を得ながらメーカー直販を拡大してきた。

第32問　★重要★

次の文章を読んで、下記の設問に答えよ。

さまざまな新しいSNSの登場や、メタバースなどの新しい技術の登場により、①デジタル・マーケティングが急速に進展している。このようなトレンドを背景にして、②消費者同士のクチコミやインフルエンサーの影響力などに対しても、ますます注目が集まっている。

設問1 ●●●

文中の下線部①に関する記述として、最も適切なものはどれか。

ア　アドネットワーク・プラットフォーマーは、広告枠の運用を効率化したい大規模メディアからの委託を受け、これらのメディアの運営者に代わり広告枠を広告主に販売する。自ら広告枠を販売することができない個人サイトや中小サイトなどのメディアが、アドネットワーク・プラットフォーマーに広告枠の運用を委託することはできない。

イ　オフライン店舗を中心にマーケティングを展開してきた企業が、新たにオンライン・チャネルを開設した際にしばしば問題となるのが、両チャネル間で消費者の認知・検討と購買が分離することである。この対策として、店舗を利用する従来の顧客を新たなオンライン・チャネルへ誘導するO2Oに加えて、近年はオンラインとオフラインを融合するOMOなどの方策も採られるようになった。

ウ　広告主が対価を払って出稿する広告はペイド・メディアと呼ばれてきたが、その中でも特に複数の広告主が共同で支出する大規模なキャンペーンなどは、近年はシェアード・メディアと呼ばれる。

エ　需給バランスや時期などによって製品やサービスの価格を変動させるダイナミック・プライシングの方法は、デジタル技術とAIの登場によって広く行われるようになった。また、利用者ごとに柔軟に価格を変える方法もダイナミック・プライシングに含まれる。

設問2 ●●●

文中の下線部②に関する記述として、最も適切なものはどれか。

ア　カスタマー・ジャーニーにおけるタッチポイントとは、企業やマーケターと顧客との接点であり、SNSやレビューサイトなどに投稿された当該企業に関連するクチコミも、タッチポイントである。

イ　実際には企業が費用を負担している広告であるにもかかわらず、広告であることを隠して行われるステルス・マーケティングは、特にインフルエンサーを用いたマーケティングに多く見られる。2022年には消費者庁が、このようなステルス・マーケティングを不当廉売として規制する方向で準備を開始した。

ウ　スマートフォンを用いて誰もが日常生活の中で気軽にSNSに写真や意見などを投稿できるようになった結果、それらを閲覧する消費者の製品やサービスへの平均的な関心の強さや知識レベルなどは低下する傾向が見られ、結果としてカスタマー・ジャーニーにおけるクチコミの重要性も低下している。

エ　製品やサービスの仕様や性能などに関する探索属性と呼ばれる情報が豊富であることは、SNSやクチコミサイトなどに投稿されるクチコミの最大の強みである。

第33問

コミュニケーションに関する記述として、最も適切なものはどれか。

ア　広告炎上問題や動画投稿サイト上の広告問題など、インターネットの普及に伴う広告倫理の問題が指摘されるなか、「インターネット広告倫理綱領」が制定されたことによって、倫理的に問題のあるインターネット広告は大幅に減少している。

イ　特定のブランドに興味をもつ消費者が集まるインターネット上のブランド・コミュニティはブランド・ページと呼ばれ、企業のサイト内にあるブランド・コミュニティと比べ、オープン・アクセスと閲覧者の幅広さという点は同じであるが、情報拡散という点で優れている。

ウ　日本においてインターネット広告費はプラス成長を続けており、新型コロナウイルス感染症（COVID-19）の影響下でも2020年のインターネット広告費は成長を維持した。

エ　メディア・マルチタスキングのうち、テレビ、スマートフォン、タブレットなどの画面を複数使用することはマルチ・スクリーニングと呼ばれ、同時に複数のメディアに注意を向けることになるため、単一メディアに接するときよりも広告効果は低下する。

第34問

ブランディングに関する記述として、最も適切なものはどれか。

ア　BtoBマーケティングでは、BtoCマーケティングに比べて特定少数の顧客を対象とすることが多いため、ブランディングは不要である。

イ　あるブランドについて、これまで蓄積されたブランド資産を捨てて資産ゼロからスタートするブランド強化戦略では、既存ブランドを全く新しいブランドへと置き換えるため、ブランド管理の中でもリスクの高い戦略である。

ウ　ブランディングが成功しているブランドは、他社ブランドとの機能の違いを知覚させる識別機能によって、コモディティ化が進む市場において自社ブランドが選ばれる理由を与えている。

エ　ブランディングにおいては、製品やサービスを消費者の使用シーンと関連づけ、消費者に夢や期待、イメージを抱かせることによって、マインド・シェアを獲得することが重要である。

オ　ブランドの価値構造において、基本価値、便宜価値、感覚価値は、ブランドとしての基礎となる価値であり、観念価値は当該ブランドと消費者との間に唯一無二の存在としての絆を形成する価値である。

第35問　★重要★

次の文章を読んで、下記の設問に答えよ。

消費者ニーズの充足や顧客満足の向上を目指すマーケティングにとって、消費者を理解することは不可欠である。企業は、①消費者の購買意思決定プロセスや②消費者に及ぼす心理的効果についての理解を通して、適切なマーケティングを実行していく必要がある。

設問1

文中の下線部①に関する記述として、最も適切なものはどれか。

ア　購入したブランドの欠点と購入しなかったブランドのベネフィットなどを考えた結果、生じる認知的不協和には、自分なりの基準に見合う商品が見つかれば購入に至るタイプの消費者よりも、選択に膨大な時間と手間をかけて最高の選択をしようとするタイプの消費者の方が陥りやすい。

イ　購買意思決定に必要な情報探索は、広告や販売員の説明といった売り手主導のマーケティング情報を探すという外部情報探索と、クチコミなどの買い手によるマーケティング情報を探すという内部情報探索とに分類される。

ウ　購買意思決定プロセスのスタートは、消費者が満たされていない特定のニーズを認識することから始まるが、こうしたニーズのうち、企業がアンケート調査を実施しても把握することができないニーズは真のニーズである。

エ　消費者の意思決定に及ぼす準拠集団の影響の中で、消費者が自分のイメージを高めたりアイデンティティを強化できると期待して、憧れや尊敬を抱く集団と同じブランドを購入したり利用したりするという形で現れる影響のことを情報的影響という。

オ　製品関与は、製品やサービスの購入の必要性や緊急性、店舗環境や品揃えなどの購買状況の魅力によって左右される関与のことであり、製品関与が高くなるほど購買決定における情報探索活動は活発になる。

設問2

文中の下線部②に関する記述として、最も適切なものはどれか。

ア　アンカリング効果は、全く同じコーヒーが1,000円で提供されていた場合に、高級ブランド店が立ち並ぶエリアにあるカフェではそれほど高価に感じないが、若者向け商品を低価格で提供するカジュアルな店が立ち並ぶエリアにあるカフェでは高価に感じるような現象を説明することができる。

イ　サンクコスト効果は、事前に購入する回数券の使用期限が近づくほど利用頻度を増加させることによって使い切ろうとする消費者心理を説明することができる。

ウ　バンドワゴン効果は、小さなカップにあふれそうな量を盛り付けることで人気のジェラート店が、今までと同じ量を入れても余裕がある大きさのカップに変更した結果、以前よりも顧客が商品に価値を感じなくなるという現象を説明することができる。

エ　プロスペクト理論は、交通費や昼食費は数百円の支出でも痛みを感じて節約しようとするにもかかわらず、コンサートや洋服といった自分の好きなことやモノに対しては数百円の支出の増加は気にならないという現象を説明することができる。

第36問 ★重要★

次の文章を読んで、下記の設問に答えよ。

持続可能な社会実現への要請が強まるなか、企業には、①利益と社会的責任を両立させるマーケティングを検討するだけでなく、消費者に②サステイナブルな消費行動を促す努力も求められている。

設問1

文中の下線部①に関する記述として、最も適切なものはどれか。

ア　M.ポーターが提示したCSV（Creating Shared Value）の概念では、本業と関係のある事柄で、本業の利益に還元されるものが重視され、CSR（Corporate Social Responsibility）の概念よりも社会的課題を事業活動そのものと結びつけようとする側面が強調されている。

イ　SDGs経営を目指す企業は、積極的に社会的課題の解決に取り組むことを通じて取り残されてきた市場を新たに獲得するために、経済的利益にこだわってはならない。

ウ　社会へ良いことをすることが企業への好感度や売り上げの向上につながるという考えの下で実施されるプロモーションのうち、本業の利益への還元を強く意識して実施されるものをソーシャル・グッドという。

エ　製品やサービスの売り上げの一部を特定の社会的課題への支援に活用するマーケティング活動はメセナと呼ばれ、この活動を増やすほど当該課題に対する関心が高まり、企業の新規顧客の獲得やブランド・イメージの醸成につながりやすい。

オ　直接的な顧客のニーズや満足だけではなく、社会全体の幸福を維持・向上させながら顧客価値を創造し、伝達し、説得していこうとするマーケティングはソサイエタル・マーケティングと呼ばれ、P.コトラーが提唱するマーケティング4.0と対応する。

設問2 ● ● ●

文中の下線部②に関する記述として、最も適切なものはどれか。

ア　多くの消費者の間には、サステイナブルな社会の実現に向けて自身の行動を変えようと説得する企業からのメッセージに好意的な態度を示す一方で、実際にサステイナブルな行動をとることは少ないという態度と行動とのギャップが存在する。

イ　サステイナブルな消費行動を促すためには、製品の使用価値を重視させるよりも、所有価値を重視させるマーケティングが有効である。

ウ　製品を購入する際には、できるだけ地球環境に配慮した製品を選択しようとする考え方をソーシャリズムといい、この考えに沿って行動する消費者をグリーン・コンシューマーという。

エ　レジ袋の有料化のように社会的課題を消費者個人の責任へと転嫁するアプローチは、消費者に支持されやすく反発を生じさせない。

第37問

パッケージに関する記述として、最も適切なものはどれか。

ア　アフォーダンスのルールをうまく取り入れたパッケージ・デザインは、製品利用における消費者の利便性を高めることはできないが、地球環境に配慮する行動を自然に促すことはできる。

イ　グローバル市場での製品導入を目指す企業では、パッケージに特定の国で隠語的な意味を持ってしまう言語や記号、表現を避け、地理的境界や文化を超えて利用できる移転可能性が高いブランド要素を使用すべきである。

ウ　市場で最大の経営資源とシェアをもつリーダー企業が現在の競争地位を維持するために、チャレンジャーやフォロワーといった競合他社のパッケージと類似のデザインを採用することはない。

エ　パッケージのデザイン開発の現場では、従来型のアンケート調査に加え、アイトラッキングやAI分析を用いた精度の高い調査データが得られるようになっているため、パッケージのリニューアルなどの意思決定において、マーケターの判断は不要になっている。

問題

5年度

令和5年度
解答・解説

令和5年度 解答

問題	解答	配点	正答率※
第1問	ウ	2	B
第2問	エ	2	A
第3問	イ	2	D
第4問	エ	2	A
第5問	エ	3	B
第6問	イ	2	A
第7問	ウ	3	B
第8問	エ	3	D
第9問	エ	3	B
第10問	イ	3	B
第11問	ウ	3	B
第12問	イ	2	A
第13問	イ	3	C
第14問	ウ	2	A
第15問	ア	2	D
第16問	ア	3	B
第17問	ウ	3	A
第18問	ア	2	B
第19問	オ	3	A
第20問	ア	3	D
第21問	イ	3	A
第22問	エ	3	E
第23問	ウ	2	B
第24問	イ	2	B
第25問	イ	2	A
第26問	ア	2	C
第27問	ア	2	B
第28問	オ	3	B
第29問	イ	2	D
第30問	ア	3	B
第31問（設問1）	イ	2	C
第31問（設問2）	イ	3	D
第32問（設問1）	エ	2	C
第32問（設問2）	ア	2	C
第33問	ウ	2	B
第34問	エ	3	C
第35問（設問1）	ア	2	B
第35問（設問2）	ア	2	D
第36問（設問1）	ア	2	D
第36問（設問2）	ア	3	B
第37問	イ	2	A

※TACデータリサーチによる正答率
　正答率の高かったものから順に、A～Eの５段階で表示。
A：正答率80％以上　B：正答率60％以上80％未満　C：正答率40％以上60％未満
D：正答率20％以上40％未満　E：正答率20％未満

解答・配点は一般社団法人日本中小企業診断士協会連合会の発表に基づくものです。

令和5年度解説

第1問

ドメインに関する問題である。

ア　×：企業ドメインは、文字通り企業（全体）としての事業領域を定めるものであり、企業戦略として設定するものである。そして、その戦略的に定めた企業ドメインに基づいて事業を展開していくことになる（事業ポートフォリオを形成する）。PPMを用いた事業間の資源配分は、企業が展開する事業に財務的経営資源をどのように配分していくかを決定するために用いるツールの1つである。よって、企業ドメインに基づいた展開事業が先にあり、その展開する事業に財務的経営資源をどのように配分していくかを決定するためにPPMが用いられる（**PPMを用いた事業間の資源配分と企業ドメインの決定の因果関係が逆である**）。

イ　×：選択肢**ア**の解説でも述べた通り、企業ドメインは企業（全体）としての事業領域を定めるものである。よって、多角化の広がりの程度は企業ドメインによって規定される要素として正しいが、**個別事業の競争戦略の方針、差別化の在り方および日常のオペレーションなどは、企業が展開する特定の（1つの）事業の範囲を規定するものである事業ドメインによって規定される要素である。**

ウ　○：正しい。企業ドメインは企業全体としての事業領域を定めるものであるため、事業間のシナジー効果がどのくらい働くかは直接関連することになる。

エ　×：選択肢**イ**の解説でも述べた通り、事業ドメインは特定の事業の範囲を規定するものであるが、**部門横断的な活動や他の事業分野との関連性、将来の企業のあるべき姿や経営理念といった内容は、企業全体として設定するものである（企業ドメインと直接関連する）。**

よって、**ウ**が正解である。

第2問

VRIOフレームワーク関する問題である。

VRIOフレームワークとは、「Value（価値）」「Rarity（希少性）」「Inimitability（模倣困難性）」「Organizations（組織）」という4つの観点で経営資源を分析するものである。経営資源が持続的な競争優位の源泉となるためには、VRIの3つの観点を満たしたものであることが必要であり、その上で実際に持続的な競争優位を築くためには、Oの観点も満たすことが必要になる。

ア　×：経営資源が外部環境の機会を適切に捉えた価値があるものであったとして

も、業界内において希少でないということは、同業他社もその経営資源を有している。よって、**持続的はおろか、一時的であっても競争優位の源泉とはならない。**

イ　×：価値があり、業界内において希少で、別の経営資源で代替される可能性が少ない（模倣困難性が高い）経営資源は、VRIを満たした経営資源であり、持続的な競争優位の源泉となり得る。しかしながら、実際に持続的な競争優位を築くためには、その経営資源を有効に活用できる組織であることが重要になる（Oを満たす）。よって、経営資源（それ）が組織体制とコンフリクトを起こすのであれば、有効に活用することができず、持続的な競争優位を築くことができない。よって、経営資源と組織体制を適合させることが必要であるが、この場合に、組織体制を変更せずに経営資源を見直さなければならないわけではない。組織体制は、企業の戦略に応じて適したものにするのが通常である（組織構造は戦略に従う）。よって、**通常は見直す必要があるのは経営資源ではなく組織体制である**。そもそも、せっかく価値、希少性、模倣困難性を有した経営資源を有しているのにも関わらず、その経営資源を見直してしまっては、競争優位を築くことができなくなってしまう。

ウ　×：価値が高く、業界内で希少な経営資源は、経済的価値を生み出すことができるものであり、かつ同業他社が現時点においては有していないものである。よって、**一時的な競争優位を得ることができる**（その源泉となり得る）。

エ　○：正しい。業界内で模倣困難かつ希少で価値ある経営資源とはVRIを満たした経営資源であり、持続的な経営資源になり得る。しかしながら、選択肢**イ**の解説でも述べた通り、組織がこの経営資源を有効に活用できない状態にあれば、実際に競争優位性を持続的に確立することができない。

よって、**エ**が正解である。

第3問

ハーフィンダール指数と差別化に関する問題である。

ハーフィンダール指数とは、市場集中度を示す指標の一つであり、参入している企業のマーケットシェアの自乗の和で表される。よって、少数の企業によって多くのマーケットシェアが握られている場合、指数が大きくなる。そして、少数の企業が多くのマーケットシェアを有している場合、企業間の競争は緩やかになる。つまり、市場集中度が高い状況のほうが既存企業間の対抗度が低くなる。

また、製品差別化の程度が高い場合には、同質的な競争にならないため、既存企業間の対抗度が低くなる。

よって、「既存企業間の対抗度が低い業界」になるのは、ハーフィンダール指数が大きく、差別化の程度が高い業界ということになる。

ハーフィンダール指数が最も大きいのは業界Aと業界B、製品差別化の程度が高いのは業界Bと業界Dである。よって、既存企業間の対抗度が最も低い業界は業界Bであり、**イ**が正解である。

第4問

経験曲線効果を用いた価格戦略に関する問題である。

それまでにない全く新しい製品を発売する場合や、製品自体の存在が認識されておらず市場がなかなか拡大しない場合に、製品ライフサイクルの初期段階でコストリーダーとなるためには、早期に市場に浸透させ、販売量および生産量を拡大していくことが必要である。そのためには価格は低価格に設定することが必要であり、それに該当するのは浸透価格である。上澄み価格とは、高価格に設定し、初期段階から利幅を大きくする価格政策である。よって、空欄Aは「浸透価格」が該当する。

そして、この戦略が効果的になるのは、低価格の設定であっても、生産量を拡大することによるコスト低下のペースが速い場合である（低価格であっても利益を獲得できる)。そして、コスト低下の主な要因に経験曲線効果があるが、この効果が大きい場合にそれが実現できる。よって、空欄Bは「大きく」が、空欄Cは「速い」が該当する。

よって、**エ**が正解である。

第5問

競争地位別戦略に関する問題である。

競争地位別戦略とは、特定業界の競争地位により、リーダー、チャレンジャー、フォロワー、ニッチャーの4類型に分類するものである。

リーダーは、業界内におけるナンバーワン企業であり、最も大きな売上規模や市場シェアを有する企業である。よって、本設定においては企業Dが該当する。

チャレンジャーは、業界においてリーダーの地位に挑戦する2番手、3番手といった企業である。よって、本設定においては企業Aが該当する。

フォロワーは、リーダーの地位を奪うといったリスクを冒さずに、業界内で生存するための行動を採る。結果として、低価格戦略を採ることが多い。よって、本設定においては売上数量に対する売上金額の比率が低い（価格が低い）企業Cが該当する。

ニッチャーは、特定の市場だけを対象とするなど、狭い領域において事業を展開する企業である。特定の市場においては高い支持を得る戦略を採るため、市場規模は小さいが、高価格戦略を採ることが多い。よって、本設定においては売上数量、売上金額ともに小さいが、売上数量に対する売上金額の比率が高い（価格が高い）企業Bが該当する。

ア　×：企業Aはチャレンジャーであり、数量シェアを増加させようとすることは正しい。しかし、**その戦略定石は「差別化」である**。価格を下げる戦略を採ることもあり得ないことではないが、積極的に価格を下げても、価格競争になった場合には規模の大きな企業（リーダー）が有利である。なお、リーダーとしても業界全体が低価格になっていくことは自社の利益を減らすことになるため、価格競争は望むところではない。ただし、チャレンジャー企業が価格競争で勝てるということではなく、どの業界企業にとっても価格競争は好ましいことではない。

イ　×：企業Bはニッチャーであるため、製品単価が最も高く市場拡大によって利益が大きい（増加する）ことは正しい。しかしながら、**市場全体の拡大を第一に目指すのではない**。上述した通り、限られた市場の中で高い収益性を獲得することで生き残っていくことになる。市場全体の拡大を第一に目指すのは、リーダーの戦略である。

ウ　×：企業Cはフォロワーである。もちろん製品品質を高めることはフォロワーにとっても重要なことではあるが、**"製造コストを上げて"** 製品品質を高めるのはフォロワーの戦略定石ではないし、**競合からの顧客獲得を狙うわけではなく**、現状維持が原則である。

エ　○：正しい。企業Dはリーダーであり、最大のシェアを維持することを志向する。そのために、チャレンジャーによる差別化などを模倣し、その差別化を無効にする同質化が1つの戦略定石となる。また、経営資源に勝るため、自社からのイノベーションによって優位性の維持・強化が図れるなら、当然ながらそれも検討することになる。

よって、**エ**が正解である。

第6問

先行者優位性に関する問題である。

ア　×：技術が特許によって保護される状況では、先行者となる企業がその業界において重要な競争要件となる技術の特許を取得すれば、優位性が維持されやすくなることは正しい。つまり、法的には他社は技術を模倣することはできない。しかしながら、**特許を取得した技術は知的財産として売買が可能である（不可能ではない）**。

イ　○：正しい。顧客側のスイッチングコストが高い状況においては、先行者となる企業は後発の企業が業界に参入してきた際にも、すでに獲得した顧客が離反しにくい。よって、優位性が維持されやすくなる。

ウ　×：顧客の嗜好の変化や新しい顧客ニーズが次々に生まれる状況では、従来と同様のことをしていたのでは一度獲得した顧客を維持することができない。つまり、相対的に顧客を維持することの難易度が高くなる。よって、**先行者となる企業の優位性が維持しにくくなる**。

エ　×：先行者の投資に対して後発者が大きく「ただ乗り」できる状況とは、先行者が切り開き、創造してきた市場の恩恵を後発者が受けられる状況である。この場合、後発者は大きな投資をせずに顧客を獲得しやすいため、**先行者となる企業の優位性は維持しにくくなる**。

オ　×：非連続的な技術革新が頻繁に起こる状況では、先行者が過去において顧客獲得の要因となった技術の重要性が低下し、後発の他の企業と同様、新たな技術を獲得することが必要になる。よって、**先行者となる企業の優位性が維持しにくくなる**。

よって、**イ**が正解である。

第7問

M&Aや戦略的提携に関する問題である。

ア　×：異業種間のM&Aでは、自社の必要としない資源までも獲得することがあり非効率が生じやすいことは正しい。しかしながら、**基本的には規模の経済のメリットが享受できるというわけではない（それが異業種間のM&Aの特徴というわけではない）**。規模の経済は、特定のことに特化し、文字通り規模が大きくなることによって経済効率が高まることであるため、これがメリットとして享受できるのは同業種間のM&Aである。

イ　×：デューデリジェンスとは、企業の資産価値などの適正評価を行うことであり、主に買収・合併などを行う際に、その相手企業について調査することである。戦略的提携の際にも同様にデューデリジェンスを行う場合はあるが、**デューデリジェンスを行ったからといって、パートナーの裏切りが抑制できるわけではない**。また、**戦略的提携にあたってデューデリジェンスが必須というわけでもない**。

ウ　○：正しい。戦略的提携は、契約に基づいて複数企業が協力関係を結んで事業を展開するものである。そのため、程度の差こそあれ互いに自社が有している情報的経営資源を開示することになる。この際に、パートナーに何の情報をどれだけ開示するかは、そのパートナーの学習速度に影響することになる。

エ　×：同業種間のM&Aでは、特定の業種の企業としての規模が拡大する。よって、習熟効果の実現は想定されるが、範囲の経済は複数のものが加わり、文字通り範囲が拡大することで得られるものであるため、M&Aに当てはめれば、このメリットが主に得られるのは異業種間のM&Aである。**同業種間のM&Aの場合には、選択肢アの解説でも述べたように、規模の経済が主なメリットとなる**。また、M&Aを実施した場合、それまでは異なる企業であった複数の企業が同一の企業やグループ企業になるため、組織的な統合が必要になる。これは同業種であれ、異業種であれ生じることになるが、同業種の場合には異業種と比較して組織文化や社内の制度などが類似している可能性が相対的には高いため、比較すれば統合コストは低いといえる。

オ　×：ポイズンピルとは、買収者のみが行使できないオプションを、あらかじめ既存株主に付与しておき、買収者による敵対的買収が起こった際にオプションを行使することで、買収者の持株比率を低下させたり、支配権を獲得するために必要な買収コストを増加させたりすることで買収を困難にする買収防衛策である。よって、買収者以外の株主にオプションを与えるのは正しいが、**買収コストを引き下げようとするものではなく、引き上げるものである。**

よって、**ウ**が正解である。

第8問

新事業や新市場の創出に関する問題である。

ア　×：「リーン・スタートアップ」理論とは、コストをそれほどかけずに最低限の製品やサービス、最低限の機能を持った試作品を短期間で作り、それを顧客に提供することで顧客の反応を観察する。その結果を分析し、製品やサービスが市場に受け入れられるか否か判断し（市場価値が無ければ撤退も考慮する）、改善や機能の追加を行い、再び顧客に提供する。このサイクルを繰り返すことで、起業や新規事業といったスタートアップの成功率を飛躍的に高めるものである。これにより、新製品が顧客にまったく受け入れられずにベンチャー企業や新規事業が消えていくという失敗を防止することができるとするものである。このベースには、リーン生産方式やデザイン思考、顧客開発、アジャイル開発などの従来から活用されてきたマネジメントや製品開発の手法があるが、継続的にイノベーションが生み出せる点が新しい。よって、不確実性が非常に高い事業の場合に、成功要因の把握が非常に難しいのはその通りであるが、**多額の調査費を投入して潜在的な需要を把握するのではなく、時間をかけて綿密な計画を立てるものでもない。**上述した通り、コストをそれほどかけずに短期間で開発して市場にその是非を問い、改善することで市場のニーズに応えることができそうならそのサイクルを繰り返すものである。つまり、事前に緻密に計画して市場投入するというよりは、まずはとにかく作って市場の反応を問う、といった形で進めるものである。

イ　×：「キャズム」理論とは、イノベーターとアーリー・アドプターを初期市場、アーリーマジョリティーからラガードをメインストリーム市場とし、両者の間には

「キャズム」と呼ばれる深い溝（市場に製品やサービスを普及させる際に超えるべき障害）があり、この溝を超えることが市場開拓において重要であるとする理論である。イノベーターとアーリー・アドプターにおいて、新しいものを積極的に採り入れるという点でテクノロジーに対する姿勢には共通する面があり、実用性志向の程度が異なることは正しい。しかしながら、**その相違によって新市場の拡大において越えることが最も難しい大きな溝であるキャズムが生み出されているのではない（キャズムはイノベーターとアーリー・アドプターの間で生じるものではない）**。

ウ　×：エフェクチュエーションとは、インド人経営学者のサラス・サラスバシーが、27人の起業家に対してスタートアップによって直面する典型的な10の意思決定課題への回答を求め、その思考内容を分析したものであり、その結果から、優れた起業家が産業や地域、時代に関わらず、共通の理論や思考プロセスを活用していることに着目して研究し、誰もが後天的に学習可能な理論として体系化したものである。そして、対比する概念にコーゼーションがある。コーゼーションは、最初に「目的」があり、その達成のために「何をすべきか」を考える。つまり、「目的」から逆算して「手段」を考えて事業を進めていく。現実には未来は不確定・不確実なものだが、これをできる限り予想しながら進めていく。そのため、目的や意思決定がブレないメリットがある反面、未来予測（仮説）が外れた時には失敗するリスクがある。エフェクチュエーションは、「手段」を用いて何ができるかを考え「目的」をデザインしていく。もともと予測不可能なものは、いくら予測してもわからないため、自ら影響を与えて周囲を変えていき、可能な限り不確実な未来をコントロールしていく。コーゼーションと比較すると、リスクが軽減される一方で、目的が変化する可能性を含むスタンスである。よって、**事前にどの市場を対象にするかを定義したり、ターゲットセグメントを設定したりするなど、目的を規定するところから考えていくものではない**。

エ　○：正しい。「ブルーオーシャン戦略」とは、従来は存在しなかったまったく新しい市場を生み出し、事業を展開していく戦略である。新市場を創造することができれば、他社と競合することなく事業を展開することが可能になる。そして、ブルーオーシャン戦略の特徴は、低コストと差別化を同時に実現する点である。従来の競争戦略論では、低コストと差別化を同時に実現することは困難という考えが主流であった（スタック・イン・ザ・ミドル）。しかしながら、ブルーオーシャン戦略においては、バリュー・イノベーションという方法を用いて、低コストを実現しながら顧客に提供する付加価値を高めていくことを考える。新しいタイプの価値を創出すると同時に、提供する価値にメリハリをつけ、低コストも実現する。差別化と低コストの両面を追求することは、ブルーオーシャン戦略の土台を作るとしている。

オ　×：デファクト・スタンダードとは、事実上の業界標準のことである。事実上というのは、公的な機関が公式な形で規定したものではなく、規格争いなどを経て、市場が認めた（受け入れた）ものである。よって、他社に先駆けてデファクト・スタンダードを獲得することが新事業における競争優位につながることは正しいが、上述したように、**ISOのような国際的な標準機関（公的な機関）が規定するものではないため、このような組織との調整や協議を進める必要があるわけではない。**

よって、**エ**が正解である。

第9問

吸収能力（absorptive capacity）に関する問題である。

吸収能力とは、社外にある技術を評価し、学び取る能力である。昨今は自社単独ですべての技術を開発するのでは変化の激しい経営環境に対応することの困難性が高いことから、外部の経営資源を活用することが少なくない。しかしながら、それが過度に進み、自ら技術開発を行わないと、外部の技術を評価する能力が低下していくことになる。そのため、内部における知識の蓄積を怠らないようにすることが大切になる。

ア　×：吸収能力を高めることは重要なことであるが、**それが研究開発投資の最大の目的というわけではない。**研究開発に投資を行うのは、文字通りその研究そのものを成功させるためである。

イ　×：吸収能力が、新しい知識やスキルを組織内部のメンバーに共有させる組織能力であることは正しい。しかしながら、**組織内の個人が保有する既存の知識と関係がないわけではない。**新たな学びを得るためには個々の学び取る力が必要であり、それが吸収能力の高さにつながる。

ウ　×：選択肢イの解説でも述べた通り、吸収能力が個々の構成メンバーの吸収能力に大きく左右されることは正しい。しかしながら、企業としての吸収能力は、**個人の吸収能力の単純な総和というわけではない。**組織知は、個々の能力が合わさることによる相乗効果によって生まれる部分が大きい。

エ　○：正しい。選択肢の記述の通りである。

オ　×：吸収能力は、学び取る力全般を指すため、**研究開発部門に特有というわけではない。**

よって、**エ**が正解である。

第10問

プラットフォームを用いた戦略（プラットフォームビジネス）に関する問題である。

プラットフォームビジネスとは、商品やサービスの売り手と買い手をつなぐ基盤（プラットフォーム）を提供するビジネスである。プラットフォームの提供者であるプラットフォーマーは、自社で商品やサービスを提供するのではなく、あくまでプラットフォームという場を提供する。近年、モール型のマーケットプレイスやSNS、フリマサイト、フードデリバリーサービスなど、多様なプラットフォームビジネスが生まれている。プラットフォームビジネスは、そこに参加する売り手や買い手が多いほど、そのプラットフォームの価値が高まる。

ア　✕：上述した通り、プラットフォームに参加する売り手や買い手が多いほど、そのプラットフォームの価値は高まる。よって、１つのプラットフォームには、**同業者だけを参加させる方が効率的かつ効果的ということはない**。広く参加者を募ることで参加者を増やすことが効果的である。

イ　〇：正しい。上述した通りであり、参加者が増加すればするほど、そのプラットフォームの価値が高まる、つまり、参加者にとって得られる効用は増加する。

ウ　✕：プラットフォームに参加する人が増えるほど、参加者がそのプラットフォームから得られる効用が増加するのは、**ネットワーク外部性と呼ばれる**。フレーミング効果とは、同じ意味を持つ情報であっても、焦点の当て方によって他者とは別の意思決定を行うという認知バイアスである。情報のどこにフレームを当てはめるかによって意思決定が異なることからこのように呼ばれる。

エ　✕：上述したように、昨今はさまざまなプラットフォームが存在し、社会にとって多様な価値を生み出している。しかしながら、**規制が必要とされないわけではない**。特にデジタルプラットフォームを巡っては、取引の透明性や公正性などについての懸念などが見られるという背景を踏まえ、経済産業省では、デジタルプラットフォームを巡る市場のルール整備や、取引上の課題を関係者間で共有するための仕組みづくり、変化が激しいデジタル市場についての包括的な調査等を実施している。

オ　✕：プラットフォームを用いたビジネスにおいて、**サービスの受益者には課金されないということはない**。当然、課金によって利用できるサービスも存在する（プラットフォーマーの収益となる）。

よって、**イ**が正解である。

第11問

暗黙知（主観的なノウハウや信念といった他人に伝達することが困難な知識）に関する問題である。また、野中郁次郎が提唱した組織的知識創造理論にSECIモデルがある。

SECIモデルとは、暗黙知と形式知の相互変換によって、組織的に知識が創造されるプロセスを「共同化ないし社会化（Socialization）」「表出化（Externalization）」「連結化（Combination）」「内面化（Internalization）」という４つのモードで表現するものである。

（共同化ないし社会化）

組織メンバーが経験を共有することで、個人の暗黙知が共有され、異質な暗黙知の相互作用を通じて、新たな暗黙知が創出されていくことになる。

（表出化）

個人が蓄積した暗黙知が、言語などの表現手段によって形式知化されていく。暗黙知を共同化できる範囲は限られるが、表出化された知識は共有することが容易になる。

（連結化）

形式知を組み合わせて、より高次の形式知へと体系化していく。

（内面化）

共有された形式知が、属人的な暗黙知として再び個人に取り込まれていく。形式化された知識を実践において活用し、活きた知識として体得していくプロセスのなかで、新たな暗黙知が創造される。

ア　×：パラダイムがある時代や分野において支配的規範となる物の見方や捉え方であることは正しい。つまり、多くの人に共有されている考え方の枠組みであるため、**手法的技能ではないし、暗黙知でもない。**

イ　×：暗黙知が、言語化が困難な主観的知識を意味することは正しい。そのため、**そのまま組織的に共有させることが困難である。**上述した通り、「表出化（形式知化）」によって共有することが容易になる。

ウ　○：正しい。経験は意識的な分析や言語化といったことによっても促進され、暗黙知が形成される。そして、暗黙知が形式知化されると新たな暗黙知を醸成する。これは上述した「内面化」に該当し、形式知となった知識は組織内の多くのメンバーが活用可能となり、その活用の過程においてアレンジが加わるなど、新たな暗黙知が個々に形成されることになる。

エ　×：知識創造の過程が暗黙知と形式知の相互変換であることは正しい。しかしながら、**集団における暗黙知の共有や一致が知識創造の唯一の出発点というわけではない。**既存の形式知と形式知を組み合わせる、既存の形式知に暗黙知を組み合わせるなど、さまざまなきっかけで新たな知識は創造される。

オ　×：豊かな暗黙知の醸成には経験を積み重ねることが重要であることは正しい。しかしながら、**形式知化を行わないことが推奨されるわけではなく、**形式知化することで組織知になっていく。

よって、**ウ**が正解である。

第12問

企業の国際化に関する問題である。

ア ×：C.バートレットとS.ゴシャールは、グローバル経営の現実とそれに適合する組織形態について、グローバル統合とローカル適応という2つの次元をベースにした上で、多国籍企業をグローバル、マルチナショナル（マルチドメスティック）、インターナショナル、トランスナショナル、の4つに分類している。

※グローバルとマルチナショナルが対極的。インターナショナルはその中間、トランスナショナルは、多様な面を追求する発展的な形、というのが大まかなイメージとなる。

・グローバル

世界を単一の市場とみなし、世界規模での効率性を追求する本社集中型のスタイルである。本社は、グローバルレベルで強く統制し、資源と能力を集中して保有する。現地子会社は、自由裁量の程度は低く、本社の戦略を忠実に実行する。

・マルチナショナル（マルチドメスティック）

各国の現地市場の違いに敏感に適応する分散型のスタイルである。現地子会社は、自由裁量の程度が高く、自律的に行動し、地域市場でのきっかけを活用して成長していく。

・インターナショナル

本社の持つ知識や能力を世界的に広めて適応させることを目的とし、企業組織の中核となる要素（コア・コンピタンスの源泉）は本社に集中し、他の部分は現地に任せるスタイルである。本社は、技術やノウハウを開発して海外に移転し、優位性を獲得しようとする。現地子会社は、本社の能力を活用して、それぞれの地域での事業展開を図る（自由裁量の程度は、グローバルとマルチナショナルの中間）。

・トランスナショナル

グローバル統合による世界規模での効率性、ローカル適応による柔軟な国別の対応、世界的な規模での学習とそれによるイノベーションという3つを追求するスタイルである。本社のイノベーションの現地子会社への移転、現地子会社のイノベーションの世界的な移転といったことが行われ、分散しつつも相互に依存する関係にある。現地子会社は専門的な能力を有し、指導的な立場になることもある。トランスナショナル戦略を追求する場合、その多国籍企業の中核となる資産や能力は、本社から現地子会社への移転という状況もあるが、現地子会社のイノベーションの世界的な移転も行われることから、**必ずしも企業の本国において存在するのではないし、他の国や地域における開発が不可能であるということもな**

い。

イ　○：正しい。選択肢アの解説で示した通りである。

ウ　×：J.ストップフォードとL.ウェルズは、企業の国際化の進展経緯について、次の４つの段階を経ていくとしてモデル化している。

①　自立的海外子会社の生成

初期の海外進出は輸出戦略の発展的ないしは延長線上にあり、輸出によって獲得した輸出市場の市場防衛が目的になる。この段階では、新しい海外生産子会社の経営と統制のための組織は未組織の段階であり、専ら本社から派遣する社員に意思決定の全権が賦与されており、海外生産子会社は自立的に運営される。

②　国際事業部の形成

海外生産戦略とそれに対応した国際事業部の形成段階である。国際事業部は地理的多国籍企業の国際経営戦略の展開と組織の適応に分散した海外子会社活動の調整のために、全ての海外子会社を単一の事業部の中に編成したものである。

③　世界的規模の組織の形成

国際経営戦略が現地生産戦略からグローバル戦略へ展開する段階である。それに対応して組織構造も国際事業部よりも全世界的視点に立った構造が求められる。このグローバル構造を規定する組織化要素は製品・地域・職能の３つである。組織化にあたってはこれらのうち１つを主軸として扱う、つまり選択することになるが、とりわけ前２者が重要である。

④　グローバル・マトリックスの形成

マトリックス組織であるため、二元的な組織編成となるが、グローバル・マトリックスの場合、組織化軸が製品と地域の二元的編成になることもあれば製品・地域・職能の三元的編成になる場合もある。

よって、最終的にグローバル・マトリックス組織形成に向かうとしていることは正しいが、上記③より、**地域別事業部制から製品別事業部制という順序で移行するというわけではない。**

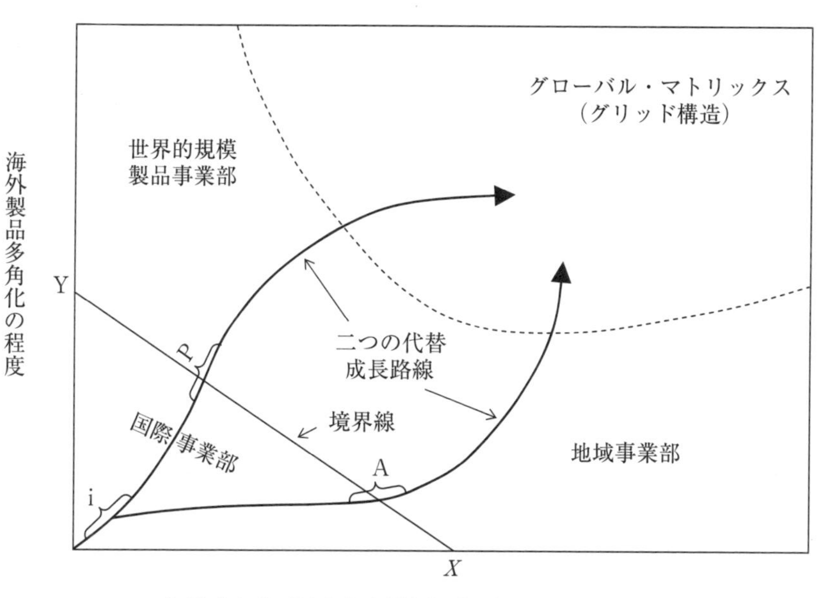

資料出所：Stopford and Wells（1972 p.65、邦訳p.98）と
Bartlett and Ghoshal,「Managing Across Borders」
1989, p.30 を加筆修正

（『多国籍企業の国際経営戦略の展開と組織の適応』　米倉穣）

エ　×：R.バーノンは、米国の大企業の海外進出過程を分析し、製品ライフサイクルの進展に伴い、**先進国から発展途上国への生産拠点移転現象をモデル化した**。製品ライフサイクルを①市場導入期、②成長期、③成熟期の３段階に区分した際に、①の段階では、新製品は技術的に欠点があり、市場の反応を考慮しながら改良が加えられる。そのため、販売価格は高く、販売量は少なくなる。この段階での国際分業パターン決定の重要な要因は科学者や技術者の研究開発要因である。②の段階では、製品の標準化が進み、販売量も増加し、大量生産や大量流通方式が導入され、販売競争も激化する。そのため、この段階では技術者よりも経営能力やマーケティング能力が重要な要因となる。③の段階では、生産工程は確立され、標準的製品が一層大量に生産される。そのため、国際競争力の面では賃金水準が重要な要因となり、未熟練労働者の豊富な発展途上国が生産立地として有利になる。このように国際分業パターン決定の要因が、製品ライフサイクルの各段階において変化していくことになる。

よって、**イ**が正解である。

第13問

企業の社会的責任に関する問題である。

ア　×：A.キャロルが構築した「社会的責任（CSR）ピラミッド」では、企業の社会的責任とは、「ある時点における企業組織に対する経済的、法的、倫理的、そして自由裁量的（フィランソロピー的）な社会の期待を包含するものである」としている。CSRの要素として第１に挙げられるのが経済的責任であり、社会が望む製品・サービスを公正な価格で提供し、ビジネスを存続させ、投資家にも報いるだけの利益を上げることが企業の基本的な責任であり、ピラミッドの土台となるものであるとする。そして、経済的責任に続いて法的責任、その次に法的責任を補う意味合いを持つものとして倫理的責任がピラミッドを構成する。そしてピラミッドの最上部に、チャリティやボランティア活動など企業が自発的・自由裁量的に取り組むフィランソロピー的責任が位置するとしている。なお、これら４つのCSRの構成要素は相互排他的なものでもなければ、企業の経済的責任をその他の責任と並列的に扱うことを意図するものでもないとし、これらの総体としてCSRをとらえるべきであること、経済的責任とその他の責任は対立関係にあるものではないことを強調している。よって、**経済的責任を土台に**、法的責任、さらに倫理的責任が積み上げられ、**最上部分に社会貢献責任である慈善的責任が形成されるとするものである。**

<CSRのピラミッド>

フィランソロピー的責任
「良き企業市民であれ」
経営資源をコミュニティに貢献させる：生活の質の向上。

倫理的責任
「倫理的であれ」
正しく公平なことを行う責任。
損害を回避する。

法的責任
「法を遵守せよ」
法律は社会的善悪の法典である。
ルールに従って実施する。

経済的責任
「利益をあげよ」
他のすべてに先立つ基盤。

（『Carroll＆Buchholtz』）

イ　○：正しい。M.フリードマンは、1960年代から70年代にかけて、企業の社会的責任は経済的機能を果たすこと、つまり利益確保（株主利益の最大化）であるとしている。そして、法律や社会規範を遵守した上での競争を行うというルールの遵守は重要であるとし、その中で企業の利潤を増大することを目指して資源を活用し、事業活動に従事することが企業の社会的責任であるとしている。そのため、当時叫ばれるようになっていた企業の社会的責任は、企業の本来の機能を超えたものであり、うわべのものであるとし、「CSR否定論」を展開している。

ウ　×：P.ドラッカーは、1990年代以降、CSR（企業の社会的責任）が産業界において叫ばれるようになった際に、はるか前の時代のリーダーたちのほうが、企業の社会的責任を正面から捉えていた、と述べている。その先覚者として、日本の渋沢栄一の名前も挙げている。よって、**20世紀初頭までの経営者に企業経営における社会的責任を意識した者はいなかったと述べているわけではない。**

エ　×：R.フリーマンは、企業の社会的責任に関し、ステークホルダー理論を提唱している。これは、企業は多様なステークホルダーと関連しているため、企業は株主の利益のみならず、企業利益に影響を与える他のステークホルダーに配慮することが、結果的に企業利益を生み出すことができるというものである。また、ステークホルダーをマネジメントすることがCSRの中心要素であるとしている。よって、**企業とステークホルダーが利害を巡って決定的な対立関係にあることを指摘しているわけではないし、両者の相互依存的関係を危険視する主張を展開しているわけでもない。**

よって、**イ**が正解である。

第14問

組織形態に関する問題である。

ア　×：機能別組織は、文字通り、営業、製造、開発といった機能の軸で部門化する組織形態である。よって、機能別部門の管理をそれぞれの部門の長に任せることになるのは正しい。しかしながら、**事業部制組織よりも次世代経営者の育成を行いやすいわけではない。**経営者は、組織内の各機能を束ね、マネジメントする能力が求められる。機能別組織の場合、それぞれの部門の長は、特定の機能の責任者であるため、その能力が身に付きやすいとは言い難い。逆に事業部制組織の場合には、事業部内に営業、製造といった機能が存在し、事業部の責任者はそのマネジメントに責任を持ち、その能力を磨くことになる。よって、事業部制組織のほうが次世代経営者の育成を行いやすい。

イ　×：機能別組織は、特定の機能が集中した形になるため、その特定の機能における知識が蓄積しやすい（ただし、選択肢で言っている知識が何の知識を指しているのかは定かではない）。しかしながら、**経営者が意思決定を迅速に行いやすい形態ではない**。機能別組織は集権型の組織であるため、大局的な意思決定はしやすいが、機能間の調整など経営者の負担は少なくないため、むしろ意思決定に遅れが生じることが懸念される。

ウ　○：正しい。事業部制組織は、各事業部に権限を付与した分権型の組織形態である。そのため、各事業部が自律的に判断することができる。一方で、各事業部がそれぞれ営業、製造、開発といった機能を有することになるため、重複する投資が生じやすくなる。

エ　×：事業部制組織は、各事業部に権限を付与し、利益責任も持たせ、特定の事業に関しては事業部内において完結する自己完結的組織単位である。つまり、他の事業部とは基本的には関わりがない形で事業を展開し、職務も遂行する。そのため、**各事業部が素早く有機的に連携できるわけではなく、機能別組織よりも事業横断的なシナジーを創出しやすい組織形態ではない**。

オ　×：マトリックス組織は、複数の命令系統があることで組織運営が難しい面があることは正しい。しかしながら、**不確実性が高い環境において採用されやすい組織形態である**。マトリックス組織は、垂直方向に加え、水平方向にも情報や連携の流れを設けることで、不確実性の高い環境に迅速かつ柔軟に対応することを可能にするものである。

よって、**ウ**が正解である。

第15問

機械的管理システムと有機的管理システムに関する問題である。

T.バーンズとG.M.ストーカーは、英国の産業企業20社を調査し、外部環境が組織内部の管理システムに影響を与えることを明らかにした。外部環境の不確実性が低ければ機械的管理システムが、外部環境の不確実性が高ければ有機的管理システムが、それぞれ適合するとしている。それぞれの特徴は以下のようなものである。

＜機械的管理システムと有機的管理システム＞

機械的管理システム	有機的管理システム
(1)　機能的タスクの専門分化・分割	(1)　共通のタスクに対し、異なる知識・経験を基礎とする専門化
(2)　各タスクの抽象性（全体目標や技術と関係が遠い）	(2)　各タスクの具体性（全体状況に結びついている）
(3)　直属の上司による各成果の調整	(3)　横の相互作用を通じた各タスクの調整・再定義
(4)　各役割の職務・権限及び方法の明確化	(4)　責任を限られた領域に限定しない（問題を他者の責任にしない）
(5)　職務・権限・方法が機能的地位の責任に変換される	(5)　技術的規定を超えたより広い関心へのコミットメント
(6)　制御・権限・伝達の階層的構造	(6)　制御・権限・伝達のネットワーク型構造
(7)　階層トップへの知識の集中による階層構造の強化	(7)　ネットワーク内での知識の分散、権限・伝達の中心はアドホックに変化
(8)　メンバー間の垂直的相互作用（上司－部下）	(8)　より水平的相互作用、異なる地位間の伝達は命令的ではなく指導的
(9)　上司の指示・命令に支配された職務	(9)　情報提供と助言内容のコミュニケーション
(10)　組織への忠誠と上司への服従の強調	(10)　タスクそのものと優れた仕事をしようとする精神へのコミットメント
(11)　組織内特有の知識・経験・スキルの強調	(11)　組織外の専門家集団でも通用する専門能力およびそうした集団への参加の強調
出所：Burns and Stalker（1961）、p.119-122より作成	

（『組織論』桑田耕太郎　田尾雅夫著　有斐閣アルマp.86）

ア　○：正しい。上記機械的管理システムの(10)の通りである。

イ　×：上記有機的管理システムの(8)にある通り、水平的なコミュニケーションによる助言や相談がよくなされるのは、**有機的管理システムである。**

ウ　×：上記機械的管理システムと有機的管理システムの(2)にある通り、個々のタスクが（全体目標や技術と関係が遠いという点で）抽象的な性質を帯びているのは、**機械的管理システムである。**

エ　×：上記機械的管理システムの(11)にある通り、その組織に特有な知識やスキルが重要視されるのは、**機械的管理システムである。**

オ　×：上記機械的管理システムの(5)、有機的管理システムの(4)にある通り、役割に関する責任が詳細に定められるのは、**機械的管理システムである**。
よって、**ア**が正解である。

第16問

職務特性モデルに関する問題である。
職務特性モデルは、あらゆる職務は５つの中核的職務特性を用いて説明できることをモデル化したものである。

<職務特性モデル>

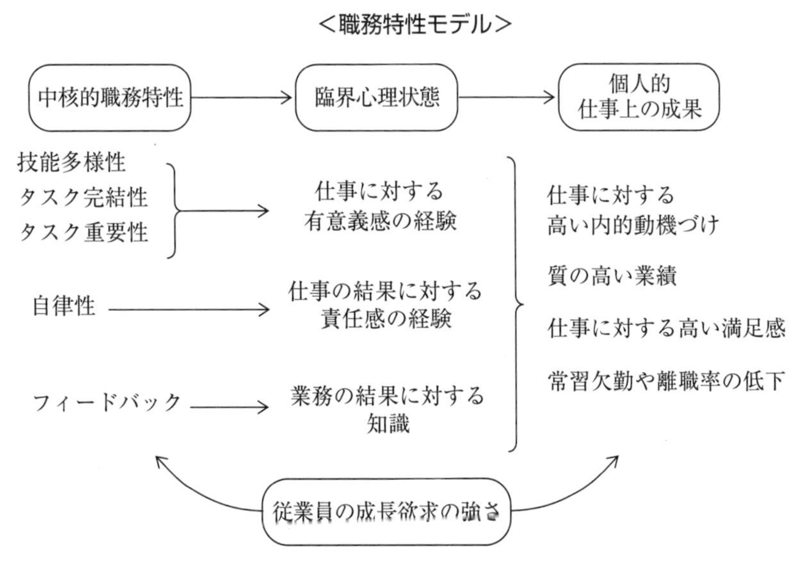

出所：J.R. Hackman and J.L. Suttle, eds, Improving Life at Work
（Glenview, IL Scott, Foresman, 1977）p.29
（『組織行動のマネジメント』スティーブンP.ロビンス著　髙木春夫訳
ダイヤモンド社p.94）

ア　○：正しい。上図のように、技能多様性、タスク完結性、タスク重要性の度合いが高いほど、仕事に対する有意義感の経験の程度に影響する。つまり仕事に価値や意義を見出すようになる。

イ　×：上図のように、職務特性モデルでは、５つの中核的職務特性が、臨界心理状態（従業員の心理状態）を介して個人的仕事上の成果（仕事の成果）に影響を及ぼすと考える（**「従業員の心理状態」と「中核的職務特性」の関係が逆である**）。

ウ　×：職務特性モデルにおいては、職務の特性が成果につながるか否かは、個人の成長欲求の強さ、言い換えれば自尊心や自己実現欲求に左右されるとしている。そして、**成長欲求の高い従業員のほうが、その程度が低い従業員と比べて、中核的職務特性を有した仕事を与えられた場合に、図にあるような臨界心理状態になる可能性が高いとしている**。よって、自律性の高い仕事を与えられた場合には、仕事の結果に対する責任感の経験をより強く感じることになる。

エ ×：タスク完結性とは、社内の仕事の全体に関わる度合い、つまり完結度合いの高さである。よって、仕事のスケジュールや手順を決めるにあたって、**担当者が自己完結的にそれらを自由に決められる程度、という意味での完結性ではない**。

オ ×：幅広い工程を一貫して担当することが求められるタスクは、**選択肢エで述べたタスク完結性の高い職務である**。タスク重要性は、職務が他人の生活や仕事などにどの程度重要であるかの度合いである。

よって、**ア**が正解である。

第17問

目標設定理論に関する問題である。

ア ×：自分には目標を達成できる能力があるという信念を持つ人と持たない人では、**持たない人のほうが、達成が困難な状況になると目標を断念する傾向がある**。

イ ×：目標設定理論は、目標が動機づけの重要な要素であり、業績の向上にもつながるというものである。そして、①難しい目標であること、②その目標を本人が受け入れていること、の2つの条件を満たすことで、業績の向上につながるとするものである。よって、**容易に達成できる業績目標を設定することは管理者の判断として得策ではない**。

ウ ○：正しい。選択肢**イ**の解説で述べた通りである。

エ ×：一人ひとりの目標の内容が職場で公表されることは、心理的に刺激要素となり、**目標に対するコミットメントが高まる可能性が高い**。よって、**各自の目標が互いに知られることのないように配慮することは管理者の判断として得策とはいえない**。

オ ×：目標は定量的であるなど、達成できたか否かが明瞭であることが重要である**（自由に解釈できる定性的な目標の設定は効果的ではない）**。また、選択肢**エ**の解説でも述べたように、目標達成に対する心理的プレッシャーが高まることは、心理的な刺激要素となり、目標達成にコミットする可能性が高くなる。よって、**部下の達成意欲が低下するというわけではない**。

よって、**ウ**が正解である。

第18問

パス・ゴール理論に関する問題である。

パス・ゴール理論とは、リーダーは従業員の目標達成のために、道筋（パス）を明確に示して従業員の業務目標（ゴール）達成を助けることが職務であるとするものである。そして、パス・ゴール理論は状況適合論であるので、仕事環境の特徴と部下の特徴という2つの要因により、具体的なリーダーの行動が以下の4つに分類される。

・指示型（部下の活動の計画、組織化、統制、調整）は、タスクが高度に構築されているときよりも、曖昧であったり、相当なコンフリクトが存在したりするなど部下のストレスが多いときに、部下のより大きな満足につながる。ただし、高い能力や豊富な経験を持つ部下や自らの状況をコントロールできると考えている部下にはくどくなる可能性が高い。

・支援型（部下の欲求に関心をもち、友好的で楽しい環境づくりをする）は、部下が明確化されたタスクを遂行しているとき、あるいは公式の権限関係が明確かつ官僚的であるほど高業績と高い満足をもたらす。

・参加型（部下と情報を共有したり、意思決定に彼らのアイデアを反映させたりする）は、自らの状況をコントロールできると考えている部下にとって満足度が高くなる。

・達成志向型（部下の最大の努力を期待して挑戦的な目標を設定し、絶えず成果の向上を求める）は、タスクが曖昧な（構造化されていない）状況において、努力すれば高業績につながるという部下の期待を増加させる。

<パス・ゴール理論>

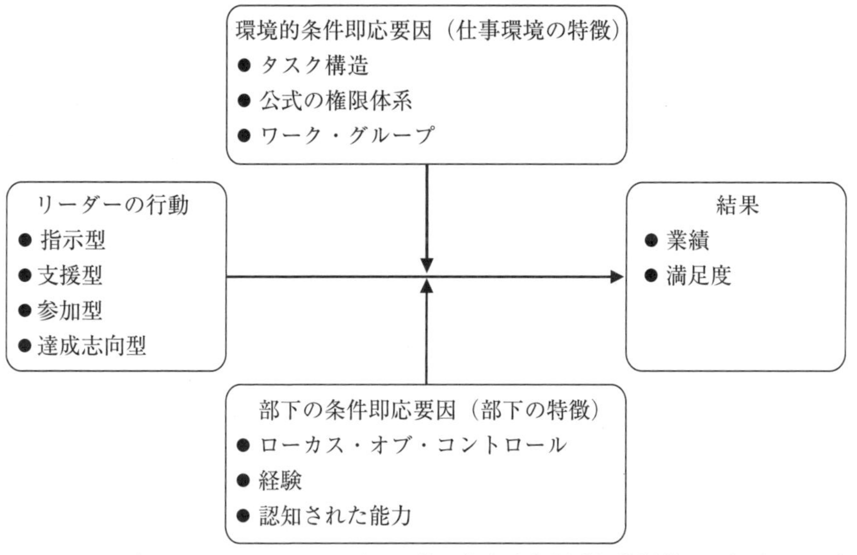

（スティーブン・P・ロビンス著　髙木晴夫訳『組織行動のマネジメント』ダイヤモンド社　p.269一部修正）

ア　○：正しい。自分の行動とその結果を自分自身が統制していると考える部下とは、上図でいうところのローカス・オブ・コントロールが高い（自らの命運は自らコントロールできると信じている）部下である。よって、上記4つのリーダーの行動のうち、「参加型」が適している。この場合、リーダーから意思決定に関して相談されたり提案を求められたりすることに強い満足を得る傾向がある。

イ　×：タスクの内容と達成方法を具体的に指示するリーダーシップは、「指示型」であるが、上述の通り、**このスタイルはタスクが高度に構築されているときよりも、曖昧であったり、相当なコンフリクトが存在したりするなど部下のストレスが多いときに、部下のより大きな満足につながる**。このような状況の場合には、具体的に指示することが部下にとっては有り難いからである。

ウ　×：タスクを遂行する自らの能力が高いと認識する部下の場合、タスクの内容や達成方法を具体的に指示することは（指示型）、部下にとってはくどすぎる可能性が高く、お節介になる。よって、**満足度が低くなる**。

エ　×：部下の感情面への配慮を示すのは「支援型」である。このスタイルによって部下の満足度を高めることになるのは、**タスクを遂行すること自体から得られる満足度が低い部下の場合である**。タスクを遂行すること自体から得られる満足度が低い部下の場合、感情への配慮の重要性が高くなる。逆にこれが高い部下であれば、感情面への配慮がある意味で不要であり、それがなくてもタスクを遂行することになる。

オ　×：パス・ゴール理論は状況適合論であり、この場合における状況は、前図にもある通り、「環境的条件即応要因」と「部下の条件即応要因」であり、**リーダー自らの性格的な特性ではない。**

よって、**ア**が正解である。

第19問

集団の機能と集団内の人間行動に関する問題である。

ア　×：「凝集性」が高い集団の場合、その集団内においてメンバーが惹かれ合い団結が強くなる。そして、集団内の規範に従うような圧力が生じる可能性も高くなる。また、下図の通り、凝集性が高い場合、集団の目標と組織目標の一致度が高ければ生産性が大幅に向上するが、一致度が低ければむしろ生産性が低下することになる。そして、**「凝集性」が高い集団である場合に、その集団内の規範と組織全体の業績目標が一致するとは限らないし、集団内の個人の生産性が高まりやすいわけでもない。**

＜集団凝集性と生産性の関係＞

集団目標と組織目標の一致度 ＼ 集団凝集性	高	低
高	生産性が大幅に上昇	生産性がいく分上昇
低	生産性が低下	生産性に顕著な影響なし

（スティーブンP.ロビンス著　高木晴夫訳　『組織行動のマネジメント』ダイヤモンド社P.185）

イ　×：「グループシフト」とは、グループシンク（集団で意思決定を行うことで、かえって短絡的に決定がされてしまう現象）が生じた際に、その意思決定が極端なものになる現象である。集団のメンバーが個人として当初有していた極端な態度や意見が、集団で討議した結果、**より中立的な方向に収束する現象ではない（極端な方向に収束する）**。

ウ　×：「集団圧力」を受けやすい状況下とは、集団の意向に従わざるを得ない、異なる意見を出しにくいといった状況である。このような状況においては、個人にとって正しい答えが明白な課題に取り組む場合であっても、その答えが集団の多数派の意向に沿わない場合、**個人が多数派の意見に同調して誤った答えを選択することが生じる**。

エ　×：全体の和を重んじる集団では、**多数派の意見を尊重する傾向が強くなり、少数派からの異論は軽視される（奨励しない）**。また、「グループシンク」とは、集団で意思決定を行うと、かえって短絡的に決定がなされてしまう現象のことである。つまり、少数派からの異論が奨励されず、多数派の意見で結論を出してしまうことが多くなる（**「グループシンク」は少数派からの異論が奨励されるものではない**）。

オ　○：正しい。「社会的手抜き」とは、集団内で働くときに単独で働くときほど努力をしなくなることである。これが生じるのは、個人の貢献と集団の成果との関係が曖昧な場合である。このような場合、個人は貢献してもそれが正当に評価してもらえないと考えることや、集団内の他のメンバーが果たすべきことを果たしていないのではないかという疑念を抱く、集団の努力に「ただ乗り」したいという誘惑に駆られる、といった思いや考えが生まれることになるからである。

よって、**オ**が正解である。

第20問

組織学習サイクル・モデルに関する問題である。

組織学習は下図のサイクルに沿って行われるが、この組織学習サイクルは不完全なものになったり、低次学習ばかりが促進されたりすることが少なくない。具体的には以下の４つの状態になる。

<組織学習サイクル>

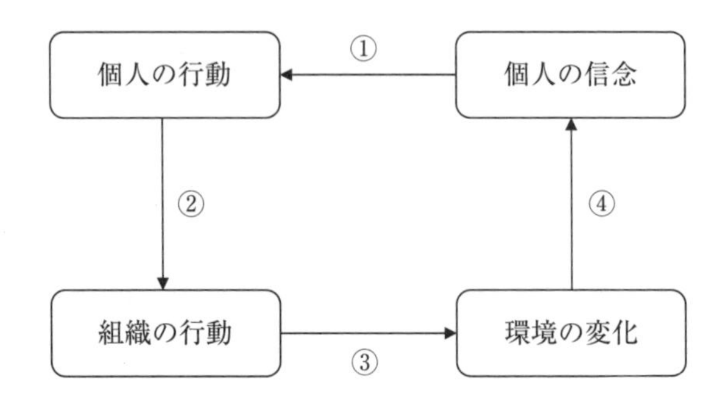

① 役割制約的学習（上図①の断絶）

個人が信念を持ったが、与えられた役割規定や手続き上の制約によって、個人が自らの行動を変化させることができない状態である。

② 傍観者的学習（上図②の断絶）

個人が行動を起こし、学習したが、それが組織としての行動にならず、個人が傍観者となっている状態である。

③ 迷信的学習（上図③の断絶）

個人の行動が組織に影響を与え、組織として行動するが、それまでに迷信のように信じてきた考えに囚われ、組織の行動が環境の変化につながらない状態である。

④ 曖昧さのもとでの学習（上図④の断絶）

組織としての行動が環境の変化につながったが、個人には何がどのように変化したのか、なぜ生じたのかなどがわからない状態である。

ア ○：正しい。上述した通りである。

イ ×：「傍観者的学習」は、個人が新たな行動を起こして学習したが、それが組織の行動にならない状態である。**個人が自らの行動を変化させないことを指すものではない。**

ウ ×：「迷信的学習」とは、組織内で迷信のように信じられてきた考えに囚われ、組織の行動が環境の変化につながらない状態である。よって、**個人が自ら確信している迷信に従って、自身の行動を変化させるのではなく、むしろ、個人はその迷信とは異なる行動をして変化をさせようとすることになる。**

エ ×：「役割制約的学習」とは、環境の変化によって自らの信念が変化した個人が、自らの役割を踏まえた際に、**行動を変化させることができない状況である**（変化が自らの役割の範囲内にとどまる以前に行動の変化が生じないということである）。

オ　×：組織学習サイクルは、上図の順序で回ることになる。よって、**「環境変化→個人の信念→個人の行動→組織の行動→環境変化→以下同じ」**となる。

よって、**ア**が正解である。

第21問

組織間のパワー関係に関する問題である。

メーカーであるA社が事業活動に必要な原料Xを、Xのみを製造販売しているB社から継続的に購買しているという設定であるため、相対的にB社がA社に依存している度合いが高い状況であることを前提に正誤判断していくことになる。

ア　○：正しい。A社がB社以外の他社から原料Xを購買している場合、その程度によってA社にとってのB社の必須性が変わることになる。仮にA社としてはB社から購買できなくても困らないような状況であれば、A社のパワーが大きくなる。いずれにしても、パワー関係に大きな影響を与える可能性がある。

イ　×：A社が保有している機械設備の資産評価額が、B社が保有する機械設備の資産評価額よりも相対的に大きいことは、原料Xを取引しているという今回の状況設定において、両社間のパワー関係とは無関係である（**両社間のパワー関係に大きな影響を与える可能性はない**）。

ウ　○：正しい。B社の販売量全体におけるA社向けの販売量が占める比率が高ければ、B社のA社に対する依存度が高くなる。よって、両社間のパワー関係に大きな影響を与える可能性がある。

エ　○：正しい。原料Xの販売についてのB社の自由裁量に関して法律などによる制約があれば、B社としては自らが望む形での販売ができない可能性がある。このことは、両社間のパワー関係に大きな影響を与える可能性がある。

オ　○：正しい。原料Xを入手できなくてもさほど大きな問題が生じずにA社が事業活動を営むことができるのであれば、A社はB社に対してパワーを行使することができる。よって、両者間のパワー関係に大きな影響を与える可能性がある。

よって、**イ**が正解である。

第22問

制度的同型化に関する問題である。

同型化とは、組織が自らの存在や行為の正当性を獲得する必要性が高まった際に、他の組織や個体群（組織の集合体。同じ業界企業の集合をイメージするとよい）に似ていくことである。そうしないと存続しにくい、下手をすると淘汰されてしまう、と考え、このようなことが起こる。

そして、その同型化は、「競争的同型化」と「制度的同型化」に大別される。
(競争的同型化)

個体群生態学で言われるように、環境の機能的特性に適合した、似通った組織形態を持つ個体が選択されると主張する。競争的同型化は、環境との機能的適合を強調している。

(制度的同型化)

正統性を示した組織が環境から選択されると主張する。つまり、機能的適合ではなく、文化･社会的適合を強調している。制度的同型化は、さらに「強制的同型化」「模倣的同型化」「規範的同型化」の３つに分けられる。

<同型化組織変化のメカニズム>

<table>
<tr><th colspan="3">メカニズム＝同型的組織変化の源泉（source of isomorphic organizational change）</th></tr>
<tr><td>競争的同型化
(competitive isomorphism)</td><td colspan="2">個体群生態学が扱うようなメカニズム</td></tr>
<tr><td rowspan="3">制度的同型化
(institutional isomorphism)</td><td>強制的同型化
(coercive isomorphism)</td><td>依存している組織からの圧力
社会の中での文化的期待
例）法的な規制</td></tr>
<tr><td>模倣的同型化
(mimetic isomorphism)</td><td>組織はより正統的あるいは、より成功していると認識している類似の組織を後追いしてモデル化する。不確実性は模倣を助長する。</td></tr>
<tr><td>規範的同型化
(normative isomorphism)</td><td>主に職業的専門家（professionalization）に起因するもので、①大学の専門家による公式の教育と正統化、②職業的ネットワークの成長と洗練が重要。人員の選別も重要なメカニズム。</td></tr>
</table>

(『赤門マネジメント・レビュー６巻９号（2007年９月）同型化メカニズムと正統性』
安田雪・高橋伸夫)

① 強制的同型化

依存関係にある他の組織や、社会の文化的期待によって行使される公式及び非公式な圧力の結果として生じる同型化である。具体的には、メーカーが環境規制に従うために公害防止技術を採用するといった法的強制力を伴う場合が挙げられる。また、子会社が親会社の業務慣例に従う場合や、独占企業によって供給されるインフラを導入せざるをえない場合なども相当する。さらに、フリースクールが外部機関と交渉するために校長を置くといった、それほど明示的に押しつけられるわけではない場合も含まれる。縦割りの硬直的な外部の組織とうまくやるためには、組織には、公的に決められた役割に沿った管理権限と責任者を形だけでも置いておく必要がある。こういう圧力は、より民主的で平等な組織形態の発展を妨げる。

② 模倣的同型化

不確実性を回避するために組織が他の組織をモデルとして模倣することによって生じる同型化である。組織の運営技術が稚拙だったり、目標が曖昧であったり、環境がシンボリックな不確実性を創出するような場合には、組織は他の組織をモデルとする。例えば、19 世紀後半の日本の近代化には、留学制度を通じた模倣が重要な役割を果たした。アメリカ企業が業績不振に対処するために日本の QC サークル制度を導入したのも典型的な例である。組織は自分たちの組織フィールドにおいて、より正統で、より成功していると思われる組織をモデルとする。組織フィールドにおいて中心的な組織は、当該組織が好むと好まざるとに関わらず、他の組織からモデルにされる。中心的な組織の構造や施策は、組織フィールドの至るところで模倣される。

③ 規範的同型化

主に専門的職業化から生み出される同型化である。専門的職業化とは、ある職業に従事する人々が、自分たちの仕事の進め方や状態を規定するための、そして、自分たちの職業的自律性を正当化するための基盤を確立しようとする集団的な戦いである。専門的職業化も同型化を促すが、それは主として、規範を伝達する大学や専門教育機関と、組織を超えたプロフェッショナルのネットワークによる。大学や専門的教育機関は、個人を代替可能にし、代替可能な人々の集合をつくり出す。また、同業他社からの引き抜きや、各社共通の昇進慣例などを通じて生じる人材フィルタリングも、人々の同型化を促進する。例外的な経歴を持つ者も、キャリアの形成過程において徐々に社会化され、同質的になる。

ア ×：ある組織形態が社会的に高い評価を得ている場合に、その組織形態を採用する同型化は、**模倣的同型化が該当する**。採用しなければ取引関係にある組織から批判されることも、取引関係にある組織の意向や力関係によってはあり得るであろう。

イ ×：模倣的同型化が生じるのは、上述の通り、**環境が不確実な場合である**。環境が安定的であれば、他の組織モデルを模倣する必要性に迫られない。

ウ ×：上述の通り、政府が特定の組織形態を採用することを求める規制を行うのは、**強制的同型化である**。

エ ○：正しい。上述の通りである。

オ ×：取引関係にある組織同士は、資源を相互に依存しあっているために、それらの組織間では相手の組織モデルを模倣する**模倣的同型化が生じやすくなる。**
よって、**エ**が正解である。

第23問

組織変革に対する抵抗に関する問題である。

ア　○：正しい。業務プロセスを変革したとしても、それと整合するように組織構造や業績評価システムといった他のサブシステムも併せて変革しなければ、組織に業務プロセスが適合せず、定着しない。その結果、変革が効果的なものにならず、元に戻したほうがよいという意見が表出するなど、変革を元に戻す組織的な作用が働きやすくなる。

イ　○：正しい。現状の資源配分パターンから最も大きな利益を得ている部門にとっては、環境変化に伴う資源配分パターンの変革は、それまでの利益が得られなくなる可能性が高く、変革を脅威とみなし抵抗する傾向がある。

ウ　×：心理的安全性（psychological safety）とは、組織行動学を研究するエドモンドソンが1999年に提唱した心理学用語であり、組織の中で自分の考えや気持ちを安心して発言できる状態のことである。どのような意見でも受け入れてもらえるという安心感があれば、創造的なアイデアや既存の考えを覆すような発想が出やすくなる。結果として現状を良くするための提言が積極的に行われ、イノベーション（変革）が促進されやすくなる。よって、支援的な組織風土である場合、組織の心理的安全性が高くなることは正しいが、これを高めに維持しようとする構造的慣性が存在し、それが変革の抵抗要因になるのではなく、**心理的安全性が高いことによって変革が促進されやすくなる。**

エ　○：正しい。従業員が所属する集団の規範は、それに従うような圧力をもたらすことがあり、変革に対する従業員の前向きな考えや行動を抑制するように作用する可能性がある。

オ　○：正しい。組織が一定程度成熟してくると、従業員の思考や行動を同質化する組織社会化のプロセスが醸成されてくる。このことは、新たな発想が生み出されにくい状況を作り出し、組織の革新性を阻害する可能性がある。

よって、**ウ**が正解である。

第24問

賃金又は退職金に関する問題である。

ア　×：労働基準法第27条には「出来高払制その他の請負制で使用する労働者については、使用者は労働時間に応じ一定額の賃金の保障をしなければならない。」とあり、出来高払制その他の請負制で使用される労働者の賃金について、**使用者は、労働時間に応じて一定額の賃金保障をする必要がある。**

イ　○：正しい。使用者は、最低賃金法による最低賃金の適用を受ける労働者に対し、その最低賃金額以上の賃金を支払わなければならず、最低賃金法には、地域別最低賃金額以上の賃金額を支払わない場合には50万円以下の罰金を支払わなければならない等の規定が定められている。

ウ　×：労働基準法第20条では、「使用者は、労働者を解雇しようとする場合においては、少くとも30日前にその予告をしなければならない。30日前に予告をしない使用者は、30日分以上の平均賃金（＝解雇予告手当）を支払わなければならない。但し、天災事変その他やむを得ない事由のために事業の継続が不可能となった場合又は労働者の責に帰すべき事由に基いて解雇する場合においては、この限りでない。」と定めている。本肢の「懲戒解雇」は、「労働者の責に帰すべき事由に基いて解雇する場合」に該当するため、解雇予告手当を支払う必要はない。なお、労働基準法では、退職金（退職手当）について、就業規則の相対的必要記載事項とする旨の定めはあるが、**懲戒解雇であるか否かにかかわらず、退職金の支払い義務そのものの規定はない。**

エ　×：労働基準法第25条には「使用者は、労働者が出産、疾病、災害その他厚生労働省令で定める非常の場合の費用に充てるために請求する場合においては、支払期日前であっても、既往の労働に対する賃金を支払わなければならない。」とあり、**従業員が疾病治療の費用に充てるために既往の労働に対する賃金を請求した場合、使用者は、あらかじめ定めた支払期日前であっても、当該賃金を支払わなければならない。**

よって、**イ**が正解である。

第25問

労働基準法上の労働者に関する問題である。

労働基準法において労働者は「職業の種類を問わず、事業又は事務所に使用される者で、賃金を支払われる者」と定義されている。

ア　×：厚生労働省の通達によれば、①インターンシップにおける学生は見学や体験的な要素が少ない、②使用者から業務に関わる指揮命令を受けている、③学生が直接の生産活動に従事し、それによる利益・効果が当該事務所に帰属する、④学生に対して、何らかの報酬が支払われているような実態がある場合、労働者に該当すると認められる。したがって**学生が直接の生産活動に従事し、それによる利益・効果が当該事務所に帰属し、かつ、受け入れ企業との関係において使用従属関係が認め**

られる場合は、労働基準法の労働者に該当する。

イ　〇：正しい。厚生労働省の通達によれば、法人等の代表者または執行機関たる者のように、事業主体との関係において使用従属の関係に立たない者は労働者ではないとされている。したがって、株式会社の代表者は、労働者には該当しない。

ウ　×：労働基準法研究会報告「労働基準法の労働者の判断基準について」によると、基本的判断要素として、①指揮監督下の労働の有無、②報酬の労務対償性があり、さらに労働者性を補強する要素として、事業者性の有無などが挙げられている。したがって、当該従事者に事業者性を肯定する要素がなく、使用従属関係が認められる場合であれば、労働基準法上の労働者に該当する。

エ　×：営利を目的としない社会事業団体、宗教団体等も業として継続的に行われていれば事業に該当する。そして、当該団体と使用従属関係が認められる場合であれば、労働基準法上の労働者に該当する。

よって、**イ**が正解である。

第26問

労働時間に関する問題である。

ア　〇：正しい。労働基準法第36条では「使用者は、労使協定をし、厚生労働省令で定めるところによりこれを所轄労働基準監督署長に届け出た場合においては、労働基準法に定められた労働時間又は休日の規定にかかわらず、その協定で定めるところによって労働時間を延長し、又は休日に労働させることができる」と規定されている。労働基準法に定められた労働時間（法定労働時間）とは、１週について40時間、１日について８時間（休憩時間を除く）であり、使用者は、当該労使協定を結んでいなくても、法定労働時間以内であれば延長して勤務させることができる。本肢は、「所定労働時間」が、１週間で37時間30分、１日で７時間30分の事業場を対象としており、30分間延長して勤務させても、どちらも法定労働時間以内となるため、労使協定は不要となる。

イ　×：休憩時間は労働者が権利として労働から離れることが保障されていなければならない。電話及び来客対応のために当番制により待機している時間は、仮に当番中に電話や来客がない場合であっても、労働から離れることが保障されていないので労働時間に該当する。

ウ　×：研修・教育訓練について、業務上義務づけられていない自由参加のものであれば、その研修・教育訓練の時間は、労働時間に該当しない（時間外労働ではない）。なお、研修・教育訓練への不参加について、就業規則上で減給処分の対象とされていたり、不参加によって業務を行うことができなかったりするなど、事実上参加を強制されている場合には労働時間に該当する。

エ　×：厚生労働省の通達によれば、貨物取扱いの事業場において、貨物の積込係が、貨物自動車の到着を待機して身体を休めている場合等であっても、それは労働であり、その状態にある**手待時間は労働時間であるとされている。**

よって、**ア**が正解である。

第27問

社会保険（健康保険及び厚生年金保険）に関する問題である。

ア　○：正しい。健康保険・厚生年金保険の適用事業所となるのは、株式会社などの法人の事業所及び従業員が常時5人以上いる個人の事業所（一定の事業を除く）である。よって、株式会社Aは適用事業所であり、新規適用届及び被保険者資格取得届などの必要書類を日本年金機構に提出することが必要である。

イ　×：社会保険の保険料を負担する義務は保険給付の受給者になり得る被保険者だけが負うのではなく、**事業主と労働者が折半して負担することになる。**

ウ　×：被保険者の資格情報の変更や被扶養者が増えたときは、**事業主を経由して事業所の所在地を管轄する年金事務所に届け出なければならない（従業員が各自で届け出るのではない）。**

エ　×：手続き後の毎月の社会保険の保険料については、昇給の都度変更することがあることは正しい。しかし、**賞与支給時には厚生年金及び健康保険に関する保険料の納付が必要である。**

よって、**ア**が正解である。

第28問

顧客価値に関する問題である。

<顧客価値>

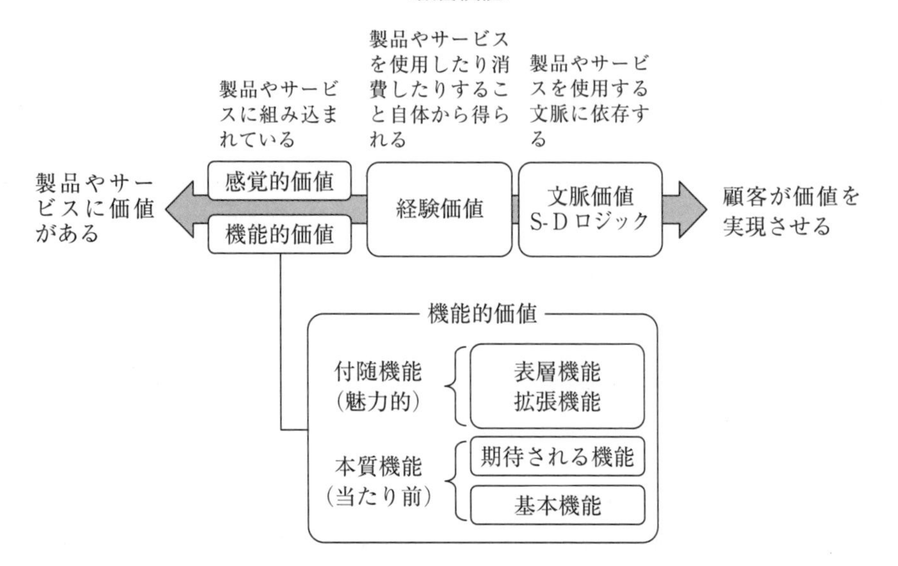

（『はじめてのマーケティング』久保田進彦　澁谷覚　須永努著　有斐閣P.43）

ア　×：上図のように、機能的価値は、本質機能（基本機能といったその製品としての絶対条件、期待される機能といった顧客が当たり前に付いていてほしいと望む機能）と付随機能（表層機能、拡張機能といった差別化の要因になる機能）で構成される。よって、顧客が製品やサービスに期待する最も基本的な機能は機能的価値の一要素である（「基本的な機能」という表現の解釈が難しいが、上図の「基本機能」の意味で用いているのであれば、「基本的な機能によってもたらされる価値＝機能的価値」というわけではない）。また、機能的価値が不十分であったり不明確であったりする製品やサービスとは、上述した本質機能（基本機能、期待される機能）と付随機能（表層機能、拡張機能）のいずれかが不十分であったり不明確であったりということであるが、顧客にまったく受け入れられなくなるのは、本質機能（基本機能、期待される機能）が欠けている場合である。裏を返せば付随機能（表層機能、拡張機能）が欠けていても受け入れられる可能性がある。よって、**機能的価値として不十分であったり不明確であったりする製品やサービスであっても顧客に受け入れられることはある（100%ないということはない）**。

イ　×：経験価値とは、実際に製品やサービスを購入し、使用感などを経験してみなければ分からない価値である。機能的価値や感覚的価値が製品やサービスそのものから生み出されるものであるのに対し、その製品やサービスを消費する経験から生み出されるものである。このような特性を有しているため、**すでに利用した顧客によるクチコミを発生させるようなプロモーションが有効になる**。消費者は経験してみなければその良さがわからないわけであるので、実際に経験した顧客の声は重要な意思決定の判断材料になる。

ウ　×：機能的価値については選択肢**ア**の解説で述べた通りであり、本質的機能（による機能的価値）は、1つでも欠ければ競合する製品やサービスに比べて大幅に魅力が劣ることは正しいが、逆にいえば備えているのが競争の前提となる。よって、**差別化するために最も力を入れなければならない価値ではない（差別化の要因にならない）**。差別化の要因となるのは、付随機能や感覚的価値、経験価値、文脈価値などである。

エ　×：選択肢**ア**の解説でも述べたように、**基本的な機能はその製品としての絶対条件であるため、原則、どのような機能を期待するかは顧客ごとに異なることはない**。それに対し、感覚的価値は客観的な物差しがない。たとえば特定の製品カテゴリーにおいて「最も軽量化された製品」は1つしか存在せず、誰にとっても共通だが、「最もデザインがよい製品」は消費者によって異なる。よって、**感覚的価値は相対的に似通わない**。また、選択肢**ウ**の解説でも述べた通り、**感覚的価値を訴求する製品やサービスは機能的価値よりも差別化の要因としやすく、価格競争にも陥りにくい**。

オ　○：正しい。文脈価値とは、消費者が感じる価値は、製品やサービスそのものに組み込まれているものだけで決まるのではなく、顧客が製品やサービスを利用した際の状況によって価値が変わるというものである。同じ製品やサービスを利用するのでも、その際の周辺環境や情景、あるいは誰と一緒に利用したか、などの状況によって価値は創り出されることになる。たとえば、同じものを食べるのでも、その場所や雰囲気、誰が一緒にいるのかにより、価値はまったく異なるものになる。

よって、**オ**が正解である。

第29問

代替案の評価方法に関する問題である。

複数の代替案の中から選ぶという意思決定は、価格、品質、デザインといった製品が有している多様な属性を評価することによって行われる。そして、その手法は「補償型意思決定」と「非補償型意思決定」の2つに大別される。

なお、以下において「重要度」とは、それぞれの属性の重要度であり、たとえば価格面は重視するが、デザイン面は重視しないといったことである。「属性値」とは、それぞれの属性における評価ポイントである。

① 補償型意思決定（多属性効用理論）

何か１つの属性における「属性値」が劣っていても、他の優れた属性で補う（補償する）ことができるという考えに基づいた意思決定であり、具体的には以下のようなものがある。

1）加算型

それぞれの属性に対して「重要度」を設定した上で、「属性値」を掛け合わせたものの総和を算出し、最も評価が高い選択肢を採用する。

2）加算差型

比較する２つの代替品において、属性ごとの「属性値」の差額と重要度を掛け合わせたものの総和で比較する。この処理をトーナメント方式で行って残った選択肢を採用する。

② 非補償型意思決定

一言で言えば、ヒューリスティック（思考の簡略化）による評価ルールである。何か重要な属性において劣っているといったことを理由に、その選択肢を頭から拒否するというやり方であり（他の属性値がよくても補えない）、具体的には以下のようなものがある。

1）連結型

各属性に対して、最低限の水準（必要条件）を設定し、それをすべて満たした選択肢が現れればその時点で代替品の探索を終了し、その選択肢を採用する。

2）EBA型

最も重要な属性に対して、この水準に満たない場合には除外するというポイントを設けて評価していく。これをその次に重要な属性に対しても行い、選択肢がひとつになるまで繰り返した上で採用する。

3）辞書編纂（へんさん）型

すべての選択肢について、重要度の高い属性から順番に評価し、その属性の「属性値」が最も高い選択肢を採用する。最初の属性において同点であった場合には、これをその次に重要な属性に対しても行い、選択肢がひとつになるまで繰り返した上で採用する。

4）分離型

１つでも十分条件を満たす属性があると、その他の属性を無視して、そのブランドを選択するという一点突破型で採用する。

ア ×：耐久消費財などの複雑な製品の購買意思決定においては、通常は複数の属性を評価し、総合的に意思決定する。つまり、補償型の評価方法が用いられることのほうが多い（**非補償型の評価方法“のみ”が用いられることが多いということはな**

い）。

イ　○：正しい。上述の通りである。

ウ　×：連結型が非補償型の評価方法の１つであることは正しい。そして、この方法が、代替製品の各属性に必要条件を設定することも正しいが、**いずれかの属性においてこの条件を満たした製品ではなく、すべての属性において条件を満たした選択肢を選択することになる**。

エ　×：補償型が、ある属性のマイナス面が他の属性のプラス面によって相殺（補償）され得る評価方法であることは正しい。しかしながら、**最も簡略な方法ではない**。補償型と非補償型を比較すると、補償型はすべての属性を評価していくため情報処理の負荷が大きくなる。それに対して非補償型は判断基準を絞って評価していくことになる。よって、相対的に簡略な方法は非補償型であり、日常の簡便な意思決定や衝動型購買などの場面でしばしば用いられる。

オ　×：上述したように、ヒューリスティックスとは、思考の簡略化である。よって、**非補償型の評価方法がこのように呼ばれる**。

よって、**イ**が正解である。

第30問

企業と消費者が共同した製品開発に関する問題である。

ア　○：正しい。オープン・イノベーションとは、企業内部と企業外部のアイデアを有機的に結合させ、価値を創造することである。文字通り、オープンな姿勢で行うものであり、外部のアイデアを取り込んで新たな価値を創造する、内部のアイデアを外部に出すことによって新たな価値を創造するという両面がある。

イ　×：企業と消費者が共同で開発した製品は、新奇性や好意的評価、これらに基づく売り上げなどにおいて従来型の製品開発による製品を上回ることも多いことは正しい。しかしながら、**製品ライフサイクルの長さにおいて従来型の製品よりも短い場合が多いわけではない**。むしろ、消費者の意向を取り込んで開発するため、その期間が長くなることも少なくない。

ウ　×：企業と消費者が共同で製品開発を行う取り組みにおいて、そのための資金をオンライン上の多数の消費者から広く調達するのは、**クラウド・ファンディングである**。クラウド・ソーシングは、コンテンツの創造や問題解決、研究開発を行うために、不特定多数の人々の余剰能力を労働力のプールとして用い、その資源の提供を公募形式で求める手法である。

エ　×：消費者と共同するのではなく、伝統的な製品開発手法に基づき市場のニーズを重視して自社単独で製品を開発しようとする企業は、**ニーズ志向である**。シーズ志向とは、その企業独自の技術や企画力を基にして製品を開発するものである。
よって、**ア**が正解である。

第31問

設問1

卸売に関する問題である。

ア ×：ある業界において多くのメーカーが零細である場合には、製品を流通させるコストを自社で負担するのが困難であるため、**卸売業者の役割が大きくなる**。よって、その業界の流通チャネル上に存在する卸売業者の数も、**基本的には多くなる傾向がある**。

イ ○：正しい。ある業界において中小小売業者が多いほど、メーカーがその中小小売業者に流通させる場合、そのコストが大きく、卸売業者の必要性が高まる。また、大手の小売業者が多い状況と比較し、チャネルの幅が広くなる可能性が高く、また幅が広くなる場合、長さも長くなる可能性が高い。つまり、多段階となる。さらに、多段階になるということは、その分、卸売業者の数も増えることになる。

ウ ×：卸売は卸売業者だけが行うものではなく、小売業者によって行われることもあるのは正しい（小売業者が卸売業者を兼ねる場合もある）。そして、**メーカーが販社を作って行う小売業者向けの販売も卸売である**。販社が販売する相手が最終消費者であれば小売であるが、相手が小売業者なのであれば卸売ということになる。

エ ×：選択肢**ウ**の解説でも述べた通り、小売は最終消費者に販売することであり、卸売は流通業者への販売である。よって、**卸売は"最終消費者だけでなく"というのは誤りである**。

オ ×：近年の卸売業は、単に流通の機能を果たすだけで付加価値を生み出すことの困難性が高い。そのため、付随するサービスを提供することで生き残りを図ることになる。そして、ロジスティックスとは、物流の運送・保管・包装・システム・流通加工・荷役などさまざまな機能を高度化し、調達・生産・販売・回収などの分野を統合して、需要と供給との適正化を図ることである。よって、卸売業者に求められている方策の1つとして、ロジスティックス機能の強化が挙げられることは正しい。また、サードパーティ・ロジスティックスとは、荷主企業に代わって、最も効率的な物流戦略の企画立案や物流システムの構築の提案を行い、かつ、それを包括的に受託し、実行することであり、それを担う事業者のことである。つまり、サードパーティ・ロジスティックスはロジスティックス機能を含んだものではあるが、**「ロジスティックス機能＝サードパーティ・ロジスティックス」ということではない**。
よって、**イ**が正解である。

設問2 ●●●

D2Cに関する問題である。

D2Cとは「Direct to Consumer」の略であり、製造者がダイレクトに消費者と取り引きすることを指す。

ア ×：D2Cが、卸売業者や小売業者から構成される従来の流通チャネルを介さないことは正しい。また、自社サイトで自社の製品を直接消費者に販売することも正しいが、**大手ネットショッピング・モールを通じて販売するのはD2Cではない。** D2Cはあくまで製造者が直接消費者と取引するものである。

イ ○：正しい。D2Cは、米国のスタートアップ企業などが始まりであり、SNSを積極的に利用しているのも多くのD2Cに見られる特徴の1つである。たとえば、2013年にスタートアップした「グロシエ」は、2013年の創業からわずか4年で売上高1億ドルを突破し、企業評価額が10億ドル以上の未上場かつ創業10年以内の企業を指すユニコーン企業となった。同社のSNSは、Instagramのフォロワー数が2020年7月7日時点で約286万人であり、InstagramやFacebookはもちろんのこと、Slack上で顧客とコミュニケーションを図り、商品開発につなげるなど、より消費者と近いビジネスを展開している。

ウ ×：上述した通り、D2Cは製造者（メーカー）が直接消費者と取引するものであるため、多くの場合、自社サイトの構築が必要である。しかしながら、**その構築も自社単独で行わなければならないわけではない。** 顧客管理や決済のシステムは他社が開発したシステムを利用することも多い。あくまで取引を消費者と直接行うということを言っており、サイトの構築は別の話である。

エ ×：メーカーが流通チャネルを介さずに直接消費者に自社製品を販売することが、従来「メーカー直販」と呼ばれてきたことは正しい。ただし、この場合には、流通業者から見ればメーカーが競合になるため、関係性が大きな課題になる。もちろん、互いにとってよい効果が得られる関係が築けている場合もあるが、現実には困難であることも少なくない。よって、**"ほとんどのメーカー" が既存の間接流通チャネルとメーカー直販を両立させたとも、流通業者の支持を得てきたともいえない。**

よって、**イ**が正解である。

第32問

設問1 ●●●

デジタル・マーケティングに関する問題である。

ア ×：アドネットワークとは、複数の広告媒体（Webサイトやソーシャルメディア、ブログ等）を集めて広告配信ネットワークを作り、それらの媒体に広告をまとめて配信する仕組みのことである。プラットフォーマーはインターネット上でビジネスを展開する際に、その基盤（プラットフォーム）となるサービスやシステムを提供または運営する事業者である。アドネットワークが誕生する以前は、広告主は各広告媒体に広告掲載を依頼する必要があり、自社に最適な出稿先を選定していたが、多大な労力を要していた。また、広告媒体側も広告枠に広告を貼り付ける作業コストや営業コスト、広告枠の在庫リスクなど多様な課題を抱えていた。このような現状を受けて誕生したのがアドネットワークである。アドネットワーク・プラットフォーマーが、膨大な数の広告媒体を1つのネットワークとしてまとめ、広告主は複数メディアに一括で広告配信することができる。アドネットワーク・プラットフォーマーが、広告枠の運用を効率化したい大規模メディアからの委託を受け、これらのメディアの運営者に代わり広告枠を広告主に販売することは正しい。しかしながら、**大規模メディアだけが対象ではなく、自ら広告枠を販売することができない個人サイトや中小サイトなどのメディアも委託する**。むしろ、プラットフォームができたことは、このような小規模なメディアや小規模な広告主をつなげる役割を果たしている。

イ　×：オフライン店舗を中心にマーケティングを展開してきた企業が、新たにオンライン・チャネルを開設した際に、両チャネル間で消費者の認知・検討と購買が分離することが問題になることは正しい（たとえば、消費者がオンライン上で認知して検討しても、購買が別の場になり、結果として自社で購入されないなど）。よって、オンラインとオフラインを効果的に結びつけることが必要になる。この対策として、O2O「Online to Offline」があるが、これは、**オンラインからオフラインへ消費者行動を促すものである（店舗を利用する従来の顧客（オフライン）を新たなオンライン・チャネルへ誘導するものではない）**。また、OMO「Online Merges with Offline」が、オンラインをオフラインと融合する方策であることは正しい。これは、顧客がチャネルの違いを意識せずにサービスを受けられるよう、オンライン・オフラインを分けずに一緒のものとして、マーケティング戦略を構築していく考え方である。

ウ　×：広告主が対価を払って出稿する広告がペイド・メディアと呼ばれるのは正しい。しかしながら、シェアード・メディアとは、アーンド・メディアの1種であり**（ペイド・メディアの説明を受けて、「その中でも」とあるが、シェアード・メディアはペイド・メディアの1種ではない）**、生活者が得た情報を発信、拡散するメディアである。具体的にはSNSや口コミサイトなどが挙げられる。

エ　○：正しい。ダイナミック・プライシングとは、時期や顧客に応じて柔軟に価格を設定するものである。よって、需給バランスや時期などによって製品やサービスの価格を変動させるのは「時期」に応じて柔軟に価格を設定することである。また、デジタル技術とAIの登場により、従来以上に効果的、効率的に行うことが可能になってきたことから、広く行われるようになった。そして、利用者ごとに柔軟に価格を変える方法は「顧客」に応じて柔軟に価格を設定するものである。

よって、**エ**が正解である。

設問2

クチコミやインフルエンサーに関する問題である。

ア ○：正しい。カスタマー・ジャーニーとは、消費者の購買意思決定プロセスの各段階にタッチポイントを位置づけたものである（要約すれば、消費者が購買に至るプロセス）。そして、タッチポイントとは、企業やマーケターが顧客と接したり会話したりといった接点のことである。そして、昨今のタッチポイントは、店舗などの物理的空間だけに限定されず、オンライン上にもさまざまな形で設定されることになる。よって、SNSやレビューサイトなどに投稿された当該企業に関連するクチコミも、タッチポイントである。

イ ×：ステルス・マーケティングが、実際には企業が費用を負担しているにもかかわらず、広告であることを隠して行われるものであることは正しい。また、インフルエンサーを用いたマーケティングにおいて行われていた事例もあり、大きな社会問題となった。ただし、**「ステルス・マーケティング＝インフルエンサーを用いたマーケティングに多く見られる」というわけではない**。そして、諸外国では、法規制が存在する一方、日本においては法規制の整備が不完全な状況となっていたため、2022年９月から12月にかけて消費者庁が計８回の検討会を行って提言を取りまとめ、規制する方向で準備を開始した。そして、消費者庁は2023年３月、景品表示法（正式名称：不当景品類及び不当表示防止法　以下、景表法）が禁じる「不当表示」に2023年10月からステルス・マーケティングを追加することを発表している。よって、**不当廉売ではなく、不当表示として規制することになる**。なお、不当廉売とは「ダンピング」とも呼ばれ、不当に低い価格で商品やサービスを提供する行為のことで、私的独占の禁止及び公正取引の確保に関する法律（独占禁止法）によって規制されている行為である。

ウ ×：スマートフォンを用いて誰もが日常生活の中で気軽にSNSに写真や意見などを投稿できるようになった結果、**それらを閲覧する消費者の製品やサービスへの平均的な関心の強さや知識レベルなどは向上している**。そのため、**カスタマー・ジャーニーにおけるクチコミの重要性も高まっている**。

エ　×：探索属性とは、製品やサービスの仕様や性能など、消費者が購入する前に自ら製品について調べ、評価が可能な要素のことである。SNSやクチコミサイトなどに投稿されるクチコミが有益なのは（最大の強みなのは）、**探索属性に関する情報が豊富だからではなく、経験属性や信用属性といった実際に製品やサービスを利用した人でなければわからない情報が豊富だからである。**

よって、**ア**が正解である。

第33問

コミュニケーションに関する問題である。

ア　×：広告炎上問題や動画投稿サイト上の広告問題など、インターネットの普及に伴う広告倫理の問題が長年指摘されてきている。2000年５月にインターネット広告推進協議会（2010年に一般社団法人 日本インタラクティブ広告協会（JIAA）に改称）による広告倫理綱領が制定され、その後改訂も重ねられるなど、問題の抑制に対する取り組みが行われてはきているが、取り締まりの難しさなどをはじめとしたさまざまな要因により、現在も倫理的に問題のあるインターネット広告は数多く存在する。よって、**大幅に減少しているとはいえない。**

イ　×：特定のブランドに興味を持つ消費者が集まるインターネット上のブランド・コミュニティは**ファン・コミュニティと呼ばれる。**企業のサイト内にあるブランド・コミュニティと比べ、**ファン・コミュニティのほうがオープン・アクセスに優れ、閲覧者は幅広い。**企業のサイト内にあるブランド・コミュニティは、基本的にはそのブランドのファンだけが好意的な意見を述べ合う傾向が強くなる。情報拡散という点でもファン・コミュニティのほうが優れている。

ウ　○：正しい。株式会社電通が発表した、日本の総広告費と、媒体別・業種別広告費を推定した「2020年　日本の広告費」によると、2020年（１～12月）の日本の総広告費は、世界的な新型コロナウイルス感染症拡大の影響による各種イベントや広告販促キャンペーンの延期・中止により、通年で６兆1,594億円（前年比88.8％）となり、東日本大震災のあった2011年以来、９年ぶりのマイナス成長となった。日本の広告費は、①マスコミ４媒体広告費、②インターネット広告費、③プロモーションメディア広告費に大きく３分類されるが、2020年の状況は以下である。

①　マスコミ４媒体広告費　２兆2,536億円（前年比86.4％）

６年連続の減少となった。「新聞広告費」「雑誌広告費」「ラジオ広告費」「テレビメディア広告費」はすべて大きく前年割れとなった。

②　インターネット広告費　２兆2,290億円（前年比105.9％）

1996年の推定開始以来、一貫して成長を続け、「マスコミ４媒体広告費」に匹敵する2.2兆円規模の市場となった。4-6月期は新型コロナウイルス感染症拡大の影響を受けたものの、通年でECなどが堅調であった。

③　プロモーションメディア広告費　1兆6,768億円（前年比75.4%）

各種イベントや従来型の広告販促キャンペーンの延期・中止に加え、外出・移動の自粛も影響し、通年で減少している。

よって、インターネット広告費に関しては、2020年の新型コロナウイルス感染症拡大の初年度においても成長を維持している。

エ　×：テレビ、新聞、ラジオ、スマートフォン、タブレットなど、複数のデバイスを同時に利用し、それぞれを並行して視聴する行為はメディア・マルチタスキングといい、特に画面を複数使用することはマルチ・スクリーニングと言われる。これによる広告効果への影響についてはさまざまな研究が行われているが、メディア・マルチタスキングには、テレビ視聴などの主なタスクをこなしながら天気予報や電子メールのチェックをするといった主タスクとは関連のないタスクに従事するパターンがあるが、主タスクの映画を視聴しながら俳優の名前やキャリアを調べるといった関連するタスクに従事するケースもある。前者の無関連タスクは視聴者の気を散らし、主タスクの遂行を妨げるよう働くが、後者の関連タスクは主タスクを強化し、視聴者の注意を主タスクに向けさせ、認知的処理を促進することが推察される。そして、複数のタスクのテーマや接触する情報の内容に関連性がある場合は、関連性がない場合と比較してメディア・マルチタスキングが広告効果に与える負の影響は小さいという研究がある。いずれにしても、**一概に単一メディアに接するときよりもメディア・マルチタスキングやマルチ・スクリーニングを行う場合に広告効果が低下するわけではない。**

よって、**ウ**が正解である。

第34問

ブランディングに関する問題である。

ア　×：BtoBマーケティングが、BtoCマーケティングに比べて特定少数の顧客を対象とすることが多いことは正しい。しかしながら、**ブランディングが不要ということはない。**確かに、相対的にはBtoCマーケティングのほうがブランディングの重要性は高いと考えられるが、BtoBマーケティングにおいても、ブランド力が重要になるケースももちろん想定される。

イ　×：ブランド・マネジメントの枠組みに以下のブランドの基本戦略がある。この枠組みは、すべて「既存製品」について論じられていることがポイントである。ブランド強化戦略は、既存の市場において活用している既存ブランドを、そのまま既存市場において既存ブランドのまま文字通り強化する戦略である。よって、**これまで蓄積されたブランド資産を捨てて資産ゼロからスタートするものではない**。また、既存ブランドを全く新しいブランドへと置き換えるものでもない。さらに、既存の市場において既存ブランドを強化するというこれまでの延長上の戦略であるため、**相対的にリスクの低い戦略である**。

<ブランドの基本戦略>

		既存製品	
		既存ブランド	新規ブランド
市場	既存市場	ブランド強化	ブランド変更
	新規市場	ブランド・リポジショニング	ブランド開発

（『グラフィックマーケティング』上田隆穂著　他　新世社　P.169）

https://business-1.net/corporate_brand_strategy/

ウ　×：ブランディングが成功しているブランドは、ブランド知名度が高い、他社ブランドとの差異が明確であるなど、価値が高いブランドである。ブランディングの成功であるため、**他社ブランドとの機能の違いを知覚させる識別機能に優れているというわけではない（実際の製品の機能ではなく、個性的なブランド・イメージによって違いを生み出している）**。コモディティ化が進む市場において自社ブランドが選ばれる理由を与えていることは正しい。

エ　○：正しい。マインド・シェアとは、特定のブランドまたは企業が、消費者の心の中でどの程度好ましい地位を得ているかを比率の形で示したものである。たとえば、「パソコンメーカーといえば」という問いに対して最初に頭の中に浮かび上がる（ブランド再生される）ブランドは、マインド・シェアNo.1のブランドということになる。製品やサービスを消費者の使用シーンと関連付け、消費者に夢や期待、イメージを抱かせることは、そのブランドに対する好意的な認識が深まり、マインド・シェアを獲得することになる。これはブランディングにおいて重要である。

オ　×：ブランド（製品やサービス）の価値は、具体的には以下の４つに分類される。

①　基本価値

その製品の基本的な機能である。この基本価値が完璧に備わっていると消費者に認識されることが前提となる。たとえば、ボールペンであれば文字が書ける、時計であれば時刻が表示されるといったことである。

② 便宜価値

便利さや使い勝手の良さ、購買のしやすさといったことである。たとえば、シャンプーであればポンプ付きの容器に入っているといったことである。また、価格が安い、購入時の持ち運びがしやすい、といったことも含まれる。

③ 感覚価値

購買や使用に際して、消費者に楽しさを与えるなど、主観的なものであり、ブランド価値の源泉ともなるものである。たとえば、パッケージデザインによる心地よさといったことである。

④ 観念価値

製品自体の品質や機能以外に、その製品に付された意味や解釈といったものであり、感覚価値とともに主観的なものであり、ブランド価値の源泉となるものである。たとえば、その製品が生まれたストーリーや文化的な意味といったことである。

このうち、**①の基本価値と②の便宜価値を製品そのものがもつ製品力（ブランドとしての基礎となる価値）、③の感覚価値と④の観念価値は製品力を超えた付加価値（当該ブランドと消費者との間に唯一無二の存在としての絆を形成する価値）であるブランド価値としている。**

よって、**エ**が正解である。

第35問

設問1

消費者の購買意思決定プロセスに関する問題である。

ア ○：正しい。購入したブランドの欠点と購入しなかったブランドのベネフィットなどを考慮した結果、「購入しなかったほうのブランドを購入したほうがよかったのかもしれない」といった感覚を抱くことがある。認知的不協和とは、自己の内部で矛盾が生じた際に生じる心理的な緊張状態のことであるが、購買行動における上記の状況は認知的不協和が生じている状態である。そして、自分なりの基準に見合う商品が見つかれば購入に至るタイプの消費者は、そもそも自分なりの基準があり、それを満たす商品を購入しているため、認知的不協和に陥る可能性が低い。それに対して、選択に時間と手間をかけて最高の選択をしようとするタイプの消費者は、そもそも最高の選択をすることが現実の購買行動においては困難性が高い。よって、購入した商品に対して少しでも不満な点を感じれば認知的不協和に陥る可能性がある。

イ ×：購買意思決定に必要な情報探索には、外部情報探索と内部情報探索がある。

外部情報探索は、文字通り外部にある情報を探索することであり、インターネット、店頭、知人からの情報収集などさまざまなものがある。内部情報探索は、自らの知識や記憶を探り、情報を探索することである。広告や販売員の説明といった売り手主導のマーケティング情報を探すのは外部情報探索の説明として正しい。しかしながら、**クチコミなどの買い手によるマーケティング情報を探すのも外部情報探索である。**

ウ　×：購買意思決定プロセスのスタートは、消費者にとって解決すべき何らかの問題を消費者が認識することである。つまり、満たされていない特定のニーズの認識ということができる。しかしながら、真のニーズとは、文字通り、消費者が真に満たしたいことである。このことは、クレイトン・クリステンセンのジョブ理論で説明される。ジョブ理論では、顧客が商品を購入して利用する背景にある欲求を「ジョブ（仕事）」と定義している。そして、ニーズは「顕在ニーズ」と「潜在ニーズ」に大別されるが、顕在ニーズはすでに顧客が自覚しているものであり、潜在ニーズはまだ顧客自身も分かっていない欲求である。ジョブはこの潜在ニーズに近いものであり、真のニーズである。つまり、顧客が商品に対して、「ただそれが欲しいから」といった表面的なニーズではなく、「この商品を利用することで何を得たいと思っているのか」ということである。よって、このようなニーズはアンケート調査によっても把握することは難しい（ただし、潜在的なニーズを掘り下げる調査手法がまったくないわけではないため、できないと言い切れるものではない）。ただし、ここまで述べてきたように、真のニーズは潜在的な状態であることが少なくないため、購買意思決定プロセスのスタートにおいて必ず認識できるものではない（**このニーズを認識することから始まると言い切れるものではない**）。

エ　×：Park＆Lessigは、消費者が準拠集団から受ける影響について、①情報的影響、②功利的影響、③価値表出的影響の３つを挙げている。

①　情報的影響

　情報の獲得に関して与える影響である。情報を提供する側の知識や専門性、信用度が高いほど、影響は大きくなる。また、新製品など、評価が難しい経験財の場合により大きな影響を与える。

②　功利的（規範的）影響

　集団の規範・ルールに従う圧力を個人に与える、言い換えれば消費者の行動が集団の好みや評価の影響を受ける。ルールに従えば報酬が得られる、従わなければ制裁される、行動が観察されている、といった場合、より大きな影響を与える。

③　価値表出的影響

　自己概念を高める、あるいは維持するという動機に関連し、そのために準拠集団を利用する。具体的には準拠集団と似た行動を採ることで自らと準拠集団を結び付けようとする。

よって、選択肢の内容は、**価値表出的影響である**。

オ　×：関与には何に対する関与なのか、つまり、その対象によっていくつかの種類がある。主なものとして以下のようなものがある。

①　製品関与

特定の製品カテゴリーに対する関与である。その製品カテゴリーの購買に対してどれだけ関与が高いか否かということである。

②　購買関与

製品の購入という行為に対する関与である。製品購入の緊急性や必要性に応じて生じる。また、店舗環境や品揃えなど、購買状況の魅力によっても変化する。

③　コミュニケーション関与

コミュニケーション内容に対する関与である。どのような広告情報に反応し、態度を形成していくかということである。

よって、**選択肢の内容は、製品関与ではなく、購買関与についての記述である**。製品関与が高くなるほど購買決定における情報探索活動が活発になることは正しい。

よって、**ア**が正解である。

設問2

消費者に及ぼす心理的効果に関する問題である。

ア　○：正しい。アンカリング効果とは、先に与えられた情報がその後の意思決定に影響する認知バイアスの一種で、心理学や行動経済学でよく知られた現象である。選択肢に書かれている状況では、高級ブランド店が並ぶエリアにあるカフェに入った場合には、先に「ここは高級ブランド店が並ぶエリアである」という情報が刷り込まれているため、コーヒーの価格に対してそれほど高価に感じないが、若者向け商品を低価格で提供するカジュアルな店が立ち並ぶエリアにあるカフェでは、先に「ここはカジュアルな店が並ぶエリアである」という情報が刷り込まれているため、コーヒーの価格に対して高価に感じることになる。

イ　×：サンクコストは回収不可能な費用であるが、サンクコスト効果とは、その回収不可能なすでに使った費用やコストに見合う価値を回収しようとするものである。**この理論的背景には「支出の痛み（購買によってお金が出ていくことに対して心が痛むこと）」がある**。事前に購入する回数券の場合、購入した当初は金銭を支払った支出の痛みにより、支払った分を回収しようという意識が働き、利用頻度が高くなるが、購入してから時間が経過すると支出の痛みが和らぎ、利用頻度が低下するとされる。回数券の使用期限が近付くほど利用頻度を増加させる状況自体は現実にも見られるが、**サンクコスト効果によって説明されるのは、購入した当初に利用頻度を増加させることである。**

ウ ×：選択肢の内容は、**フレーミング効果の記述である。**フレーミング効果とは、客観的にみて選ぶ対象が全く同一であり、その客観的特徴が同じであっても、決定フレームと呼ばれる選択状況の心理的構成が変わることにより、選択結果あるいはその受け止め方が異なることを指す。小さなカップにあふれそうな量を盛り付ける場合には、カップの大きさを超えた部分が利得に見えて価値を感じ、大きなカップに入れた場合には、カップの大きさを埋めきっていないことにより、その部分が損失に見えて価値を感じなくなるということである。バンドワゴンとは、パレードの先頭を行く楽隊車のことである。パレードで楽隊車の後を行列がついていく様子から転じ、バンドワゴン効果という言葉が生まれた。つまり、バンドワゴン効果とは、多数の人が支持している物事に対して、より一層支持が高くなる現象のことである。

エ ×：選択肢の内容は、**心理的財布についての記述である。**心理的財布とは、支出の痛みを感じ取る価値の物差しは支出する対象によって異なり、あたかも異なる財布を所持して使い分けているような心理的状態のことである。よって、交通費や昼食費の支払いと、自分の好きなことやモノへの支払いへの感じ方はまったく異なることになる。プロスペクト理論とは、利得と損失に対して人間がどのような感情の変化を引き起こすかを実験経済学的に研究した心理的な価格づけを理論的に説明したものである。消費者は製品やサービスの価値に対して個々に期待価格を持ち、それと実際の価格との差で価値を評価している。プロスペクト理論では、この期待価格を参照価格というが、参照価格よりも実際の価格が高くなっていれば損失（心理的ダメージ）を、安くなっていれば利得（得した感覚）を、感じることになる。そして、たとえば、参照価格よりも1,000円高くなっている場合と1,000円安くなっている場合の価値を比べると（価値評価すると）、高くなっている（損失）のほうが安くなっている（利得）よりも価値評価が高いとされている。

よって、**ア**が正解である。

第36問

設問1

利益と社会的責任を両立させるマーケティングに関する問題である。

ア ○：正しい。CSV（Creating Shared Value）は、共通価値の創造と訳され、2011年にM.ポーターが提唱したものである。ポーターのいうCSVとは、善行的な社会貢献という従来のCSRが抱えた限界を踏まえた上で、社会的課題を解決することによって、社会価値と経済価値を同時に創造するというものである。つまり、事業戦略の視点で見たCSRということができる（本業と関係のある事柄で、本業の利益に還元されるものが重視されている）。よって、CSR（Corporate Social Responsibility）の概念よりも社会的課題を事業活動そのものと結びつけようとする側面が強調されている。

イ　×：経済産業省は、企業がいかに「SDGs経営」に取り組むべきか、投資家はどのような視座でそのような取組みを評価するのか等を整理した「SDGs経営ガイド」を取りまとめ、2019年５月31日に開示している。「SDGs経営ガイドP.22」には以下のように記されている。「経済合理性がないと判断され、取り残されている市場もあり、そこには未だ社会課題が多く残っていたりもする。そのような経済合理性のないマーケットに対しては、短期的視点ではなく長期的視点を持つことが非常に重要。経営者は長期的視点で意志を持って、自社の技術だけでは超えられない大きな社会課題に対し、他社を巻き込みながら、経済合理性を生み出すイノベーションを先導することが、世界的に求められているSDGs経営の姿勢なのではないか。」つまり、SDGS経営を目指す企業は、積極的に社会的課題の解決に取り組むことを通して取り残されてきた市場を新たに獲得することを目指すが、その際に経済合理性のないマーケットではあるかもしれないが、**経済的利益にこだわってはならないわけではなく**、むしろ経済合理性を生み出すイノベーションを起こしていくことを推奨している。

ウ　×：ソーシャルグッド（Social Good）とは、「地球環境や地域のコミュニティなど社会や世界に対してよい影響を与える活動や製品」「社会貢献度の高いサービス」「それらを支援する姿勢」の総称である。このような姿勢を持ったビジネスも行われているが、**本業への利益の還元を強く意識して実施されるものというわけではない**。

エ　×：製品やサービスの売り上げの一部を特定の社会的課題への支援に活用するマーケティング活動は、**コーズリレーテッド・マーケティングという**。このような活動を増やすほど当該課題に対する関心が高まり、企業の新規顧客の獲得やブランド・イメージの醸成につながりやすいことは正しい。メセナとは、文化や芸能、歴史的な遺産などを保護する活動である。

オ　×：P.コトラーらは、マーケティング（のコンセプト）は時代の変遷とともに変化してきていることを示し、現在はマーケティング5.0の時代であるとしている。

（マーケティング1.0）

「製品中心のマーケティング」といわれ、はるか昔の工業化時代のマーケティングであり、生産した製品をすべての潜在的消費者に売り込むことがマーケティングであった。
（マーケティング2.0）
「消費者志向のマーケティング」といわれ、消費者が十分な情報を有しており、類似の製品との比較も容易に行うことができる。よって、他社よりも優れた製品を開発する必要があるとするものである。
（マーケティング3.0）
「価値主導のマーケティング」といわれ、消費者を単なる消費者として見るのではなく、世界をよりよい場所にしたいと願う存在であり、製品やサービスに対して機能的、感情的な充足だけでなく、精神の充足も求めているとするものである。
（マーケティング4.0）
ソーシャルメディアの爆発的な普及により、企業と消費者という縦の関係だけでなく、消費者同士の横のつながりなども踏まえて考える必要があり、オンライン交流とオフライン交流を一体化させる必要があるとするものである。
（マーケティング5.0）
AI、拡張現実（AR）、仮想現実（VR）といった、ネクストテクノロジーといわれる技術を活かして顧客との接点において価値を生み出していくことが重要であるとするものである。
ソサイエタル・マーケティングとは、企業が行うマーケティング活動によって地域環境や社会に対して悪い影響が生じてしまわないようにするという、社会的利益を考慮したマーケティング活動のことである。よって、この考え方はP.コトラーらが提唱するマーケティングコンセプトでいえば、**マーケティング3.0と対応する**。なお、1.0から5.0までのコンセプトは、まったく相反するというわけではない。コトラーも、特にマーケティング5.0は3.0と4.0の両方の要素を含んでいると述べている。
よって、**ア**が正解である。

設問2 ●●●
サステイナブルな消費行動に関する問題である。
ア　○：正しい。サステイナブルな社会とは、持続可能な社会ということである。より具体的には、人間・社会・地球環境が持続可能な社会ということができる。昨今は、企業側がこのような社会を実現することを謳うメッセージを発信することも少なくない。そして、多くの消費者はこうしたメッセージに対して好意的な態度を示すが、実際にサステイナブルな行動を採る消費者はそれよりも少ない。この態度と行動のギャップを自然な形で埋めるための仕組みをつくることが重要であり、ブリティッシュ・コロンビア大学のホワイトらは、「SHITフレームワーク」の活用を提唱している。これは、サステイナブルな消費行動に影響を及ぼす要因を「社会的影響」「習慣形成」「個人的自己」「感情と認知」「具体性」の5つに整理するものである。つまり、世の中の常識、日常生活における習慣、自分らしさや自分にとっての利益、感情の状態、情報への接触と学習、問題の具体性やわかりやすさなどが、サステイナブルな消費行動を実現するために影響するとしている。

イ　×：製品の使用価値とは、文字通り製品を使用することに価値があるということであり、製品の所有価値とは、製品を所有していることに価値があるということである。つまり、使用価値を重視する考え方の場合には、使用することによって満たせるニーズがあり、それを満たすために製品を購入するため、真に必要なものを購入することになる。よって、**サステイナブルな消費行動を促すという点でいえば、所有価値よりも使用価値を重視させるマーケティングが有効になる。**

ウ　×：製品を購入する際に、できるだけ地球環境に配慮した製品を選択しようとする考え方は、**グリーン・コンシューマーリズムという**（ソーシャリズムは社会主義の意である）。グリーン・コンシューマーリズムの考えに沿って行動する消費者をグリーン・コンシューマーということは正しい。

エ　×：クイーンズランド大学のゴンザレス - アルコスらは、サステイナブルな消費行動を促すための今日におけるアプローチの主流が、個々の消費者の行動を変えることを目指すものであるとしている。しかしながら、①サステイナブルの問題は複雑な社会システムに埋め込まれた社会全体の問題であるにも拘わらず、消費者の行動を変えることばかりが強調されている、②気候変動や貧困などさまざまな社会問題について、その責任が個々の消費者に負わされている、という2つの問題があることを指摘している。そしてこのような問題が生まれる背景に、リスクや問題を最小化するには個人が対策をとるべきであるという「レスポンシビライゼーション」があるとしている。そして、社会的な問題を個人の責任へと転嫁するアプローチは、当然、人々の反発を招くことになると述べている。よって、レジ袋の有料化のように社会的課題を消費者個人の責任へと転嫁するアプローチは、一人ひとりの意識や行動が大切であると理解を示す消費者もいるが、まったく関心を持たない、あるいはむしろ反対の考えを持つ消費者もいる。レジ袋の有料化についても、本当に効果があるのかなど懐疑的な消費者も少なくない。いずれにしても、**消費者に支持されやすいとは言い難く、反発を生じさせないということもない。**

よって、**ア**が正解である。

第37問

パッケージに関する問題である。

ア ×：アフォーダンスとは、アメリカの知覚心理学者ジェームズ・J･ギブソンが提唱したものであり、環境のさまざまな要素が人間や動物に影響を与えることで、感情や動作が生まれることである。たとえば、ドアを見た際に、ノブがなく平らな金属片が付いた扉は、その平らな場所を押せばよいことがわかり、引き手のついた引き出しは、引けばいいことがわかる。つまり、その形（デザイン）によって使い方を理解することができる。よって、アフォーダンスのルールをうまく取り入れたパッケージデザインは、その製品をどのように利用するのかを示唆するため、**利便性を高めることができるといえる**。また、地球環境に配慮する行動を自然に促せる可能性もある。たとえば、パッケージの材質やデザインなどによって、どのように処分すべきかといったことが示唆されれば､適切な処分につながる可能性が高まる。

イ ○：正しい。グローバル市場での製品導入を目指す企業では、パッケージに特定の国で隠語的な意味を持ってしまう言語や記号、表現を用いてしまうと、その国でしか意味が通じないことになるため、そのような表現は避ける必要がある。また、ブランド要素の移転可能性とは、さまざまな製品に移転可能（結果として、ブランド拡張がしやすい）、さまざまな地域に移転可能（海外展開の際にもそのまま使用できるなど）といったことであるため、このようなブランド要素を使用することが有効になる。

ウ ×：リーダー企業の戦略定石として､競合他社が採ってきた差別化戦略を模倣し、その差別化を無効化するというものがある。よって、**チャレンジャーやフォロワーといった競合他社のパッケージと類似のデザインを採用することがある**。

エ ×：パッケージのデザイン開発の現場では、従来型のアンケート調査に加え、アイトラッキング調査（消費者の視線の動きを解析する）やAI分析を用いた精度の高い調査データが得られるようになっていることは正しい（より科学的な分析に基づいたパッケージデザインの開発が行われるようになってきている）。しかしながら、**パッケージのリニューアルなどの意思決定において、マーケターの判断が不要になっているわけではない**。マーケターの経験や分析も合わせることで、より有効なパッケージのリニューアルが可能になる。

よって、**イ**が正解である。

令和4年度問題

令和4年度問題

第1問　★重要★

企業の多角化に関する記述として、最も適切なものはどれか。

ア　C.マルキデスによると、第二次世界大戦後の米国企業では、多角化の程度が一貫して上昇しているとされる。

イ　R.ルメルトや吉原英樹らの研究によると、多角化の程度が高くなるほど、全社的な収益性（利益率）が上昇する関係があるとされる。

ウ　R.ルメルトや吉原英樹らの研究によると、多角化の程度が高くなるほど、全社的な成長性が低下する関係があるとされる。

エ　伊丹敬之によると、１つの企業で複数の事業を営むことで生じる「合成の効果」には、相補効果と（狭義の）相乗効果の２種類があるとされる。そのうち、物理的な経営資源の利用効率を高めるものは、（狭義の）相乗効果と呼ばれる。

オ　関連多角化を集約型（constrained）と拡散型（linked）に分類した場合、R.ルメルトの研究によると、拡散型より集約型の方が全社的な収益性（利益率）が高い傾向にあるとされる。

第2問　★重要★

ボストン・コンサルティング・グループ（BCG）が開発した「プロダクト・ポートフォリオ・マネジメント」（以下「PPM」という）と、その分析ツールである「プロダクト・ポートフォリオ・マトリックス（または「成長－シェア・マトリックス」）」に関する記述として、最も適切なものはどれか。

ア　PPMでは、「金のなる木」で創出した資金を「花形」に投資して、次世代を担う事業を育成することが、最適な企業成長を図る上での中核的なシナリオとして想定されている。

イ　PPMでは、「負け犬」に位置づけられる事業は「収穫（harvest）」ないし「撤退（withdraw）」の対象とすることが、望ましいとされる。

ウ　PPMは企業における事業のポートフォリオを検討する手段であることから、そこでは、ヒト、モノ、カネといった経営資源に関する事業間のシナジーは、考慮されない。

エ　プロダクト・ポートフォリオ・マトリックスの縦軸は、当該企業の各事業（戦略事業単位（SBU））の成長率で構成される。

オ　プロダクト・ポートフォリオ・マトリックスの横軸は、各事業（戦略事業単位（SBU））が属する業界の集中度を示すエントロピー指数で構成される。

第3問　★重要★

組織内外の環境を分析するための枠組み（フレームワーク）に関する記述として、最も適切なものはどれか。

ア　「PESTフレームワーク」では、企業を取り巻く外部環境を、政治、経済、社会、技術の観点から分析する。

イ　「VRIOフレームワーク」によると、経営資源について、経済的価値が認められるか、希少性が高いか、模倣が困難であるか、その経営資源を活用できる組織能力があるか、という条件のうち、１つでも満たされていれば持続的競争優位に資する経営資源と判断される。

ウ　「戦略分析の３C」はマーケティング環境を分析するための枠組みであり、資本、顧客、競合に着眼して分析を行う。

エ　M.ポーターが提示した「価値連鎖（Value Chain）」は、価値がどの機能で生み出されるかを可視化する分析枠組みであり、購入物流、製造、出荷物流、サービスなどの主要活動と、技術開発、人事・労務管理、調達活動、販売・マーケティングなどの支援活動から構成される。

オ　M.ポーターによる「５つの競争要因（Five Forces）」は、当該業界の成長性を決定する諸要因である。

第4問　★重要★

次の文章を読んで、下記の設問に答えよ。

消費財を生産・販売するX業界における市場シェア（占有率）は、以下のとおりである。

A社　45%
B社　30%
C社　15%
D社　10%

なお、B社はA社と比較して市場シェアでは劣るものの、製品技術の面では、X業界でA社と対抗できるだけの経営資源を保有している。

設問1 ●●● ★重要★

X業界におけるB社の相対市場シェアとして、最も適切なものはどれか。なお、小数点第３位を四捨五入とする。

ア　0.30
イ　0.33
ウ　0.67
エ　1.50
オ　2.00

設問2 ●●●

X業界におけるB社の市場地位や状況を前提とした場合、B社の戦略として最も適切なものはどれか。

ア　A社から市場シェアを奪取しようとする場合には、経営資源を、すべての市場セグメントに偏りなく投入するのではなく、特定の市場セグメントに集中的に投入する。
イ　A社よりも低価格の製品を供給するフォロワーとして、A社からの攻撃を回避する。
ウ　A社をはじめとする競合企業への同質化によって、市場シェアの拡大を図る。
エ　B社の市場地位を利用して、小売店でのシェルフ・スペースの確保を、A社をはじめとする競合企業よりも有利に進める。
オ　規模の経済や経験曲線効果を利用して、A社をはじめとする競合企業に対するコスト面での優位性を確立する。

第５問

M&A（企業の合併・買収）に関する記述として、最も適切なものはどれか。

ア　TOBとは、買収コストを充足するために、買収する企業の資産や買収後のキャッシュフローを担保として借入金を調達し、企業買収を行う手法である。
イ　黄金株とは、会社の合併などの重要な決議事項について、株主総会で拒否権を行使できる株式であり、敵対的買収に対する防衛策となる。

ウ　カーブアウトとは、敵対的買収の対象となる企業の経営者が、買収される前に会社の魅力的な資産を売却して、敵対的買収の意欲を削ぐ買収防衛策である。

エ　コントロール・プレミアムとは、企業の経営陣が企業の所有者から株式などを買い取り、経営権を取得することで生じる1株当たりの価値の上昇分を指す。

第6問

ある企業では、近隣農家からブドウを仕入れて、仕入れたブドウだけを使って自社でワインを製造し、製造したワイン全量を近隣の酒販店に卸売りしている。この企業の垂直統合に当たる行動として、最も適切なものはどれか。

ア　近隣農家からの仕入れが不安定であることの対策として、ブドウが収穫される半年前に仕入価格を決定し、その価格で買い取ることにした。

イ　販売戦略を見直し、製造したワイン全量を近隣の酒販店に販売することを止めて、製造したワインの半分を遠方の酒販店に販売することにした。

ウ　販売戦略を見直し、製造したワインの一部を自社で運営するWebサイトで消費者に直接販売することにした。

エ　ワインケーキ需要の拡大を受けて、自社で製造したワインをワインケーキの製造業者に原料として販売することにした。

オ　ワイン需要が堅調なことを受けて、近隣農家からのブドウの仕入れを増やし、生産能力向上のための設備投資を行った。

第7問　★重要★

ファミリービジネスの4Cモデルは、Continuity（継続性）、Community（同族集団）、Connection（良き隣人であること）、Command（自由な行動と環境適応）という4つを重要な要素とするものである。4Cモデルに関する記述として、最も適切なものはどれか。

ア　4Cモデルは、4つの要素の中で自社の特徴を最も発揮できる要素を発見し、それを強化するためのものである。

イ　4Cモデルは、家族、企業の所有者、経営者など複数の属性を持つ構成員から成り立つファミリービジネスの複雑な利害関係を解決するためのものである。

ウ　4Cモデルは、競争優位の確立とファミリー固有のビジョンや目標を両立させるためのものである。

エ　4Cモデルは、所有と経営を分離する過程で、ファミリービジネスの長所を維持するためのものである。

オ　4Cモデルは、それぞれの要素にプラスの側面とマイナスの側面があることを認めたものである。

第8問　★重要★

次の文章の空欄に入る記述として、最も適切なものを下記の解答群から選べ。

エフェクチュエーションは、S.D.サラスバシーが経験豊富な起業家の行動から抽出した実践的なロジックである。

エフェクチュエーションは、［　　　］である。

［解答群］

ア　成功と失敗の確率が事前に分かっている場合に有効

イ　特定の事業機会における競合分析や市場分析を行う場合に有効

ウ　どのような環境に注目し、どのような環境を無視すべきかが不明瞭な場合に有効

エ　目的からさかのぼって手段を考えることができる場合に有効

オ　目的の選好順位が明確な場合に有効

第9問

C.M.クリステンセンの『イノベーションのジレンマ』(The Innovator's Dilemma)に関する記述の正誤の組み合わせとして、最も適切なものを下記の解答群から選べ。

a　破壊的技術が登場した初期段階においては、破壊的技術を利用した製品の性能の方が持続的技術を利用した製品の性能よりも低い。

b　破壊的技術が登場した初期段階においては、破壊的技術を利用した製品市場の方が持続的技術が対象とする製品市場よりも小規模である。

c　破壊的技術が登場した初期段階においては、破壊的技術を利用した製品の方が持続的技術を利用した製品よりも利益率が低い。

[解答群]

ア	a：正	b：正	c：正
イ	a：正	b：誤	c：正
ウ	a：誤	b：正	c：誤
エ	a：誤	b：誤	c：正
オ	a：誤	b：誤	c：誤

第10問 ★重要★

野中郁次郎が提唱した知識創造理論に基づいて、組織的な知識創造を阻害したり促進したりする要因に関する記述として、最も適切なものはどれか。

ア 経営者の主観的な思いは、組織的な知識創造を阻害する。

イ 組織構成員に自律性を与えると、全体の統制が取れなくなるので、組織的な知識創造は阻害される。

ウ 組織構成員に当面必要のない仕事上の情報を重複して共有させると、コミュニケーションに混乱が生じるので、組織的な知識創造は阻害される。

エ 組織構成員に複数の役割を経験させ、多面的に物事を考えさせるようにすると、組織的な知識創造は促進される。

オ 組織構成員間で暗黙知が共有できるまで、外部組織とはできるだけ接触させない方が、組織的な知識創造は促進される。

第11問

企業が海外に進出する際の形態に関する記述として、最も適切なものはどれか。

ア 完全子会社を新設し、海外市場に進出する形態をブラウンフィールドと呼び、1980年代に日本企業が海外に進出するとき、この方法が多用された。

イ 企業が他の国の会社を買収することをクロスボーダー企業買収と呼び、海外進出形態の中で最も時間のかかる参入方法である。

ウ 戦略的提携による海外進出とは、提携に参加するすべての企業が出資をした上で、進出国のパートナーと進出国で事業を行うことである。

エ ライセンス契約で海外進出をする場合、契約が失効した後、ライセンシーがライセンサーの競合企業となるリスクがある。

第12問

次の文章の空欄に入る記述として、最も適切なものを下記の解答群から選べ。

ISO（国際標準化機構）は、企業の社会的責任（CSR）に関する国際規格であるISO26000を2010年に発行した。ISO26000は、[　　　]。

[解答群]

ア　ISO独自の規格であり、日本産業規格（JIS）には対応する規格が存在しない

イ　環境マネジメントの規格であるISO14000のように、マネジメント・システムに関する認証規格である

ウ　業種を問わず利用できるガイダンス規格である

エ　その特性から、売上高10億米ドル以上の企業に限定して適用される

オ　その特性から、株式会社に限って適用される

第13問　★重要★

経営組織の形態と構造に関する記述として、最も適切なものはどれか。

ア　事業部制組織では事業部ごとに製品－市場分野が異なるので、事業部を共通の基準で評価することが困難なため、トップマネジメントの調整負担が職能部門別組織に比べて大きくなる。

イ　職能部門別組織は、範囲の経済の追求に適している。

ウ　トップマネジメント層の下に、生産、販売などの部門を配置する組織形態が職能部門別組織であり、各職能部門はプロフィットセンターとして管理される必要がある。

エ　マトリックス組織では、部下が複数の上司の指示を仰ぐため、機能マネジャーと事業マネジャーの権限は重複させておかなければならない。

オ　命令の一元化の原則を貫徹する組織形態がライン組織であり、責任と権限が包括的に行使される。

第14問

C.I.バーナードは組織における個人の権威の受容について、無関心圏（zone of indifference）が重要な役割を果たすとしている。無関心圏に関する記述として、最も適切なものはどれか。

ア　個人にとって受容可能な命令が継続的に発せられると、次第に無関心圏の範囲が狭くなっていく傾向がある。

イ　個人にとって無関心圏にある職務は無視され、遂行される可能性が低くなるので、無関心圏をいかに小さくするかが組織の存続にとって重要になる。

ウ　個人の無関心圏に属する命令は、権威の有無を問われることなく受容される傾向がある。

エ　無関心圏にある職務に対しては、個人のコミットメントは低くなるから、無関心圏の存在は組織の存続にとって負の影響を与える。

オ　無関心圏にある職務を個人に遂行してもらうためには、個人の貢献を大きく上回る誘因を提供する必要がある。

第15問　★重要★

組織セットモデルにおける渉外担当者（boundary personnel）の概念と機能に関する記述として、最も適切なものはどれか。

ア　渉外担当者は、組織内外の接点に位置するゲートキーパーとしての役割を持つため、組織革新の誘導者となることもある。

イ　渉外担当者は、その組織の顔として組織を代表するものであるから、法的な代表権を有する必要がある。

ウ　渉外担当者は、他組織の脅威から当該組織を防衛するという境界維持機能を果たすため、外部環境とは距離を置き、組織内のメンバーと同質性を保つ必要がある。

エ　渉外担当者は、自らは不確実性を処理する権限を持たず、外部環境の状態や変化を組織内に正確に伝える役割を果たす必要がある。

オ　渉外担当者を通じた組織間関係は、市場関係を通じた調整ではなく、権限関係を通じた調整によって維持される。

第16問　★重要★

動機づけ理論に関する記述として、最も適切なものはどれか。

ア　期待理論では、職務成果と報酬とのつながりが明確な場合に報酬の魅力度が高まりやすいことを根拠として、人事評価制度の透明性が仕事に対する従業員のモチベーションを高めると考える。

イ　公平理論では、従業員間で報酬に関する不公平感が生まれないように公正に処遇することで、仕事の量と質を現状よりも高めるように従業員を動機づけられると考える。

ウ　動機づけ・衛生理論（二要因理論）では、職場の物理的な作業条件を改善することは、仕事に対する従業員の不満を解消するための方法として有効ではないと考える。

エ　D.C.マクレランドの欲求理論では、達成欲求の高い従業員は、成功確率が低く挑戦的な目標よりも、成功確率が中程度の目標の方により強く動機づけられると考える。

オ　D.マグレガーが「X理論」と命名した一連の考え方では、人間は生来的に仕事が嫌いで責任回避の欲求を持つため、やりがいが強く感じられる仕事を与えて責任感を育てる必要があると考える。

第17問

組織における政治的行動を「公式の役割の一部として求められるものではないが、組織における利益と不利益の分配に影響を及ぼす、もしくは影響を及ぼそうと試みる諸活動」と定義する場合、組織における政治的行動に関する記述として、最も不適切なものはどれか。

ア　経営幹部層が自己利益を追求して政治的駆け引きを行うことは、そうした行動が組織内で許容されることを従業員に暗示することで、政治的行動を助長する組織風土を醸成しやすい。

イ　経営資源の配分パターンの再編を伴う組織変革において、既得権益を失う恐れのある従業員は、自己防衛のための政治的行動に動機づけられる傾向がある。

ウ　従業員に公式に与えられた役割が曖昧であり、従業員の行動についての規定が明確でない場合、従業員が政治的行動に従事できる余地は大きくなる。

エ　従業員の昇進を巡る意思決定のプロセスでは、限られた昇進の機会を巡って、自らに有利な決定が下されるように影響力を及ぼそうとする政治的行動が従業員間で生じやすい。

オ　組織において報酬を従業員に分配する場合に、ゼロサムの分配基準を用いると、従業員間での勝ち負けが曖昧になるので、従業員は政治的行動に動機づけられやすくなる。

第18問　★ 重要 ★

組織のライフサイクル仮説によると、組織は発展段階（起業者段階、共同体段階、公式化段階、精巧化段階）に応じた組織構造、リーダーシップ様式、統制システムをとる。また、組織の発展段階に応じて、組織で支配的となる有効性（組織がその目標を達成した程度）の指標は変化すると考えられる。

組織の発展段階の名称と、各段階で支配的な組織の有効性指標に関する記述の組み合わせとして、最も適切なものを下記の解答群から選べ。

【組織の発展段階】

a　起業者段階

b　共同体段階

c　公式化段階

d　精巧化段階

【組織の有効性指標に関する記述】

①　この段階では、人的資源の開発が有効性指標として重要となり、経営者のリーダーシップの下で職場集団の凝集性とモラールを高めることが追求される。

②　この段階では、資源獲得と成長が組織の有効性指標として特に重視され、顧客や金融機関などの利害関係者と良好な関係を築くことに中心的な価値が置かれる。

③　この段階では、組織の安定性と統制、ならびに組織の生産性が支配的な有効性指標となり、情報管理システムや業務上の規則と手続きが組織内で広く整備される。

④　この段階では、組織の安定性と統制、ならびに組織の生産性と人的資源の開発を重視しつつ、新たな環境適応のための資源獲得と成長が追求される。

［解答群］

ア　a－①　b－②　c－③　d－④

イ　a－①　b－④　c－②　d－③

ウ　a－①　b－④　c－③　d－②

エ　a－②　b－①　c－③　d－④

オ　a－②　b－①　c－④　d－③

第19問　★重要★

組織均衡を維持するのに必要な資源と、実際にその組織が保有している資源の差を組織スラック（organizational slack）という。組織スラックに関する記述として、最も適切なものはどれか。

ア　好況時には、組織スラックを増やすことを通じて、組織参加者の満足水準が上昇することを抑制できる。

イ　組織スラックが存在しない場合、革新案を探索する際にリスク志向的になる。

ウ　組織スラックが存在すると、部門間のコンフリクトが激化する。

エ　組織スラックは、組織革新を遂行するための資源とはならないが、環境変化の影響を吸収するバッファーとしての役割を持つ。

オ　不況期には、組織スラックを組織参加者に放出することによって、短期的に参加者の満足水準を低下させることができる。

第20問

共通の組織形態を持つ組織個体群と環境の関係を分析する理論に、個体群生態学モデル（population ecology model）がある。このモデルは組織個体群の変化を、「変異（variation）－選択・淘汰（selection）－保持（retention）」という自然淘汰モデルによって説明する。個体群生態学モデルに関する記述として、最も適切なものはどれか。

ア　既存の組織形態を保持しようとする力が強ければ、新たな組織形態が生まれる可能性は低くなる。

イ　個体群生態学モデルでは、環境の変化に対して自らの組織形態を柔軟に変化させて対応できる組織群が選択され、長期にわたって保持されることを示唆する。

ウ　組織内の部門が緩やかな結合関係にある場合、変異が生じる可能性が高くなるが、保持されている既存の組織形態の存続の可能性は高くなる。

エ　変異段階で新たに生まれる組織個体群は、既存の組織から派生してくるケースは少なく、独立した企業者活動を通じて生み出される。

オ　変異によって生まれた組織個体群は、政府などによる規制や政策によって選択・淘汰されるが、規制が緩和されれば保持される組織形態の多様性は減少する。

第21問　★ 重要 ★

仕事へのモチベーションを高めるための職務再設計の方法と、従業員の柔軟な働き方を可能にする勤務形態に関する記述として、最も適切なものはどれか。

ア　顧客と直接的な関係性を築けるように従業員の職務を設計することは、従業員が自らの職務の実績を自律的に評価できる機会につながるため、仕事へのモチベーションを高めるのに有効である。

イ　職務拡大とは、仕事の流れに従って従業員が担当するタスクの数を量的に増やすことではなく、より大きな責任と権限を従業員に与えることで、仕事へのモチベーションを高めることを指す。

ウ　ジョブシェアリングでは、個人的な事情に応じて従業員が勤務時間を自由に設定できる権利を保証するため、フルタイムでの勤務が困難な子育て中の従業員の雇用機会を広げることができる。

エ　ジョブローテーションとは、職務の垂直的な拡大を通じた専門職人材の育成を目的として、より高度な技能と責任が求められる職務に従業員を配置転換することである。

オ　フレックスタイム制の欠点とは、他部門との関わりが限定され自部門内で完結する職務に従事する従業員に適用することができない点である。

第22問

人事評価における評価基準と評価者に関する記述として、最も適切なものはどれか。

ア　360度評価では、評価者からのフィードバックの客観性を高めるために、従業員が所属している部門内の直属の上司、同僚、部下に範囲を絞って評価者を設定することが望ましい。

イ　コンピテンシー評価とは、優れた業績をあげるための知能や性格といった従業員の潜在的な特性に基づいて、従業員の職務成果を評価する手法を指す。

ウ　従業員に自らの職務成果を自己評価させることには、従業員と上司との間で職務成果に関する議論が活発になる利点がある。

エ　上司の職務成果を直属の部下に評価させる場合は、不正確な評価を行った部下に対して上司が指導を事後的に行えるように、記名式で評価させることが望ましい。

オ　組織におけるエンパワーメントの考え方に従えば、従業員の職務成果の評価者を直属の上司に限定し、従業員による自己評価の機会を認めるべきではない。

第23問　★ 重要 ★

労働基準法の定めに関する記述として、最も適切なものはどれか。

ア　使用者により明示された労働条件が事実と相違する場合に、労働者が労働契約を解除するためには、労働契約を解除する日の30日前までにその予告をしなければならないと規定されている。

イ　使用者は、労働時間が6時間を超える場合においては少なくとも45分、8時間を超える場合においては少なくとも1時間の休憩時間を労働時間の途中に与えなければならないと規定されている。

ウ　使用者は、労働者が労働時間中に、選挙権その他公民としての権利を行使し、または公の職務を執行するために必要な時間を請求した場合においては拒んではならず、選挙権の行使は国民の重要な権利であるから、その時間の給与は支払わなければならないと規定されている。

エ　労働基準法で定める労働条件の基準に達しない労働条件を定めた労働契約は、当該基準に達しない部分のみならず、労働契約全体が無効となると規定されている。

第24問　★ 重要 ★

就業規則に関する記述として、最も適切なものはどれか。

ア　就業規則で、労働者に対して減給の制裁を定める場合においては、その減給は、1回の額が平均賃金の1日分の半額を超え、総額が一賃金支払期における賃金の総額の10分の1を超えてはならない。

イ　常時10人以上の労働者を使用する使用者が作成する就業規則に記載する事項について、退職手当の定めをしない場合には、解雇の事由を含めて、退職に関する事項を記載する必要はない。

ウ　常時10人以上の労働者を使用する使用者が就業規則を作成して届出をする際には、当該事業場に労働組合がない場合は、当該事業場の労働者の過半数を代表する者が当該就業規則の内容に同意した旨を記載した書面を添付しなければならない。

エ　使用者は、就業規則を常時各作業場の見やすい場所へ掲示し又は備え付けることによって周知しなければならない。就業規則を確認できるパソコン等を常時各作業場に設置して周知する場合には、別途、労働者に対して就業規則を書面にて交付しなければならない。

第25問

労働基準法における災害補償又は労働者災害補償保険法の定めに関する記述として、最も適切なものはどれか。

ア　業務上負傷し労働者災害補償保険法に基づく休業補償給付を受ける労働者に対しては、使用者は、休業の初日から労働基準法第76条の規定による休業補償を行う必要がない。

イ　労働基準法第75条第２項において厚生労働省令で定めることとされた業務上の疾病には、細菌、ウイルス等の病原体による疾病の一つとして、「患者の診療若しくは看護の業務、介護の業務又は研究その他の目的で病原体を取り扱う業務による伝染性疾患」がある。

ウ　労働者が、通勤の経路を逸脱している間に負傷した場合でも、当該逸脱が日用品の購入のために行う最小限度のものであれば、通勤災害として労働者災害補償保険法に基づく保険給付が行われる。

エ　労働者災害補償保険法に基づく障害補償給付に関する障害等級は、重い方から第１級から第14級まで定められており、障害等級第１級から第７級までに該当する場合には障害補償一時金が支給され、障害等級第８級から第14級に該当する場合には障害補償年金が支給される。

第26問

労働組合法の定めに関する記述として、最も適切なものはどれか。

ア　労働組合が特定の事業場に雇用される労働者の過半数を代表する場合において、その労働者がその労働組合の組合員であることを雇用条件とする労働協約を締結することは、不当労働行為に該当するため認められない。

イ　労働組合と使用者又はその団体との間の労働条件その他に関する労働協約は、その内容が労働者と使用者との労働契約の内容になるため、当事者が署名又は記名押印した書面を作成することなく当事者の口頭によって交わされたものであっても労働協約としての効力を生ずる。

ウ　労働組合の代表者又は労働組合の委任を受けた者は、労働組合又は組合員のために使用者又はその団体と労働協約の締結その他の事項に関して交渉する権限を有する。

エ　労働者が労働組合を結成し、もしくは運営することを支配し、もしくはこれに介入すること、又は労働組合の運営のための経費の支払につき経理上の援助を与えることは、使用者が行ってはならない不当労働行為に当たるため、使用者は、労働者が労働時間中に時間又は賃金を失うことなく使用者と協議し、又は交渉することを許してはならない。

第27問　★重要★

消費者行動における準拠集団に関する記述として、最も適切なものはどれか。

ア　準拠集団とは、消費者の評価や願望、行動に重要な影響を及ぼす実在または想像上の集団を指す。実在する特定の個人から受ける影響は、準拠集団による影響には含まれない。

イ　準拠集団は、実際の知り合いから構成される集団と、自らが所属していないが憧れを抱いている集団とに分類することができる。前者は所属集団、後者は理想集団と呼ばれる。

ウ　消費者が準拠集団から受ける影響の１つに、行動や価値観の伝播がある。これは、準拠集団に属する人々と似た行動をとったり、同じブランドを購入したりすることなどを指し、価値表出的影響と呼ばれる。

エ　消費者が準拠集団から受ける影響の１つに、情緒の伝播がある。これは、準拠集団に属する人々の感情に共感することによる影響であり、功利的影響と呼ばれる。

第28問

ブランドに関する記述として、最も適切なものはどれか。

ア　既存ブランドの下で分野や用途、特徴などが異なる新製品を発売することをブランド拡張と呼び、流通側から見た場合にはさまざまなメリットがある。しかしメーカー側から見ると、ブランド拡張には当該新製品が失敗した場合に既存ブランドを毀損（きそん）するリスクがある一方で、メリットは特にない。

イ　自社ブランドの競合ブランドからの差異化を目指す相対的側面と、消費者から見て自社ブランドに他にはないユニークな価値を持たせる絶対的側面とは、どちらもブランドのポジショニング戦略に含まれる。

ウ　製品カテゴリーなどを提示し、当該カテゴリー内で思いつくすべてのブランドを白紙に書き出してもらう調査により、ブランドの純粋想起について調べることができる。これに対して、ブランド名を列挙し、その中で知っているものをすべて選択し回答してもらう調査は精度が低いため、得られる結果の信頼性も低い。

エ　ブランドとは、消費者の記憶に明確に保持されている最終製品の名称を指す。製品の中に使用されている部品や素材などにも名称が付けられていることがあるが、これらはブランドではない。

オ　ブランドは、ナショナル・ブランド（NB）とプライベート・ブランド（PB）に分けることができる。PBは大手小売業などの流通業者が開発し製造・販売するもので大手メーカーは関わらないため、PBの売り上げが増えるほどNBを展開する大手メーカーの売り上げは減少する。

第29問　★重要★

次の文章を読んで、下記の設問に答えよ。

T社が製造し販売する製品は、プライベートでもオフィスでも着ることができるカジュアルな衣料ブランドとして、ターゲットである20代～30代前半の女性を中心に人気を集めている。しかし、近年の新型コロナウイルス感染症（COVID-19）の影響により、人々のプライベートでの外出機会が減り、同時に勤務形態にもリモートワークが普及したため、T社では①消費者が同社製品に対して感じる価値やその価格の意味について、改めて調査を行う必要を感じている。同社では、このような調査を通じて当該製品の②価格について見直す必要があるかもしれないと考えていた。

設問1　★重要★

文中の下線部①に関する記述として、最も適切なものはどれか。

ア　同じ製品でも、その製造プロセスなどに消費者を巻き込んでいくことを通じて、より高い価値を感じてもらうことが可能である。この場合、結果としてより高い価格で買ってもらうこと以外に、価格を据え置くことによって、より高い顧客満足を感じてもらうという選択肢もある。

イ　消費者が価格に対して感じる意味とは「支出の痛み」であるから、価格が下がれば支出の痛みは和らぎ、価格が上がれば支出の痛みは強くなる。このため日用品の分野では、通常は価格を上げれば売り上げは低下する。このような財は「ギッフェン財」と呼ばれる。

ウ　消費者が製品が提供する価値に対して支払ってもよいと感じる価格は状況によって異なることがあるが、一物一価の原則により、同一製品に異なる価格をつけることは禁止されている。

エ　消費者が製品の品質を判断するために用いる情報はブランドではなく価格である。このため、どのような価格を設定するかは、消費者の品質判断に強い影響を及ぼす。

オ　プレステージ性が高いラグジュアリー・ブランドでは、価格が上がることによって、より高い価値を感じる消費者もいる。この理由は、プロスペクト理論によって説明することができる。

設問2　★重要★

文中の下線部②に関する記述として、最も適切なものはどれか。

ア　企業が製品につける価格を通じて消費者にメッセージを送ることを、価格シグナリングと呼ぶ。例えば、実際には低品質なのに高価格をつけることにより高品質であるように見せることは価格シグナリングに含まれるが、製品にセール価格をつけることは価格シグナリングではない。

イ　消費者が特定の製品に関して感じる価格幅の中間値を留保価格と呼び、企業は自社のそれぞれの製品の留保価格を考慮して実際の価格を設定することが望ましい。

ウ　浸透価格とは、一般的には一気に市場シェアを獲得するためにつけられる低価格を指し、市場シェアを獲得するためには、慢性的に赤字を出すほどの低価格をつける。

エ　別々の製品をセットにして、個々の製品の合計価格より安く販売する価格アンバンドリングでは、セットで販売される製品の間に互換性があるほど、消費者のお買い得感が増す。

オ　本体と消耗品を組み合わせて使用する製品で、本体を低価格で、消耗品を高価格で販売することをキャプティブ・プライシングと呼ぶ。本体を低価格で販売することによる赤字を回収するためとはいえ、消耗品の価格を高く設定しすぎることは通常避ける必要がある。

第30問

流通チャネルの構造に関する記述として、最も適切なものはどれか。

ア　流通チャネルの開閉基準とは、メーカーが取引をする各流通業者にどれだけの数の商品を卸すかの尺度であり、当該地域におけるメーカーの出荷総額に占める卸・小売の販売シェアを意味する。

イ　流通チャネルの広狭基準とは、メーカーが特定地域内においてどれだけの数の小売企業を通じて自社の商品を販売するかの尺度であり、開放的流通、選択的流通、排他的流通に分けるために用いられる。

ウ　流通チャネルの長短基準とは、物流ルートの時間的・物理的長さに関する尺度であり、輸送と保管の機能を含めたロジスティクス全体の物流効率を考慮する際に用いられる。

エ　流通チャネルの付加価値基準とは、卸段階と小売段階においてどれだけの付加価値が生み出されているかに関する尺度であり、卸段階と小売段階の販売額の比率として算出される。

第31問

リレーションシップ・マーケティングに関する記述として、最も適切なものはどれか。

ア　パレートの法則とは、売上げの80%が上位20%の顧客によってもたらされるとする経験則であり、上位20%の顧客を重視することの根拠となるが、この法則が当てはまらない業界もある。

イ　リレーションシップ・マーケティングにおいて優良顧客を識別するために用いられる方法の１つにRFM分析があり、それぞれの顧客が定価で購買している程度（Regularity）、購買頻度（Frequency）、支払っている金額の程度（Monetary）が分析される。

ウ　リレーションシップには、さまざまな段階がある。ある消費者がブランドを利用した結果としての経験を他者に広めているかどうかは、実際には悪評を広めるリスクもあるため、リレーションシップの段階を判断する手がかりとしては用いられない。

エ　リレーションシップの概念は、B to Cマーケティングにおいて企業が顧客と長期継続的な関係の構築を重要視するようになったために提唱され始めた。これに対してB to Bマーケティングにおいては、企業間の取引は業界構造や慣行に大きく影響されるため、リレーションシップの概念は当てはまらない。

第32問

次の文章を読んで、下記の設問に答えよ。

新型コロナウイルス感染症（COVID-19）の影響により、さまざまな業界において消費者の需要が低迷する中、多くの企業が製品や①<u>サービス</u>を見直したり、新規事業を立ち上げたりすることによって、高い②<u>顧客満足</u>を達成し、新たな顧客を獲得しようと考えている。

設問1 ●●● ★重要★

文中の下線部①に関する記述として、最も適切なものはどれか。

ア　元来、メーカーにとって工場で生産した製品を流通業者に販売した時点でビジネスは終了することが多かったが、近年は最終消費者への販売後の使用や消費の場面を含めてビジネスを設計する必要性が説かれている。このような傾向は「製造業のサービス化」と呼ばれる。

イ　顧客がサービスを購入し対価を支払う時点を指して「真実の瞬間」と呼ぶが、このときサービスの品質やコストパフォーマンスに関する顧客の知覚が最も鋭敏になる。

ウ　サービスに対して消費者が感じる品質を知覚品質と呼ぶが、近年はスマートフォンのアプリなどを通じてデジタルで統一的にサービスが提供されることも多く、この場合はすべての消費者にとって知覚品質も一定となる。

エ　サービスの特徴として、無形性、不可分性、異質性などとともに消滅性がしばしば指摘されるが、近年のSNSの浸透などによって、サービス提供の場面が撮影・録画の上で共有されるケースが増えてきたため、消滅性の問題は解消されつつある。

オ　製品と同様にサービスにも、探索財、経験財および信用財がある。これらのうち信用財とは、サービス提供者の信用が特に重要となる高級ブランドや高価格のサービスなどを指す。

設問2 ●●● ★重要★

文中の下線部②に関する記述として、最も適切なものはどれか。

ア　企業が高い顧客価値の提供を通じて高い顧客満足を達成した場合、当該ブランドにロイヤルティを形成した顧客は真のロイヤルティを有する顧客であるから、その時点では、見せかけのロイヤルティを有する顧客が含まれる可能性は低い。

イ　顧客満足を高い水準に保つためには、サービスの現場においてスマートフォンのアプリによるアンケートなどを活用して顧客の意見や不満などを常に確認し、顧客の要望はすべて実現する必要がある。

ウ　これからあるサービスを利用しようと考えている消費者にとって、サービスの品質は事前に把握できるのに対して、サービスの満足は利用してみなければ分からないという点で異なっている。

エ　相互に競合するいくつかのブランドのサービスの中で、消費者が特定ブランドのサービスを長く利用することは、それだけで当該消費者がそのブランドに対して高い顧客満足を感じている指標となる。

オ　品質の測定に関して、製品の品質は物理的に測定可能なのに対し、人間によって提供されるサービスの品質を測定することは困難である。このようなサービスの品質を測定するための1つの尺度として顧客満足が用いられるが、製品の品質を測定するために顧客満足が用いられることはない。

第33問　★重要★

製品ライフサイクル（PLC）に関する記述として、最も適切なものはどれか。

ア　PLCの衰退期にある市場の顧客は一般的にロイヤルティが高いため、企業は当該事業を維持し続けることで、売り上げは小さくとも高い利益率を実現できる可能性は残されている。

イ　PLCの成長期において、通常、企業は自社製品の品質、特徴、パッケージといった特性に手を加えたり、自社のサービスに新しい利用シーンを提案したりして、顧客ニーズの多様性に合わせたマーケティング対応に努める。

ウ　PLCは製品や市場の動きを確実に予測する概念であるため、自社製品がこれからたどるであろう各段階の将来的なマーケティング戦略の策定に主に利用される。

エ　機能やデザインを付加した新製品を出すことで旧製品の魅力を下げ、新製品への買い替えを促進する計画的陳腐化は、当該製品カテゴリーのPLCを短縮することにつながるため、実行は避けるべきである。

オ　すべての製品やサービスがPLCの４つの段階すべてを型通りにたどるわけではなく、一度導入された製品やサービスが、はやったり廃れたりしながら何世代にも渡って続くような場合もある。こうしたPLCはファッドと呼ばれている。

第34問

次の文章を読んで、下記の設問に答えよ。

製品開発のリスクを少しでも低くするためには、市場環境を適切に把握した上で、効率的な開発プロセスが必要である。顧客ニーズの移り変わりが早く、競争の激しい今日の市場においては、①従来型の典型的開発プロセスにとらわれない②新たな開発プロセスが採用されることもある。

設問1

下図は、文中の下線部①を示したものである。図の中の空欄Ａ～Ｄに入る語句の組み合わせとして、最も適切なものを下記の解答群から選べ。

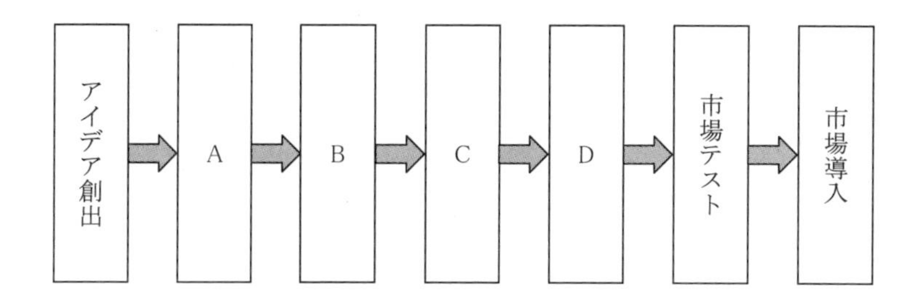

［解答群］

ア　A：アイデア・スクリーニング　B：コンセプトの開発とテスト
　　C：プロトタイプの開発　D：事業性の分析

イ　A：アイデア・スクリーニング　B：コンセプトの開発とテスト
　　C：事業性の分析　D：プロトタイプの開発

ウ　A：コンセプトの開発とテスト　B：アイデア・スクリーニング
　　C：プロトタイプの開発　D：事業性の分析

エ　A：事業性の分析　B：アイデア・スクリーニング
　　C：プロトタイプの開発　D：コンセプトの開発とテスト

オ　A：事業性の分析　B：コンセプトの開発とテスト
　　C：アイデア・スクリーニング　D：プロトタイプの開発

問題 4年度

設問2

文中の下線部②に関する記述として、最も適切なものはどれか。

ア　開発プロセスに社外の資源を求める動きが加速している中、従業員や研究機関、他の企業だけでなく、顧客を含む不特定多数の人々にまで広く分散して製品開発のプロセスに関わってもらう方法はユーザーイノベーションと呼ばれている。

イ　顧客の移り変わりと競争が激しい市場においては、企画、開発、マーケティング、財務、生産などの各段階を一つ一つ着実に完了させてから次の部門へ引き継いでいくというプロセスによって、製品の失敗や売り上げの機会損失を少なくすることができる。

ウ　他の組織と共同で製品開発を進める場合、自らの組織が有する技術やノウハウと他の組織が有する技術やノウハウとの補完性や適合性が重要視されるため、開発プロセスはシーズ志向よりもニーズ志向が重んじられる。

エ　多様な部門のメンバーが1つのチームを形成して、製品開発における複数のステップを同時に進める場合、さまざまな部門のメンバーがプロセスの全段階に同時進行で関わるため、従来型の典型的な開発に比べて、組織に緊張やコンフリクトが生じやすくなる。

第35問

近年のデジタル社会の進展は、デジタルに慣れ親しんだ世代を中心に、それ以前の世代の生活者とは異なる消費スタイルを形成しつつある。このような今日の新たな消費スタイルを特徴づける記述として、最も適切なものはどれか。

ア　移り気で気まぐれなソリッド消費
イ　カタチあるモノに対する執着
ウ　消費を通じての一貫したアイデンティティの形成
エ　脱物質主義
オ　長期的な所有を通じた商品やブランドへの愛着や安心感の獲得

第36問

地域ブランドに関する記述として、最も適切なものはどれか。

ア　地域空間のブランド化では、隣接する地域と連携することで相乗効果を発揮できることはあるが、飛び地など隣接していない地域との連携はブランドイメージが希釈されるため、協力し合うことはない。

イ　地域ブランドのコミュニケーションや販路拡大の実行を担当するのは、地域代理店や地域商社であり、これらはすべて地方自治体組織である。

ウ　地域ブランドは、地域自体を意味する地域空間ブランドと、地域が生み出すモノやサービスを意味する地域産品ブランドとに区別される。

エ　地域を他の全国の地域から差別化しブランド化を図るためには、地域の自然、遺跡、農畜産物、海産物などの多様な資源の中から全国でナンバーワンとなるような資源を見つけることが必須である。

オ　ブランド化を目指す地域産品を選定する際に行われる地域資源の棚卸しでは、外部者の目ではなく、その地域を熟知している地元住民の目を通して選定していくという作業が必要である。

第37問　★重要★

サービス・マーケティングに関する記述として、最も適切なものはどれか。

ア　「PCのメンテナンスサービス」「いつも笑顔でサービス満点」「３つ買ったら１つサービス」など、日本ではサービスという言葉がさまざまな場面で使われているが、これらの例はすべてサービス・マーケティングの文脈で用いられるサービスに該当する。

イ　経済のサービス化が進んでいる最大の要因として、消費者の所得が減少し、モノを購入できなくなっている状況が挙げられる。

ウ　サービスにおける品質の変動性を回避するためには、企業は顧客がサービスを体験する前に魅力的なプロモーションを実施し、サービスに対する期待値を均一に高めておくといった方法をとる必要がある。

エ　サービス品質の計測尺度の１つであるSERVQUALは有形性、信頼性、反応性、確実性、共感性の５つの変数で構成され、それぞれにおいて、サービス提供における事前と事後の差を計算し、サービス品質の評価が行われる。

令和 4 年度
解答・解説

令和4年度 解答

問題	解答	配点	正答率※
第1問	オ	2	B
第2問	イ	2	E
第3問	ア	3	B
第4問（設問1）	ウ	2	B
第4問（設問2）	ア	3	C
第5問	イ	3	B
第6問	ウ	3	B
第7問	オ	3	E
第8問	ウ	2	C
第9問	ア	3	C
第10問	エ	2	A
第11問	エ	3	A
第12問	ウ	2	B
第13問	オ	2	B
第14問	ウ	3	D
第15問	ア	3	B
第16問	エ	3	C
第17問	オ	2	A
第18問	エ	2	D
第19問	ア	3	E
第20問	ア	3	C
第21問	ア	3	B
第22問	ウ	2	B
第23問	イ	2	A
第24問	ア	2	C
第25問	イ	2	C
第26問	ウ	2	B
第27問	ウ	2	A
第28問	イ	3	A
第29問（設問1）	ア	2	B
第29問（設問2）	オ	2	B
第30問	イ	3	C
第31問	ア	3	A
第32問（設問1）	ア	2	B
第32問（設問2）	ア	2	C
第33問	ア	2	D
第34問（設問1）	イ	2	B
（設問2）	エ	2	C
第35問	エ	3	B
第36問	ウ	3	A
第37問	エ	2	A

※TACデータリサーチによる正答率
　正答率の高かったものから順に、A～Eの５段階で表示。
A：正答率80%以上　　B：正答率60%以上80%未満　　C：正答率40%以上60%未満
D：正答率20%以上40%未満　　E：正答率20%未満

解答・配点は一般社団法人日本中小企業診断士協会連合会の発表に基づくものです。

令和  年度 解説

第1問

多角化に関する問題である。

ア　×：第二次世界大戦における戦時ニーズは新技術を創造し、アメリカ産業を急激に成長させることとなった。その後、1960年代半ばまでにアメリカの企業が19世紀以来享受していた成長の時代は、日本やヨーロッパの経済の回復・成長も大きな要因として、競争の激しい時代へと交代していった。そして、1960年代の米国においては独占禁止政策が強く、事業間に関連性のある関連的多角化が抑制されていたことも背景に、コングロマリットが急速に進展していった。アメリカにおける企業のコングロマリット化は、1960年代から1970年代まで流行った現象だが、この黄金時代は長くは続かず、1980年代のアメリカは、スタグフレーション、すなわち高い失業率、生産性の停滞、高い利子率、高いインフレ率によって活気を失っていくこととなった。そして、この状況下で、高度に多角化した企業を経営するのは、次第に困難になっていった。よって、長いスパンで見れば、多角化が進展してきたということはできるが、停滞した時期もあり、**その程度が一貫して上昇しているわけではない**。

イ　×：R.ルメルトや吉原英樹らの研究においては、以下の量的な尺度と質的な尺度を想定した上で、多角化について７つのタイプに分類している。

(量的な尺度：売上高比率)

① 特化率：最大の売上規模をもった事業の売上高の、総売上高に占める比率

② 垂直比率：垂直統合している事業分野の売上高の、総売上高に占める比率

③ 関連比率：事業間に関連がある場合、その最大の関連事業の合計売上高の、総売上高に占める比率

(質的な尺度：資源展開のパターン)

① 集約型：事業間の関連性が緊密で、少数の経営資源を複数の事業で共通利用するタイプ

② 拡散型：緊密な資源の共通利用関係は生じず、すでに蓄積された経営資源を梃子に新分野へ進出し、その新分野で蓄積した経営資源をベースにさらに新しい分野に進出するタイプ

7つのタイプ	特化率	垂直比率	関連比率	
専業型	95％以上	—	—	売上のほとんどを主力事業が占める
垂直型	95％未満	70％以上	—	垂直的な関連をもつ事業グループの売上が、総売上の大部分を占める
本業・集約型	70％以上 95％未満	70％未満	—	主力事業が売上の大部分を占める
本業・拡散型	70％以上 95％未満	70％未満	—	主力事業が売上の大部分を占める
関連・集約型	70％未満	70％未満	70％以上	技術や市場で関連のある事業グループの売上が総売上の大部分を占める
関連・拡散型	70％未満	70％未満	70％以上	技術や市場で関連のある事業グループの売上が総売上の大部分を占める
非関連型	70％未満	70％未満	70％未満	事業間に関連がなく、売上比率の中で大きな部分を占める事業がない

多角化の程度ということでいえば、上記表の下の形になればなるほど高い、ということになる（質的な尺度である集約型と拡散型の比較では、拡散型のほうが多角化の程度は高い）。そして、研究によると日本企業においては、多角化のタイプのうち、最も収益性が高かったのは、本業・集約型の多角化であり、成長性については非関連型を除くと多角化の程度が高くなるほど高い、という結果を導いている。このことは、多角化の程度が高くなることで、成長性は高くなるが収益性は下がるという成長性と収益性のトレードオフの関係を示している。なお、米国企業においては、最も収益性が高かったのは日本企業同様本業・集約型の多角化であり、成長性については関連・集約型であるという類似した結果が導き出されている。よって、**多角化の程度が高くなるほど、全社的な収益性（利益率）が上昇する関係があるわけではない。**

ウ　×：選択肢**イ**の解説で述べた通り、**多角化の程度が高くなるほど、全社的な成長性が上昇する関係が見て取れる。**

エ　×：１つの企業で複数の事業を営むことで生じる効果を「合成の効果」という。そして、主なものに相補効果と（狭義の）相乗効果の２種類があることは正しい（広義での相乗効果は、相補効果も含んだものになる）。そのうち、**物理的な経営資源の利用効率を高めるものは、相補効果である。**たとえば、工場の遊休部分を用いて暇な時期に他の製品を生産するのは相補効果の一例である（需要変動を平準化する）。このように相補効果は通常は物的な経営資源の利用効率を高めるものである。一方、相乗効果は、見えざる資産とも表現される情報的経営資源が2つの分野で用いられ、かつ、互いに役に立つような効果である（通常は無形の経営資源の活用に焦点が当たる）。

オ　○：正しい。選択肢**イ**の解説で述べた通り、拡散型より集約型の方が全社的な収益性（利益率）が高くなる。

よって、**オ**が正解である。

第2問

PPMに関する問題である。

ア　×：PPMにおける重要な指針は、将来的に「花形」や「金のなる木」となる部門を育成することである。そして、「金のなる木」は文字通り資金を創出する源泉となる事業である。「花形」は企業の成長を支える事業であり、製品ライフサイクルの進展によって「金のなる木」となることが見込まれている事業である。そのため、「金のなる木」で創出した資金を「花形」に投資することも必要であるが、将来の「花形」を育成することが長期的な成長においては重要になる。よって、「問題児」へもしっかりと投資していくことが、文字通りプロダクトポートフォリオをマネジメントすることの根幹（中核的なシナリオ）である。よって、**「花形」に投資することそのものは間違いではないが、「次世代を担う事業を育成」「最適な企業成長を図る上での中核的なシナリオ」という意味合いでいえば、「問題児」に投資することが重要**、ということになる。

イ　○：正しい。PPMにおいて「負け犬」に位置付けられる事業は、市場成長率が低く、相対的市場占有率も低い。そのため、基本的には多くのキャッシュフローは見込みにくく、事業の将来性が高いともいえない。そのため、「撤退（withdraw）」が1つの選択肢となる。しかしながら、必ずしも収益性が低いわけではない。キャッシュインフローは小さいが、キャッシュアウトフローも小さいため、高収益事業になることもあるからである。その場合、「収穫（harvest）」が見込めることになる。よって、「負け犬」に位置付けられる事業における定石は、収益が上げられるのであれば「収穫（harvest）」、収益が上がらないのであれば「撤退（withdraw）」ということになる。

ウ　×：大きな疑問が残る選択肢である。PPMが、企業における事業のポートフォリオを検討する手段であることは正しい。しかしながら、PPMについては多くの文献で以下のように記されている。①PPMの枠組みにおいては、シナジーを読み取るのは不可能であること、あるいは、PPMにはシナジーの論理は含まれていないこと、②PPMでは、経営資源に関しては「カネ」の配分についての分析の手法と評価の指標を与えるものであること。カネ以外の経営資源の配分や関係性について論じるフレームワークではないこと、③PPMでは、「カネ」については、現在のカネを将来のために使うことによる「相補効果」があることを論じており、シナジー（相乗効果）ではないこと、④シナジーは、同一のSBU内では考慮されていたとしても、SBU間では考慮されていないこと、などである。唯一言えるとすれば、上記④に関連して、PPMのフレームワークを用いるためにはSBU を構成する必要があり、それにあたってはシナジーを考慮するという点である。しかしながら、本問は「事業間」と表現されているが、過去の本試験においても、繰り返し「事業間」という表現は用いられ、その上で「シナジーが考慮されていない」という趣旨が出題されており、仮に④の論理であるならば、出題として不適切であると言わざるを得ない。なお、本件に関しては、中小企業診断協会に対して疑義を提出したが、回答は得られず、採点の修正も実施されなかった。

エ　×：プロダクト・ポートフォリオ・マトリックスは、縦軸が市場成長率、横軸が相対的市場占有率で構成される。よって、**縦軸は当該企業の各事業（戦略事業単位（SBU））の成長率ではない**。つまり、**自社の事業の成長率ではなく市場の成長率である**。

オ　×：選択肢エの解説で述べた通り、プロダクト・ポートフォリオ・マトリックスの横軸は相対的市場占有率であり、**各事業（戦略事業単位（SBU））が属する業界の集中度ではない**。また、**業界の集中度を示す指数はハーフィンダール指数である（エントロピー指数ではない）**。エントロピー指数とは、企業の総売上高に占める各事業部門の売上高構成比を基に算出されるものであり、具体的な計算式は割愛するが、数値が大きくなるほど多角化の進展度合いが高いことを表すものである。

よって、**イ**が正解である。

第3問

環境分析のフレームワークに関する問題である。

ア　○：正しい。PESTフレームワークとは、「Political/Legal（政治的、法律的）」「Economical（経済的）」「Social/Cultural（社会的、文化的）」「Technological（技術的）」という４つの側面から外部環境を分析するものである。

イ　×：VRIOフレームワークは、「Value（価値）」「Rarity（希少性）」「Inimitability（模倣困難性）」「Organizations（組織）」という４つの観点で経営資源を分析するものである。経営資源が持続的な競争優位の源泉となるためには、VRIの３つの観点すべてを満たしたものであることが必要であり、その上で実際に持続的な競争優位を築くためには、Oの観点も満たすことが必要になる。よって、VRIOの４つの条件のうち、**１つでも満たされていれば持続的競争優位に資する経営資源と判断されるわけではない**。

ウ　×：「経営分析の３C」は、「Customer（市場、顧客）」「Competitor（競合）」「Company（自社）」という３つのCを念頭においたマーケティング環境を分析する枠組みである（**資本ではなく、自社である**）。

エ　×：「価値連鎖（Value Chain）」が、価値がどの機能で生み出されるかを可視化する分析枠組みであることは正しい。そして、企業の活動を、製品やサービスを顧客に提供することに直接的に関与する活動である主要活動と、製品やサービスを提供する活動には直接的に関与しないが、主活動を遂行していくために不可欠な支援活動に分類して論じている。つまり、購入物流、製造、出荷物流、サービスが主要活動であること、技術開発、人事・労務管理、調達活動が支援活動であることは正しいが、**販売・マーケティングは主要活動である**。

オ　×：「５つの競争要因（Five Forces）」は、「既存業者間の敵対関係」「新規参入企業の脅威」「代替品の脅威」「売り手の交渉力」「買い手の交渉力」という５つの要素が、業界の収益性や自社の収益性に影響を及ぼすとするものである（**業界の成長性を決定する諸要因ではない**）。

よって、**ア**が正解である。

第４問

設問１

市場シェアに関する問題である。

市場シェアを表す概念には、「絶対（的）市場シェア」と「相対（的）市場シェア」がある。それぞれは以下のように表すことができる。

絶対的市場シェア＝自社の売上÷市場全体の売上

相対的市場シェア＝自社の絶対的市場シェア÷業界１位企業の絶対的市場シェア

本問の場合、問題文に示されている「市場シェア（占有率）」が絶対的市場シェアであり、問われているのが相対的市場シェアである。よって、B社の相対的市場シェアは、30％÷45％＝67％（0.67）である。

よって、**ウ**が正解である。

設問２

市場地位や状況を前提とした戦略（競争地位別戦略）に関する問題である。

焦点が当たっているB社は、業界第2位の市場シェアを有している。よって、競争地位別戦略に当てはめれば、チャレンジャーに近い立場ということになる。

ア　○：正しい。チャレンジャーの立場であるB社が、リーダー企業であるA社から市場シェアを奪取しようとする場合には、経営資源をすべての市場セグメントに偏りなく投入してしまうと、リーダー企業に対して正面切った直接対決の構図となり、チャレンジャーの勝算は高くない。よって、チャレンジャーの戦略定石はリーダーと差別化を図ることである。そして、リーダーの地位を奪うためには広い市場をターゲットとしたいところであるが、差別化を図るという目的のためには、必然的にある程度ターゲットを絞り込むほうが望ましい。そのため、定石的にはセミ・フルカバレッジを対象とするが、特定の市場セグメントに集中的に経営資源を投入することも、1つの局面として否定はできない（ただし、試験問題の選択肢としてはやや疑問が残る）。

イ　×：低価格の製品を供給してA社の攻撃を回避する戦略は、フォロワーの立場における戦略の定石としては正しい。しかしながら、**B社はチャレンジャーとしての立場を有しているため、あえてフォロワーの戦略を採ることは得策ではない。**

ウ　×：競合企業への同質化によって市場シェアの拡大を図るのは、**リーダー企業の戦略定石である。**リーダー企業は、チャレンジャーの戦略を模倣することで差別化を無効にし、同質的な競争に持ち込もうとする。その状況になれば、経営資源に勝るリーダー企業が有利だからである。

エ　×：B社はチャレンジャー企業であるため、小売店におけるシェルフ・スペース（棚スペース）を一定程度確保できることは見込まれる。しかしながら、**リーダー企業であるA社よりも有利に進めることは困難である。**

オ　×：選択肢**ア**の解説でも述べたように、チャレンジャー企業の戦略定石は差別化である。**規模の経済や経験曲線効果を利用してコスト面の優位性を確立する形では、経営資源に勝るリーダー企業に対して勝算は低い。**

よって、**ア**が正解である。

第5問

M&A（企業の合併・買収）に関する問題である。

ア　×：TOB（Take Over Bid）とは、買収側の企業が、被買収側の企業の株式を、価格、株数、買付期間などを公開して、株式市場を通さずに直接株主から買い取る方法である。**買収する企業の資産や買収後のキャッシュフローを担保として借入金を調達し、企業買収を行う手法はLBO（Leveraged Buy Out）である。**

イ　○：正しい。黄金株とは、株主総会や取締役会で重要議案を否決する権利を与えられた株式である。ほぼ100%の株主が賛成した議案であっても、1株で決定を覆すことができる絶大な権限をもった株式であり、黄金株は1株しか発行されない。経営陣に友好的な株主に黄金株を割り当てておくことで敵対的買収者に株式を買い占められた際にも買収を防衛することができる。

ウ　×：カーブアウトとは、「切り出す」「分割する」という意味であり、企業が社内に埋もれた技術や人材を新会社に移して、ファンドなど外部の投資を呼び込み、その事業価値を高めること、あるいは、企業が自社事業の一部門を切り出し、新たにベンチャー企業を立ち上げて独立させる、といったことである。**敵対的買収の対象となる企業の経営者が、買収される前に会社の魅力的な資産を売却して、敵対的買収の意欲を削ぐ買収防衛策は、クラウンジュエルと呼ばれる。**

エ　×：コントロール・プレミアムとは、企業の株式を取得する際に、当該株式取得によってその企業の支配権も確保できる場合に、支配価値の獲得に着目して対価に上乗せされる付加価値のことである（**企業の経営陣が企業の所有者から株式などを買い取り、経営権を取得することで生じる1株当たりの価値の上昇分ではない**）。なお、コントロール・プレミアムに似たものに「のれん」があるが、両者の違いは以下のようになる。

・コントロール・プレミアム＝インカムアプローチとマーケットアプローチの差額
・のれん＝インカムアプローチとコストアプローチの差額

※コストアプローチ：評価対象会社の純資産をベースに企業価値を評価する方法
　マーケットアプローチ：株式市場での市場価格をベースに企業価値を評価する方法
　インカムアプローチ：評価対象会社の収益力をベースに企業価値を評価する方法

よって、**イ**が正解である。

第6問

垂直統合に関する問題である。

垂直統合とは、自社が取り扱う製品分野内で、取引関係にある活動単位へ進出して企業活動の範囲を拡大することである。具体的には、製品が製造されてから顧客に渡るまでの流れを垂直的な流れと見て、生産や流通段階などの、それまでは担っていなかった活動も担うようにすることである。

ア　×：**仕入れ先との取引条件を変更する内容**であり、垂直統合ではない。

イ　×：**販売先を分散するという内容**であり、垂直統合ではない。

ウ　○：正しい。これまで担っていなかった消費者へ直接販売する流通機能を担うものであり、垂直統合に該当する。

エ　×：**販売先の新規開拓という内容**であり、垂直統合ではない。

解答・解説
4年度

オ　×：**仕入れの量を増やすことと、現在も担っている製造機能の能力向上の内容で**あり、垂直統合ではない。

よって、**ウ**が正解である。

第7問

ファミリービジネスの4Cモデルに関する問題である。

4Cモデルとは、欧米のファミリービジネスの事例研究に基づき、好業績を長く維持するファミリービジネスには、近代的な経営とは異なる論理があるとし、継続性（continuity）、コミュニティ（community）、コネクション（connection）、コマンド（command）の4つのCの組み合わせから経営が成り立っているとするものである。また、4つのCのバランスが重要であり、いずれかに経営が偏らないようにすることが重要であるとしている。

1．継続性（continuity）

創業家の抱いたミッションを継続的、情熱的に達成するために、長期的視点で投資を行う。

2．コミュニティ（community）

従業員を強い価値共有集団とすること。そのために従業員を厚遇し、忠誠心と主体性を導き出す。

3．コネクション（connection）

顧客、取引先、広く社会一般と良好な関係を築く。

4．コマンド（command）

株主の言動に左右されにくいため、比較的独立的に行動できる。環境変化に合わせて創業家出身のトップが新しい事業を創造して永続性を保つ。

ア　×：上述したように、4Cモデルは4つのCのバランスが重要であり、いずれかに経営が偏らないようにすることが重要であるとしている（**4つの要素の中で自社の特徴を最も発揮できる要素を発見するものでも、それを強化するためのものでもない**）。

イ　×：選択肢の記述は、スリー・サークル・モデルについての内容である。スリー・サークル・モデルは、ファミリービジネスに関わる人々が、下図のようにファミリー、オーナーシップ、ビジネスという重なり合う3つのサブシステムによるセクターのいずれに位置付けられて問題解決にかかわるかを捉えるものである。

＜ファミリービジネスのスリー・サークル・モデルと構成者＞

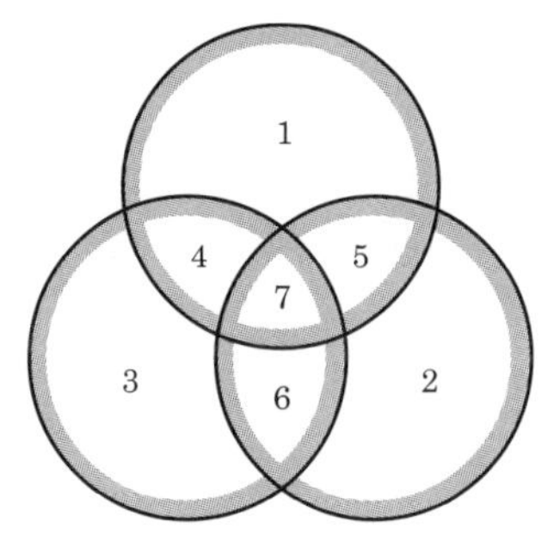

1	外部の投資家
2	非家族の経営者か従業員
3	所有者でも従業員でもない家族
4	所有権を持つ家族であるが、社外
5	所有権を持つ経営者か従業員
6	所有権を持たない家族で経営者か従業員
7	家族、所有者、経営者もしくは従業員の３要素を持つ

（『ファミリービジネスの経営力創成』小嶌正稔　経営力創成研究、第９号、2013）

ウ　×：**選択肢の記述は、パラレル・プランニング・プロセスモデル（PPPモデル）についての内容である。**ファミリービジネスが創業以来保持しているビジョンや夢といった、場合によっては非経済的なものと、経済合理性やビジネスの論理は、トレードオフとなることも多い。パラレル・プランニング・プロセスモデル（PPPモデル）とは、このことを踏まえ、ファミリーの期待（ファミリープランニング／ファミリー固有のビジョンや目標）とビジネスに関するニーズ（戦略プランニング／競争優位の確立）の整合性を図る（並行して行う）ものである。

エ　×：上述したように、４Cモデルは、所有と経営が一致したガバナンス構造であるファミリービジネスが好業績を長く維持する点を論じるためのものである。**所有と経営を分離する過程に焦点を当てたものではないし、その際のファミリービジネスの長所を維持するためのものでもない。**

オ　○：正しい。冒頭文および選択肢**ア**の解説でも述べた通り、４つのCのバランスが重要であり、いずれかに経営が偏らないようにすることが重要であるというものである。たとえば、あまりに「継続性」に経営の焦点が偏ると、経営が過度に保守的になり、環境変化に適応できなくなる、あるいは、「コマンド」に経営が偏ると、調和が乱される可能性がある。つまり、４つの要素には、それぞれプラスの側面だけでなく、マイナスの側面もあることを認めている（だからこそ、４つのバランスが重要であるとしている）。

よって、**オ**が正解である。

第８問

エフェクチュエーションに関する問題である。

エフェクチュエーションとは、インド人経営学者のサラス・サラスバシーが、27人の起業家に対してスタートアップによって直面する典型的な10の意思決定課題への回答を求め、その思考内容を分析したものであり、その結果から、優れた起業家が産業や地域、時代にかかわらず、共通の理論や思考プロセスを活用していることに着目して研究し、誰もが後天的に学習可能な理論として体系化したものである。そして、対比する概念にコーゼーションがある。

コーゼーションは、最初に「目的」があり、その達成のために「何をすべきか」を考える。つまり、「目的」から逆算して「手段」を考えて事業を進めていく。現実には未来は不確定・不確実なものだが、これをできる限り予想しながら進めていく。そのため、目的や意思決定がブレないメリットがある反面、未来予測（仮説）が外れた時には失敗するリスクがある。

エフェクチュエーションは、「手段」を用いて何ができるかを考え「目的」をデザインしていく。もともと予測不可能なものは、いくら予測してもわからないため、自ら影響を与えて周囲を変えていき、可能な限り不確実な未来をコントロールしていく。コーゼーションと比較すると、リスクが軽減される一方で、目的が変化する可能性を含むスタンスである。

ア　×：上述した通り、エフェクチュエーションでは、未来は不確定であるという前提がおかれた中での意思決定プロセスを体系化したものであり、手段を起点として何が実現できるかを考えて目的をデザインしていくことになる。よって、**成功と失敗の確率が事前に分かっている（目的を見据えて、その成功の見込みを見据えている）場合に有効なものではない。**

イ　×：上述した通り、エフェクチュエーションは、優れた起業家が産業や地域、時代にかかわらず、共通の理論や思考プロセスを活用していることに着目して研究したものである。よって、**特定の事業機会における競合分析や市場分析を行う場合に有効なわけではない（汎用的な意思決定プロセスや思考を体系化したものである）。**

ウ　○：正しい。冒頭文および選択肢**ア**の解説でも述べた通り、エフェクチュエーションでは、未来は不確定であるという前提がおかれた中での意思決定プロセスを体系化したものである。

エ　×：上述した通り、**目的からさかのぼって手段を考える意思決定プロセスはコーゼーションである。**

オ　×：目的の選好順位が明確な場合には、どの目的を達成するかを踏まえることが出発点になる。選択肢**エ**の解説で述べたのと同様、**目的から逆算していく意思決定プロセスはコーゼーションである。**

よって、**ウ**が正解である。

第9問

イノベーションのジレンマに関する問題である。

イノベーションのジレンマとは、業界のリーダー企業が、主要顧客からの要望に対応するために持続的なイノベーション（持続的技術の進歩によるイノベーション）に邁進することで、破壊的イノベーション（破壊的技術の活用によるイノベーション）に対応できなくなる状態である。新技術のほとんどは製品の性能を高めるものであり、これを持続的技術という。持続的技術は、主要市場のメインの顧客がそれまで評価してきた性能指標に沿って、既存製品の性能をさらに向上させる。一方、時として、破壊的技術が生まれる。これは、それまでの技術とは技術体系が全く異なるなど、非連続なものである（それまでにある技術の進化の延長にはない）。

a：正しい。破壊的技術が登場した初期段階においては、その破壊的技術を利用した製品は、持続的技術を利用した製品よりも性能が低くなるとしている。これは、上述した通り、これまでにあった既存の技術の進化の延長上で生まれたものではないため、画期的な技術ではあってもそれを用いた製品という点では、少なくとも短期的にはむしろ製品の性能を引き下げることが多いからである。

b：正しい。破壊的技術を利用して最初に商品化されるのは、一般に新しい市場や小規模な市場向けであるとされている。よって、破壊的技術が登場した初期段階においては、その破壊的技術を利用した製品市場のほうが、持続的技術が対象とする製品市場よりも小規模になる。

c：正しい。大手企業にとって最も収益性の高い顧客は、通常、破壊的技術を利用した製品を求めない。そのため、破壊的技術は、最初は市場で最も収益性の低い顧客に受け入れられるとしている。よって、破壊的技術が登場した初期段階においては、その破壊的技術を利用した製品は持続的技術を利用した製品よりも利益率が低い。

よって、**a**、**b**、**c**ともに正しいため、**ア**が正解である。

第10問

知識創造理論に関する問題である。

知識創造理論とは、組織において知識が創造されるプロセスを理論化、モデル化したものである。そのモデルをSECIモデルという。本問はこのモデルにおいて、知識創造を阻害したり促進したりする要因について問うている。

SECIモデルとは、暗黙知と形式知の相互変換によって、組織的に知識が創造されるプロセスを「共同化ないし社会化（Socialization）」「表出化（Externalization）」「連結化（Combination）」「内面化（Internalization）」という４つのモードで表現するものである。

(共同化ないし社会化)

組織メンバーが経験を共有することで、個人の暗黙知が共有され、異質な暗黙知の相互作用を通じて、新たな暗黙知が創出されていくことになる。

(表出化)

個人が蓄積した暗黙知が、言語などの表現手段によって形式知化されていく。暗黙知を共同化できる範囲は限られるが、表出化された知識は共有することが容易になる。

(連結化)

形式知を組み合わせて、より高次の形式知へと体系化していく。

(内面化)

共有された形式知が、属人的な暗黙知として再び個人に取り込まれていく。形式化された知識を実践において活用し、活きた知識として体得していくプロセスの中で、新たな暗黙知が創造される。

＜４つの知識変換モード＞

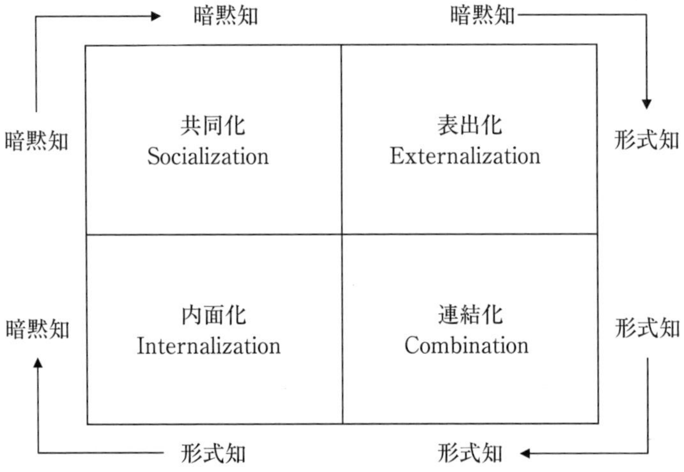

暗黙知　暗黙知

暗黙知

共同化 Socialization	表出化 Externalization
内面化 Internalization	連結化 Combination

形式知

暗黙知　形式知

形式知　形式知

(『知識創造企業』野中郁次郎　竹内弘高著　東洋経済新聞社 p.105)

ア　×：組織のトップ（経営者）は、曖昧なビジョンを使って（掲げて）組織の中に意識的にゆらぎを創り出すことがある。このような曖昧さは、組織構成員の間に解釈の多義性を生み出すことになる。経営者の主観的な思いは、このようなゆらぎを創り出し、組織に創造的カオスを引き起こすことができるとされる。このような状況は、組織構成員にこれまでの前提を考え直す機会を創出する。よって、**組織的な**

知識創造の観点ではむしろ促進される可能性が高くなる。

イ ×：組織構成員に自律性を与えることは、組織に思いがけない機会を取り込むチャンスを増やすことができる。また、個人が新しい知識を創造するために動機づけられやすくなる。よって、**組織的な知識創造が促進されることになる。**

ウ ×：組織構成員やグループの創り出した仕事上の情報を、**それを当面は必要としない他の組織構成員に重複して共有させる、つまり冗長性を持たせることが、組織的知識創造が促進されるために必要になる。**冗長性を持たせることは、他の組織構成員が言語化しようと努力しようとしていることを互いに感じ取ることができ、暗黙知の共有を促進する。また、他の組織構成員の業務に踏み込み、異なる視点でのアドバイスや情報提供が可能になるからである。

エ ○：正しい。知識創造の際の有効な手段として、チームを構成することがある。その場合には、社内の多様な部署から組織構成員を募ることになるが、その組織構成員それぞれが複数の職務経験を有していると、自社の事業について多角的に理解するのを助けるため、一層効果的である。この場合、多面的に物事を考えることにつながりやすいし、そのようにさせることは組織的な知識創造を促進することになる。

オ ×：組織が外部組織を含め、環境に対してオープンな姿勢にあれば、さまざまな情報に含まれる曖昧性、冗長性、ノイズなどを利用して、自らの知識体系を向上させることができる。よって、外部組織との接触は、**組織的な知識創造を促進する可能性が高くなる。**

よって、**エ**が正解である。

第11問

海外進出する際の形態に関する問題である。

ア ×：1970年代後半から欧米各国との間には貿易摩擦が生じるようになり、特に輸出自主規制が進むにつれ、対象となった鉄鋼、カラーテレビ、自動車などの産業において欧米への生産移転のための直接投資が行われていた。そして、日本企業による直接投資急増のきっかけとなったのが1985年のプラザ合意である。これによる円高が急激に進行したことで日本企業は輸出代替としての海外生産シフトを迫られることになり、発展途上国向けの工場進出にとどまらず、欧米など先進国における現地生産や不動産買収、大型M&Aを加速させていった。同時に、アジアへは安い人件費やドルと連動した通貨を活用し、生産コストの削減を目的とした投資が増加した。よって、この時期に日本企業の海外進出が一層増加している。しかしながらブラウンフィールドとは、すでに工場などの建物が建っている土地に、新たに設備投

解答・解説 4年度

資をして新しい工場を建設したり、既存設備を刷新したりすることであり、インフラ投資で言えば、すでに操業している発電所を買収する、運用中の空港の権益の一部を買う、自治体から港湾施設を譲渡してもらうといったことである（その土地を「すでに手がついている」という意味合いで表現する言葉）。よって、**完全子会社を新設して海外進出する形態を表す言葉ではない。**

イ　×：クロスボーダー企業買収とは、M＆Aの当事者のうち、買収企業または被買収企業のいずれか一方が外国企業であるM＆A取引のことである。よって、企業が他の国の会社を買収することであるとする記述は正しい。しかしながら、**海外進出形態の中で最も時間のかかる参入方法ではない。**むしろ、進出先においてすでに事業を展開している企業を買収すれば、海外進出は相対的に短時間で実現できる可能性が高い。

ウ　×：戦略的提携とは、企業同士が契約に基づいて協力関係を築くことである。よって、戦略的提携による海外進出とは、何らかの契約を結んで海外に進出することである。**提携に参加するすべての企業が出資するというわけではない。**

エ　○：正しい。ライセンス契約とは、保有している特許などの知的財産権を他の企業が使用することを許諾し、その対価（使用料、ロイヤリティー）を受け取る契約である。この契約が失効した後は、ライセンシーはその知的財産権を使用することはできなくなるが、それを使用することを通して組織として学んだ無形の資産は残ることになる。そのため、契約が失効した後は自社にとって強力な競合企業となるリスクが生じることになる。

よって、**エ**が正解である。

第12問

ISO26000に関する問題である。

ISO26000は、2010年11月に発行された社会責任（SR）に関する国際規格であり、企業などの営利組織だけでなく、学校、病院、国際機関、政府など、幅広い組織を対象にしている。第三者認証を意図した規格ではないが､社会的責任に関する手引き（ガイダンス）として活用することができるものである。

ア　×：日本においては、**ISO26000をもとに日本産業規格（JIS）において、JIS Z 26000が国際一致規格として作成され**、2012年３月21日（水）に官報公示されている。ISO26000と技術的内容は同一であり、認証規格でない点も共通している。

イ　×：ISOの中にはマネジメントシステムが要求するシステム（要求事項）に組織や製品が合致しているかどうかを第三者が審査し、登録することによって取得できる認証規格になっているものがある（ISO9001、ISO14001など）。しかしながら、

ISO26000については、**上述した通りあくまで手引きであり、認証を意図したものではない**。

ウ　○：正しい。業種を限定しているものではない。それ以前に、上述した通り企業などの営利組織だけでなく、学校、病院、国際機関、政府など、幅広い組織を対象にしている。

エ　×：選択肢**ウ**の解説で述べた通りであり、**売上高の規模に条件はない**。

オ　×：選択肢**ウ**の解説で述べた通りであり、**株式会社に限って適用されるものではない**。

よって、**ウ**が正解である。

第13問

経営組織の形態と構造に関する問題である。

ア　×：事業部制組織は、事業部ごとに組織を編成する形態である。事業部制組織において、事業部ごとに製品―市場分野が異なるのは正しい（事業部の編成の仕方には、製品別、地域別、顧客別などがあるが、製品別が最もポピュラーである）。そして、各事業部に一定の権限を付与する分権管理型の組織形態であり、利益責任を持たせて運営することになる。そのため、**ある程度共通した基準で評価することが必要になる**（利益責任を持たせているため、共通した基準がなければ不公平感が生じる）。また、分権型の組織形態であるため、相対的にトップマネジメントの調整負担が少なくなる（**職能部門別組織に比べて小さくなる**）。

イ　×：職能部門（機能）別組織は、文字通り職能別に部門化する組織形態である。そのため、たとえば社内の製造機能が集約されるなど、特定の業務が集中することによって処理コストが低下することになる。これは、業務に関する規模の経済性が生じている状況である。つまり、職能部門別組織は、特定の業務が集中することによって経済効率が高まる形態であり、**複数の要素が合わさることで経済効率が高まる範囲の経済性が追求される組織形態ではない**。

ウ　×：トップマネジメント層の下に、生産、販売などの部門を配置する組織形態が職能部門別組織であることは正しい。また、プロフィットセンターとは、収益と費用（コスト）が集計される部門であり、利益責任を持つ部門ということになるが、各職能部門は、営業、製造といった特定の職能しか担っていないため、**特定の部門（各機能部門）だけで利益責任を持つのは困難である**。部門がプロフィットセンターとなる組織形態は事業部制組織である。

エ　×：マトリックス組織において、部下が複数の上司の指示を仰ぐことは正しい。しかしながら、機能マネジャーと事業マネジャーは文字通り機能面、事業面においてそれぞれ権限と責任を有することになる。よって、**権限は重複しない（異なる権限を有することになる）**。

オ　○：正しい。ライン組織とは、直系式組織ともいわれ、すべての職位が最上位層から最下位層まで、単一の命令系統によって直線的に結ばれている組織形態である。各職位は常に特定の上位者からだけ命令を受ける組織形態である。つまり、命令一元化の原則を貫徹する組織形態である。また、この形態の場合、権限と責任が誰に帰属しているかが明瞭になるため、責任と権限が包括的に行使されることになる（責任と権限が一致した形で適切に行使される）。

よって、**オ**が正解である。

第14問

無関心圏に関する問題である。

無関心圏とは、組織のメンバーが上位者などから伝達（命令）を受ける際に、その上位者に権威があると感じるか否かに関係なく、受け入れる伝達ということである。つまり、その伝達に従う（従いたい）か否かについて、疑問を持つといったことがない領域の伝達内容ということである。これは、組織においては、業務を蓄積していくにつれて、過去にすでに実施したことがある職務などに対しては、特に疑問を持つことなく遂行するといったことがある。つまり、伝達内容について良くも悪くも関心がないということである。

バーナードは、組織が成立するためには、①共通目的、②貢献意欲、③コミュニケーションという３要素を満たす必要があるとしている。このうちのコミュニケーションに関連して、組織は誰が誰に命令し、誰が誰に報告するかを規定するというコミュニケーション・システムであるという側面がある。そのため、コミュニケーションの１つには命令があり、その権限が付与される。この公式な形で権限を有するということそのものが権威の一側面である（権威の客観的側面）。しかしながら、このような権威の客観的側面によって命令が発せられても、命令に同意や受容してこそ組織は効果的に機能する。つまり、権威が権威となり得るのは、受け取る側の協働的態度に依存する（権威の主観的側面）。

（権威の客観的側面）

「職位の権威」と「リーダーシップの権威」が組み合わさると、客観的権威が確立し、受容されることになる。

・職位の権威

上位者の「職位」がより高いことによって、その上位者の個人的な能力が決して高いとは言えなかったとしても、その伝達（命令）が優れている、ととらえることがある。上位の職位からの伝達であるということをもってして、権威を認める場合があるからである。

・リーダーシップの権威

　上位者の知識や理解力といった個人的能力が卓越していることによって、職位にかかわりなく権威を認められる場合がある。

（権威の主観的側面）

　個人は、伝達（命令）が以下の４つの条件を同時に満たす場合に、それを権威あるものとして受容する。

・伝達を理解でき、また実際に理解すること
・意思決定にあたり、それが組織目的と矛盾しないと信じること
・意思決定にあたり、それが自分の個人的利害全体と両立しうると信じること
・その人は精神的にも肉体的にもそれに従いうること

ア　×：個人にとって受容可能な命令が継続的に発せられると、命令の発信者に対する命令の受信者の信頼が高まるため、初めての命令に対しても大きな疑問を持たずに受容しやすくなる。つまり、**次第に無関心圏の範囲が広くなっていく**。

イ　×：個人にとって無関心圏にある職務は、疑問なく遂行できる（受容されている）状態になっている職務であるため、**遂行される可能性が高くなる**。よって、**無関心圏をいかに小さくするかが組織の存続にとって重要になるわけではない**（むしろ、職務遂行のためには、無関心圏はある程度大きくしていく必要がある）。

ウ　○：正しい。選択肢**イ**の解説で述べた通り、個人の無関心圏に属する命令はすでに受容されているため、上位者個人の権威の有無を問わず、受容される傾向がある。

エ　×：選択肢**イ**の解説で述べた通り、無関心圏にある職務に対しては、すでに受容されているため、責任を持って関与・参加するという意味で、**個人のコミットメントは相対的には高くなる**。よって、**無関心圏の存在は組織の存続にとって負の影響を与えるものではない**。

オ　×：選択肢**イ**の解説で述べた通り、無関心圏にある職務はすでに受容されているため、**遂行してもらうために個人の貢献を大きく上回る誘因を提供する必要があるわけではない**。

　よって、**ウ**が正解である。

第15問

　渉外担当者（boundary personnel）に関する問題である。

　渉外担当者（boundary personnel）とは、組織と外部環境の要素を結び付け、調整する役割を果たす者である。より具体的には、①環境の変化についての情報を察知し

て組織に取り入れる、②組織に有利に働く情報を環境に送り込む、といった役割を担うことになる。

ア ○：正しい。ゲートキーパーとは、門番の意であるが、企業組織の文脈に当てはめると、組織や企業の境界を超えて、外部からの情報を組織内に持ち込む者のことであり、組織内の誰とでも何らかの形で接触しており、組織外部との接触も極めて多い。つまり、渉外担当者はゲートキーパーとしての役割を持つことになる。そして、渉外担当者は、環境に直接接触することになるため、組織革新の誘導者となることもある。

イ ×：上述した通り、渉外担当者は、組織と外部環境の要素を結びつけ、調整する役割を担うため、外部の多様な主体と直接接触することになる。そのため、組織の顔として組織を代表することになることは正しい。しかしながら、**企業において法的な代表権を有するのは、取締役（通常は代表取締役）である。よって、渉外担当者が有している必要はない。**

ウ ×：渉外担当者は、外部環境を注視する役割も担うため、他組織の脅威から当該組織を防衛するという境界維持機能を果たすことは正しい。このこと、そして、上述した渉外担当者の役割を踏まえても、**外部環境とは距離を置くのではなく、むしろ密接に関わることになる。**また、渉外担当者は、当然、組織のために活動するが、そのためには、組織内のメンバーの立場だけでなく、外部環境のさまざまな利害関係者の状況も含めた広い視点で活動することが求められる。よって、**組織内のメンバーと同質性を保つ必要があるということはない。**

エ ×：渉外担当者は、外部環境の状態や変化を組織内に正確に伝える役割を担っていることは正しいが、**自らが不確実性を処理する権限を持っていないわけではない。**実際に外部環境に直接接触する立場であるため、その立場から処理したほうがよい内容や状況も想定される。

オ ×：渉外担当者を通じた組織間関係は、通常は市場関係を通じて調整されることになる。少なくとも、資本関係にあるといった特別な状況でなければ、**権限関係はない（権限関係を通じた調整によって維持されるわけではない）。**

よって、**ア**が正解である。

第16問

動機づけ（モチベーション）理論に関する問題である。

ア ×：期待理論は、職務を遂行することで得られる報酬の魅力度である誘意性と、その報酬を獲得できる主観的確率である期待の積和が動機づけの強さを決定するというものである。よって、職務成果と報酬のつながりとは期待であり、これが明確なことは動機づけの要件となる。また、報酬の魅力度は誘意性であり、これが高まることも動機づけの要件であるが、期待と誘意性は別の要因である。つまり、**職務成果と報酬のつながり（期待）が明確な場合に報酬の魅力度（誘意性）が高まりやすいという関係性ではない**。上述したように、期待できると認識できることが重要であるため、人事評価制度の透明性（仕事がどのように評価され、報酬に結びつくのかが明瞭である）が仕事に対する従業員のモチベーションを高めることは正しい。

イ　×：公平理論は、文字通り公平であるかということと動機づけの関係を論じたものであるが、焦点を当てているのは、不公平であると認識した際の行動である。不公平であると感じると緊張が生まれ、この緊張が動機づけの基礎となり、平等で公正と見なしたものに向けて努力することになる（動機づけが生じる）。よって、**不公平感が生まれないように公正に処遇されているのであれば緊張が生じず、動機づけは生じないことになる**。

ウ　×：動機づけ・衛生理論（二要因理論）は、満足をもたらす要因を動機づけ要因として、達成感、仕事そのもの、仕事への責任といったものを挙げ、不満をもたらす要因を衛生要因として、給与、人間関係、作業環境といったものを挙げ、満足の要因と不満の要因は別であるとしている。よって、**職場の物理的な作業条件を改善することは衛生要因であり、仕事に対する従業員の不満を解消するための方法として有効である**。

エ　○：正しい。マクレランドの欲求理論では、「達成欲求」「権力欲求」「親和欲求」という３つの欲求があることを提唱している。達成欲求の高い従業員は、文字通り「達成欲求」を有し、この場合、成功の報酬よりも自身がそれを成し遂げたいという欲求から努力をする、偶然や他人の行動に結果を任せず、自らの責任でやりたいという欲求である。そして、成功確率が低く挑戦的な目標よりも、成功確率が五分五分（中程度）の目標の方により強く動機づけられることになる。

オ　×：D.マグレガーは人間観に基づいたモチベーション理論として、X理論・Y理論を提唱している。そして、X理論の人間観に基づいた場合には、人は生まれつき仕事が嫌いであると想定するなど、低次の欲求しか持たないとしており、この場合には命令と統制による管理が必要であるとしている。一方、Y理論の人間観に基づいた場合には、人は生まれつき仕事が嫌いというわけではないと想定するなど、高次の欲求を持つとしている。そして、結論として、組織における仕事への意欲を高めるためにはY理論に基づいて高次の欲求を満たす働きかけをしていく必要があるとしている。よって、「X理論」と命名した一連の考え方を前提にした場合には、人間は生来的に仕事が嫌いで責任回避の欲求を持つことは正しいが、上述した通り、**高次の欲求を有していないため、やりがいが強く感じられる仕事を与えても責任感**

が育たないことになる。

よって、**エ**が正解である。

第17問

政治的行動に関する問題である。

ア　○：正しい。組織における政治行動は、組織目標の達成のために生じるものもあるが、自己利益の獲得のために生じるものもある。また、組織目標の達成と自己利益の獲得の両方に資するものもある。組織目標の達成のためであれば、その行動は倫理的であるといえるが、自己利益の獲得だけが目的であれば、その行動は非倫理的であるといえる。ただし、この境目は非常に難しい。そのため、結果として自己利益を追求する政治的駆け引きが行われることはよく見られる。特に、経営幹部層がそのような行動をとれば、そうした行動が組織内で許容されることが従業員の中で暗黙の了解となる。その結果、政治的行動に対する抵抗感が低くなり、助長する組織風土が醸成されやすくなる。

イ　○：正しい。組織が効率化を図ってスリム化を図る際などには、経営資源の削減や配分の仕方を変えることも必要になる（経営資源の配分パターンの再編を伴う組織変革）。このような状況になると、自らの既得権益を失うことに脅威を感じ、自己防衛のために政治的行動に動機づけられる傾向がある。

ウ　○：正しい。従業員に公式に与えられた役割が曖昧であり、従業員の行動についての規定が明確でない場合、従業員の政治的行動の範囲や機能に対しても制限があまりないということになる。政治的行動は非公式なものであるため、役割が曖昧であれば、政治的行動に従事しやすくなる（余地は大きくなる）。

エ　○：正しい。昇進を巡る意思決定のプロセスは、組織において最も政治的な行動が生じやすいものの１つであるとされる。限られた昇進の機会をものにするために、自らに有利な決定が下されるように影響力を及ぼそうとする政治的行動が従業員間で生じやすくなる。

オ　×：組織において報酬を従業員に分配する場合に、ゼロサムの分配基準を用いるとは、報酬の総量が一定であり、その限られた報酬を従業員の間で奪い合うことになる。つまり、**従業員間での勝ち負けが明確になる**。このような場合には他の従業員をおとしめ、自らの業績を目立たせるといった政治的行動がとられることになる。

よって、**オ**が正解である。

第18問

組織のライフサイクルモデルに関する問題である。

a：起業者段階においては、製品開発と市場開拓によって環境の中で自らの生存領域を見出す、つまり、創業段階を乗り越えて生き残り、成長志向に乗ることに主眼が置かれる。そのため、資本家や供給業者、労働者や顧客といった外部の利害関係者からの支持を得て、必要な経営資源を獲得することが重要になる。よって、②が該当する。

b：共同体段階においては、組織の内部統合を作り出していくことになる。組織が強力なリーダーシップを得ることに成功すると、組織内の諸活動が明確な目標に向けて統合されていく。そして、組織メンバーは組織目標を明確に意識し、組織の一員であることに誇りをもつ。組織メンバー間のコミュニケーションや情報伝達構造を形成し、家族的雰囲気の中で職務へのコミットメントを高め、動機づけていくことが重要になる。よって、①が該当する。

c：公式化段階においては、職務規制や評価システム、予算・会計制度や財務管理制度などの規則・手続きが導入され、組織が官僚的になっていく。このような各種システムが整備されることを通して統制が図られ、組織の生産性が高まり、安定的に成長し続けることができるようになる。よって、③が該当する。

d：精巧化段階においては、組織が多数の部門に分割され、小規模組織の利点を確保しつつ、公式のシステムだけでなく、プロジェクトチームやタスクフォースなどによって柔軟性を獲得することを志向する。つまり、官僚的なメカニズムが重視されつつ、環境と関係を新たに創り出して再活性化を図ることになる。よって、④が該当する。

よって、**エ**が正解である。

第19問

組織スラックに関する問題である。

組織スラックとは、本来の目的を達成するために必要な資源よりも多くの資源を蓄積していることで生じる余剰資源である。問題文に書かれているように、「組織均衡を維持するのに必要な資源と、実際にその組織が保有している資源の差」ととらえることができる（実際にその組織が保有している資源のほうが多い場合に、組織スラックが存在する）。これは、企業などの組織にとって利用可能な資源（貢献）と、組織の存続にとって必要な支払い（誘因）の差額（残留資源）と捉えることができる。具体的には内部留保や工程間在庫などが該当するが、情報資源にもスラックがある。組織スラックには、部門間の調整の必要性を削減するだけでなく、イノベーション（変革）を促進する効果もある。

ア　○：正しい。好況時に組織スラックを増やすということは、組織均衡を維持するのに必要な資源よりも組織が保有する資源を多く保有するということである。内部留保を多く持っておくといったことが例として挙げられるが、言い方を変えれば生み出した利益のうちの一定割合を配当に回さずに（組織参加者に配分せずに）社内に有しておくということになる。これにより、組織参加者の満足水準の上昇を抑制することができる。組織参加者の満足水準が上昇するということは、文字通り、満足する水準が高くなるということであり、この例でいえば、多くの配当が得られなければ満足しないということになる。このような状況になると、不況期に十分な配当を出すことができない際に大きな不満を抱くことになる。よって、組織を継続的に均衡させて存続させるためには、過度に満足水準が上昇しないようにすることが必要である。

イ　×：革新案を探索する際には、組織が情報をリッチに解釈できる状態であることが必要である。そして、**そのためには組織スラックが存在することが必要になる。**経営者が情報を探索するモードに、問題主導型探索とスラック探索がある。問題主導型探索とは、組織の業績が目標水準に満たない場合などにおいて、その目標に関連した情報だけが探索され、既存の枠組みの中で問題解決が図られる。スラック探索とは、業績が目標水準を超え、スラックがある状態の際のオープン・エンド型の探索である。そして、スラック探索のほうがより高いリスクを許容したり、多様な解釈をしたりといった遊びが許容されることになる。

ウ　×：**組織スラックが存在しない場合**、部門間の調整を密に行う必要性が高くなり、コンフリクトが激化する。

エ　×：冒頭文および選択肢**イ**の解説でも述べた通り、**組織スラックは、組織革新を遂行するための資源となる。**組織スラックは余剰資源（ゆとり）であるため、環境変化の影響を吸収するバッファーとしての役割を持つことは正しい。

オ　×：不況期には、好況時などに蓄積していた組織スラックを組織参加者に放出することによって、組織参加者が組織から得られる誘因に対する期待が低下しないようにすることで、組織に参加し続ける動機づけを維持することができる。**短期的に参加者の満足水準を低下させることができるということではない。**

よって、**ア**が正解である。

第20問

個体群生態学モデルに関する問題である。

個体群生態学とは、共通の特性を持つ組織に対して外部環境が与える影響を取り上げたモデルである。たとえば、特定の地域に立地する企業群、特定の産業に属する企業群などが、環境の変化に応じて盛衰することなどは、明らかに個別組織の状況を超えた事象である。

組織の個体群生態学は、環境による「淘汰」という視点から企業と環境との関係をとらえ、生態学あるいは進化論的なモデルを適用して分析するアプローチである。個体群生態学モデルにおける自然淘汰プロセスは「変異」「選択・淘汰」「保持」という3つのステップを経ていく。

「変異」とは、組織個体群（何らかの共通の特性を持つ組織の集合）の中に新しい組織形態（組織構造、行動パターン、価値観などの組織の特徴）を持つ組織が生まれることを意味する。環境による「選択・淘汰」の対象となる組織形態の多様性はこの変異プロセスを通じて生まれる。そうした組織形態のうち、あるものが適当なニッチ（組織個体群が生存できる領域）を見出すと、環境によく適合するという理由で他の組織形態を制して選択される（つまり存続できる）。環境に適合しない組織は、その生存に必要な資源を獲得することができず、環境によって「淘汰」されてしまう。選択された組織形態は環境と対立しない限り維持され、再生産されていくことになる。これが「保持」である。

※　たとえば従来の小売業態という大きなグループ（スーパーや特定製品を取り扱う小売店舗など）の中に、新しくコンビニエンスストアという組織形態が現れたとする（これが「変異」）。この業態が市場から支持されるようになると、それまでの街の食品スーパーや小売店舗は「淘汰」されるか、コンビニエンスストアへの業態転換を余儀なくされる（「選択」する組織が増加する）。またコンビニエンスストア業態での新規参入も活発化される（これが「保持」）。

ア　○：正しい。個体群生態学モデルでは、組織の形態について強い慣性が働いていることを前提にしている。つまり、環境適応のために生まれながらに持つ組織形態を変えるのは容易ではないと仮定している。よって、新しい組織形態が誕生するのは、既存の組織が変化することによってではなく、その新しい組織形態を有した組織が誕生するという「変異」によって生じるとしている。いずれにしても、既存の組織形態を保持しようとする力が強いのであれば、新たな組織形態が生まれる可能性は低くなる。

イ　×：個体群生態学モデルにおいては、環境の変化に対して自らの組織形態を柔軟に変化させて対応できる組織群が選択されることになることは正しい（変化させることができなければ淘汰される）。しかしながら、「変異」と「保持」は、基本的には互いに対立する圧力として作用する（トレードオフの関係にある）ため、**自らの組織形態を柔軟に変化させて対応できる組織群が選択されることが、長期にわたって保持されることを示唆するわけではない**。これは、変異を生じさせる柔軟な組織は保持される可能性が低くなり、組織を保持しようとする力が強い組織は変異が生

解答・解説
4年度

まれる可能性が低くなるからである。

ウ　×：組織内の部門が緩やかな結合関係にある（ルースに結合されている）場合、各部門は分権的で自己完結的に構成され、他部門への依存度も低いことから、それぞれの部門が直面する環境へ適応するために独立した行動をとりやすくなる。結果として、組織内の各部門において変異が生じる可能性が高くなる。そして、変異が生じるのであるから、**保持されている既存の組織形態の存続の可能性は低くなる。**

エ　×：選択肢**ア**の解説でも述べた通り、変異段階で新たに生まれる組織個体群（新しい組織形態）は、既存の組織の変化によってではなく、新しい組織形態をもつ組織が誕生することによることが多い。このことを踏まえると一見正しいようにも思えるが、それでも、**既存の組織から派生してくるケースが少ないとまでは言えないし、独立した企業者活動を通じて生み出されるとまで言い切ることも難しい（必ずそうなるわけではない）。**

オ　×：変異によって生まれた組織個体群は、政府などによる規制や政策によって選択・淘汰されることになる。法の改正、監督官庁による指導などが影響を及ぼし、それに適合しない組織個体群は淘汰されるからである。よって、**規制が緩和されれば保持される組織形態の多様性は増大することになる。**

よって、**ア**が正解である。

第21問

従業員の柔軟な働き方を可能にする勤務形態に関する問題である。

ア　○：正しい。顧客と直接的な関係性を築けるように従業員の職務を設計すれば、従業員は顧客からのフィードバック（満足度、意見、感想など）を直接得ることができるため、自らの職務の実績を自ら自律的に評価できる機会となる。そして、このように自らの仕事の意味や重要性を実感できることは、モチベーションを高めるために有効な要素となる。職務特性モデルにおいても、業務そのものから得られる手ごたえを感じやすい場合、その職務は、モチベーションを高めやすい特性を有しているとしている。

イ　×：職務拡大とは、職務に対する単調感を和らげるために、職務の構成要素となる課業の数を増やして仕事の範囲を拡大する方法であり、職務の水平的拡大である。つまり、タスクの数を量的に増やすことである。選択肢に書かれている、量的に増やすことではなく、より大きな責任と権限を従業員に与えることで仕事へのモチベーションを高めるのは、**職務の垂直的拡大である職務充実である。**

ウ　×：ジョブシェアリングとは、フルタイム勤務者１人で行う仕事を２人で労働時間を分担して行い、評価・処遇も２人セットで受ける働き方であり、ワークシェアリングの１形態である。たとえば、１人が月曜日、火曜日、水曜日（午前）、もう１人が水曜日（午後）、木曜日、金曜日といった具合に出社する。つまり、あくまで２人で与えられた責任を分担してこなすことになるため、**それぞれが個人的な事情に応じて勤務時間を自由に設定できる権利を保障するというものではない。**フルタイムでの勤務が困難な子育て中の従業員の雇用機会を広げることができることは正しい。

エ　×：ジョブローテーションとは、従業員にひとつの職務だけでなく、他のいくつかの職務を定期的、計画的に経験させるものである。通常は職務の水平的な拡大（営業、製造、開発など）によってジェネラリストの育成を目的とする。つまり、**職務の垂直的な拡大ではないし、専門職人材の育成を目的とするものではない。**さらに、**より高度な技能と責任が求められる職務に配置転換するということでもない。**

オ　×：フレックスタイム制とは、清算期間を平均して、１週間の労働時間が法定労働時間を超えないという制約の下で、始業および就業の時刻を労働者が自主的に決定できる制度である。つまり、勤務時間に自由度を与える制度であるため、**他部門との関わりが限定されるわけではないし、自部門内で完結する職務に従事する従業員に適用することができない点が欠点になるということもない。**

よって、**ア**が正解である。

第22問

人事評価における評価基準と評価者に関する問題である。

ア　×：360度評価は多面評価ともいわれ、１人の被評価者を周囲の多数の人間が評価する仕組みである。直属の上司以外に、先輩、後輩、部下、他部署の上司、また、取引先や顧客といった組織外といった多様な主体が評価者となることで、客観的な評価を実現しようとするものである。**従業員が所属している部門内の直属の上司、同僚、部下に範囲を絞って評価者を設定するものではない。**

イ　×：コンピテンシーとは、高い業務成果を生み出す顕在化された個人の行動特性であり、コンピテンシー評価はこの顕在化した行動によって評価するというものである。よって、優れた業績をあげるための知能や性格といった従業員の**潜在的な特性**に基づいて従業員の職務成果を評価する手法ではない。

ウ　○：正しい。従業員に自らの職務成果を自己評価させる場合、その自己評価と上司の評価を合わせて話し合うことになる。このことを通して議論が活発になり、評価に対する納得感が高まるとともに、コミュニケーションの機会にもなるなど利点は大きい。

エ　×：上司の職務成果を直属の部下に評価させる場合には、**無記名式で評価させる**

解答・解説
4年度

ことが望ましい。記名式にしてしまっては、部下は上司についてマイナスな評価をくだしていたとしても、そのような評価はしにくいであろう。また、不正確な評価を行った部下に対して上司が指導を事後的に行うことが想定されているのであれば、何のために部下に評価をしてもらっているのかがわからなくなってしまう。

オ　×：企業組織におけるエンパワーメントとは、組織の業務処理において従業員の考えを積極的に取り入れ、権限を委譲し、相互に協力しながら自発的に目標の達成を目指すというものである。自らの考えを大切にさせるというものであるので、**職務成果の評価者を直属の上司に限定し、従業員による自己評価の機会を認めるべきではない、というのは適切ではない**。むしろ、自己評価の機会をしっかりと認めることが効果的である。

よって、**ウ**が正解である。

第23問

労働基準法の定めに関する問題である。

ア　×：労働基準法では第15条２項において、明示された労働条件が事実と相違する場合においては、労働者は、**即時に**労働契約を解除することができると規定している。

イ　○：正しい。休憩時間および休憩の与え方は原則として、以下のとおりである。

・休憩時間

労働時間が６時間超～８時間以内の場合：45分以上

労働時間が８時間超の場合：１時間以上

・休憩の与え方

①　労働時間の途中に与えなければならない。

②　一斉に与えなければならない。

③　自由に利用させなければならない。

ウ　×：労働基準法では第７条において、使用者は、労働者が労働時間中に、選挙権その他公民としての権利を行使し、または公の職務を執行するために必要な時間を請求した場合においては、拒んではならないと規定している。このように第７条においては、**給与に関して触れていないため、有給か無給かは当事者の自由に委ねられている**。

エ　×：労働基準法では第13条において、労働基準法で定める基準に達しない労働条件を定める労働契約は、**その部分については無効とする**。この場合において、無効となった部分は、労働基準法で定める基準によると規定している。

よって、**イ**が正解である。

第24問

就業規則に関する問題である。

ア　○：正しい。就業規則に減給の制裁を定める場合は、減給の額が以下の限度額を超えてはならない。

① 1回の事案に対しては減給の総額が平均賃金の1日分の半額

② 一賃金支払期に発生した数事案に対する減給の総額が、当該賃金支払期における賃金の総額の10分の1

イ　×：退職手当の定めは就業規則における相対的必要記載事項であるため、その（退職手当の）定めをしない場合には、記載する必要はない。しかし、**退職に関する事項（解雇の事由を含む）は絶対的必要記載事項であるため、必ず就業規則に記載しなければならない。**

ウ　×：就業規則を作成して届出をする際に、当該事業場に労働組合がない場合は、当該事業場の労働者の過半数を代表する者が当該就業規則の内容に**意見を記した**書面を添付しなければならない。使用者は、就業規則の作成または変更において、その内容について**同意を得る必要はない。**

エ　×：労働基準法では第106条において、使用者は、就業規則等を常時各作業場の見やすい場所へ掲示し、または備え付けること、書面を交付することその他の厚生労働省令で定める方法によって、労働者に周知させなければならないと規定している。厚生労働省令で定める方法とは以下の方法である。

① 常時各作業場の見やすい場所へ掲示し、または備え付けること。

② 書面を労働者に交付すること。

③ 磁気テープ、磁気ディスクその他これらに準ずる物に記録し、かつ、各作業場に労働者が当該記録の内容を常時確認できる機器を設置すること。

上記はいずれかの方法で周知すればよく、就業規則を確認できるパソコン等を常時各作業場に設置して周知する場合には、**別途、労働者に対して就業規則を書面にて交付する必要はない。**

よって、**ア**が正解である。

第25問

労働基準法における災害補償又は労働者災害補償保険法の定めに関する問題である。

ア　×：労災事故が発生し、労働者災害補償保険法に基づく休業補償給付がある場合は、事業主は労働基準法の規定による休業補償を行う必要はない。労働者災害補償保険法に基づく休業補償給付は、労働者が業務上の負傷または疾病による療養のため労働することができないために賃金を受けない日の第4日目から支給される。業務災害の場合は、**労働者災害補償保険法に基づく休業補償給付がされない第1日目から第3日目について、事業主は労働基準法の規定による休業給付を支払う義務が生じる。**

イ　○：正しい。労働基準法第75条において、労働者が業務上負傷し、または疾病にかかった場合においては、使用者は、その費用で必要な療養を行い、または必要な療養の費用を負担しなければならないと規定されている。そして、その業務上の疾病および療養の範囲は、厚生労働省令で定められており、その中に「患者の診療若しくは看護の業務、介護の業務または研究その他の目的で病原体を取り扱う業務による伝染性疾患」がある。

ウ　×：労働者が、日常生活上必要な行為であって、日用品の購入その他これに準ずる行為などをやむを得ない事由により行うための最小限度のものである場合は、通勤災害として認められる。しかし、**逸脱中断の間の負傷については、通勤災害として労働者補償保険法に基づく保険給付は行われない。**

エ　×：労働者災害補償保険法に基づく障害補償給付に関する障害等級は、重い方から第1級から第14級まで定められていることは正しい。しかし、障害等級第1級から第7級までに該当する場合には**障害補償年金**が支給され、障害等級第8級から第14級に該当する場合には**障害補償一時金**が支給される。

よって、**イ**が正解である。

第26問

労働組合法の定めに関する問題である。

ア　×：不当労働行為とは、労働組合運動に対する使用者の妨害行為のことである。具体的には以下の使用者の行為が、不当労働行為として禁止されている。

①　不利益な取り扱い…労働組合の組合員であること等を理由として、労働者を解雇または不利益な取り扱い（減俸、昇給停止など）をすること

②　黄犬契約の締結……労働者が労働組合に加入しないこと、または労働組合から脱退することを雇用条件とすること

③　団体交渉拒否………使用者が雇用する労働者の代表者と団体交渉をすることを正当な理由がなく拒むこと

④　支配介入……………労働者が労働組合を結成し、運営することを支配し、介入すること

⑤　経理上の援助………労働組合の運営のための経費の支払いにつき、経理上の援

助を与えること

本問のような、特定の事業場に雇用される労働者の過半数を代表する場合において、その労働者が労働組合員であることを雇用条件とする労働協約をユニオンショップ協定という。これは、使用者との団体交渉を有利に進めるために組合員の団結強化の手段として有効であり、**労働組合法では、ユニオンショップ協定は黄犬契約の締結の例外として締結することを妨げるものではないと規定されている**（労働組合法第７条１項）。

イ　×：労働組合法では第14条において、労働組合と使用者またはその団体との間の労働条件その他に関する労働協約は、書面に作成し、両当事者が署名し、または記名押印することによってその効力を生じると規定されている。よって、**当事者が署名または記名押印した書面を作成することなく、当事者の口頭によって交わされたものは労働協約としての効力は生じない。**

ウ　○：正しい。労働組合の代表者等は、労働組合または組合員のために、使用者またはその団体と労働協約の締結その他の事項に関して交渉をすることができる。

エ　×：選択肢**ア**の解説にあるように、労働者が労働組合を結成し、もしくは運営することを支配し、もしくはこれに介入すること、または労働組合の運営のための経費の支払につき経理上の援助を与えることは不当労働行為に該当することは正しい。しかし、経理上の援助の例外として、以下のものが認められている。

① **労働者が労働時間中に賃金を失うことなく使用者と協議・交渉すること**

② 組合の福利基金などに使用者が寄付すること

③ 最小限の広さの事務所を供与すること

よって、**ウ**が正解である。

第27問

準拠集団に関する問題である。

準拠集団からの影響については、多くの識者が論じている。本問は内容から「Park&Lessig」の主張をベースにしたものであると考えられる。

ア　×：Park&Lessigは、準拠集団とは、個人の評価や願望、あるいは行動に関して重要な関連性をもつ「実際の個人」や「想像上の個人」、あるいは「実際の集団」や「仮想集団」を含むものである、と指摘している。よって、準拠集団が、消費者の評価や願望、行動に重要な影響を及ぼす実在または想像上の集団を指すことは正しい。そして、**実在する特定の個人から受ける影響も準拠集団による影響に含まれる。**

イ　×：準拠集団は、実際の知り合いから構成される集団と、自らが所属していないが憧れを抱いている集団、そして、**所属したくないと考える集団**に分類される。そして、これらは順番に、**所属集団、願望集団（理想集団ではない）、拒否集団と呼ばれる**。

ウ　○：正しい。Park＆Lessigは、消費者が準拠集団から受ける影響について、①情報的影響、②功利的影響、③価値表出的影響の３つを挙げている。

(1)　情報的影響

情報の獲得に関して与える影響である。情報を提供する側の知識や専門性、信用度が高いほど、影響は大きくなる。また、新製品など、評価が難しい経験財の場合により大きな影響を与える。

(2)　功利的（規範的）影響

集団の規範・ルールに従う圧力を個人に与える、言い換えれば消費者の行動が集団の好みや評価の影響を受ける。ルールに従えば報酬が得られる、従わなければ制裁される、行動が観察されている、といった場合、より大きな影響を与える。

(3)　価値表出的影響

自己概念を高める、あるいは維持するという動機に関連し、そのために準拠集団を利用する。具体的には準拠集団と似た行動を採ることで自らと準拠集団を結び付けようとする。

よって、価値表出的影響に着目すると、準拠集団に属する人々と似た行動をとったり、同じブランドを購入したりするといった形で、行動や価値観の伝播が生じる。

エ　×：消費者が準拠集団から受ける影響として情緒の伝播があり、これは準拠集団に属する人々の感情に共感することによる影響であることは想定される。しかしながら、選択肢**ウ**の解説でも述べた通り、**功利的影響とは他者の好みや評価からの影響である（他者の好みや、他者からどのように評価されるかが、自らの行動に影響を及ぼす）**。

よって、**ウ**が正解である。

第28問

ブランドに関する問題である。

ア　×：既存ブランドの下で分野や用途、特徴などが異なる新製品を発売することをブランド拡張というのは正しい。メーカーがこのようなブランド戦略によって製品を展開した場合、流通側から見ても、そのブランドにブランド力があれば、その新製品が早期に販売拡大できる可能性があるなどメリットがある。また、メーカー側から見た場合には、ブランド拡張によって当該新製品が失敗した場合、そのブランドのイメージが低下するなど、ブランドを毀損するリスクがあることは正しい。しかしながら、**メリットが特にないなどということはない**。ブランド拡張はすでに市場において認知されているブランドを用いて新たな製品を展開するため、その知名度やブランド力を活かして販売を拡大することが可能になるなどメリットは当然ある。メーカーにとってメリットが特にないのであれば、そもそもこのようなブランド戦略自体が存在しないであろう。

イ　○：正しい。自社ブランドのポジショニング戦略を構築する際には、競合ブランドと差異化を図って異なるポジショニングとする相対的側面と、消費者から見て自社ブランドが他にはないユニークな価値（オンリーワン）を持たせる絶対的側面があり、ポジショニングを考える際には、この両方の視点で考えることが有効になる。

ウ　×：製品カテゴリーなどを提示し、当該カテゴリー内で思いつくすべてのブランドを白紙に書き出してもらうことを純粋想起という（ブランド再生ともいう）。一方、ブランド名を列挙し、その中で知っているものをすべて選択して回答してもらう調査は助成想起といい、ブランド知名度を図る1つの手法となる。**この調査手法自体が、精度が低いということはないし、得られる結果の信頼性も低いということはない**。

エ　×：**ブランドは、最終製品だけでなく、製品の中に使用されている部品や素材などの名称にも用いられており、これを成分ブランディングという**。成分ブランディングとは、コ・ブランディングの特殊なケースであり、最終製品に用いられる部品や原材料のブランド力を借用するものである。たとえば、パソコンという最終製品にインテルが用いられていることは、パソコンという最終製品を販売するためにインテルのブランド力を借用しているといえる。

オ　×：ブランドがナショナル・ブランド（NB）とプライベート・ブランド（PB）に分けることができることは正しい。そして、PBは大手小売業などの流通業者が開発し製造・販売するものであるが、**大手メーカーがかかわらないというわけではない**。流通業者は基本的には製造機能を有していないため、実際の製造はOEMなどの形でメーカーに委託することが多い。そのため、PBの売上げが増えることが、メーカーのNBの競合になるという点で売上げが減少することは考えられるが、**仮にその製品をメーカーが製造するのであれば、売上げは増加する側面もある**。

よって、**イ**が正解である。

第29問

設問1 ●●●

消費者が製品に対して感じる価値や価格の意味に関する問題である。

ア　○：正しい。同じ製品であっても、その製造プロセスなどに消費者を巻き込んでいくことで、その製品に対する愛着や関与が高まり、より高い価値を感じてもらうことは可能である。このように価値を感じてもらうことができれば、より高い価格で買ってもらうことが可能であるし、あるいは価格を据え置くことによって、より高い顧客満足を感じてもらうという選択肢もある。

イ　×：消費者が価格に対して感じる意味には、一般に「支出の痛み」「品質バロメーター」「社会的プレステージ」の３つがあるとされている（**「支出の痛み」だけではない**）。「支出の痛み」とは、購買によってお金が出ていくことに対して心が痛むということであるため、価格が下がれば支出の痛みは和らぎ、価格が上がれば支出の痛みは強くなることは正しい。このため日用品の分野において通常は価格を上げれば売上げは低下（販売量が減少）することも正しいが、**このような財はギッフェン財ではない。ギッフェン財は価格が上がると需要（売上げ）が増加する財である。**

ウ　×：消費者が製品が提供する価値に対して払ってもよいと感じる価格が状況によって異なることは正しい。一物一価の原則とは、経済学における概念であり、自由な市場経済においては、同一市場の同一時点における同一の財・サービスは同一の価格である、というものである。しかしながら、**同一製品に異なる価格をつけることが禁止されているということはない**。消費者が製品が提供する価値に対して支払ってもよいと感じる価格は状況によって異なるため、企業側はそれを踏まえて価格設定することになる。

エ　×：消費者が製品の品質を判断するために用いる情報としては、価格も１つの要素であるが（価格の品質バロメーター機能）、**ブランドも品質を判断する１つの要素である**。ブランドが果たす機能として、そのブランドについて消費者が認知していることによって品質を判断することになるからである。また、どのような価格を設定するかが消費者の品質判断に影響を及ぼすこと自体は正しいが、**強い影響を及ぼすか否かは、価格の品質バロメーターの度合いによって異なることになる**。一般には、その製品についての情報を消費者があまり有していない（詳しくない）場合に、価格が品質を判断する拠りどころになる可能性が高くなる。

オ　×：プレステージ性とは、企業や製品の社会的評価の高さを表す要素のことであり、価格の水準が自らのステータスの高さを示すことになる。よって、ラグジュアリー・ブランドなどにおいてはこの要素が強い可能性が高いため、価格が上がることによって、より高い価値を感じる消費者もいることは正しい。しかしながら、**プロスペクト理論はこのことを説明する理論ではない**。プロスペクト理論は、利得と損失に対して人間がどのような感情の変化を引き起こすかを実験経済学的に研究した心理的な価格づけを理論的に説明したものである。消費者は製品やサービスの価値に対して個々に期待価格を持ち、それと実際の価格との差で価値を評価している。プロスペクト理論では、この期待価格を参照価格というが、参照価格よりも実際の価格が高くなっていれば損失（心理的ダメージ）を、安くなっていれば利得（得した感覚）を、感じることになる。そして、たとえば、参照価格よりも1,000円高くなっている場合と1,000円安くなっている場合の価値を比べると（価値評価すると）、高くなっている（損失）のほうが安くなっている（利得）よりも価値評価が高いとされている。

よって、**ア**が正解である。

設問2 ●●●

価格に関する問題である。

ア ×：価格シグナリングとは、価格が品質を表すシグナルとなることである（価格が高ければ品質が高いと判断する）。つまり、価格の品質バロメーター機能を生じさせる価格政策である。よって、価格シグナリングが、価格を通じて消費者にメッセージ（シグナル）を送ることであり、実際には低品質なのに高価格をつけることにより高品質であるように見せることも価格シグナリングに含まれることも正しい。そして、**製品にセール価格をつけることも価格シグナリングに該当する**。

イ ×：留保価格とは、特定の製品に関して消費者が妥当であると感じる価格幅の上限を意味する価格である（**消費者が特定の製品に関して感じる価格幅の中間値ではない**）。企業が自社のそれぞれの製品の留保価格を考慮して実際の価格を設定することが望ましいことは正しい。

ウ ×：浸透価格とは、文字通り、自社の製品を市場に浸透させるためにつける価格であり、一気に市場シェアを獲得するためにつけられる低価格を指すことは正しい。しかしながら、市場シェアを獲得するためとはいえ、**慢性的に赤字を出すほどの低価格に設定してしまっては利益を獲得することができず、戦略として不適切である**。

エ ×：別々の製品をセットにして、個々の製品の合計価格よりも安く販売するのは、**価格バンドリングである**。価格アンバンドリングは、セット販売せずに、消費者のニーズに合わせて商品内容を組み合わせることができるような販売手法である。また、互換性とは取り換えがきくということであるので、セットで販売される製品の間に互換性があるとは、その製品が同じ機能を有しているということであるため、通常は消費者としては、両方は不要である。よって、**価格バンドリングであったとしてもお買い得感はない**。

オ ○：正しい。本体と消耗品を組み合わせて使用する製品で、本体を低価格で、消耗品を高価格で販売することをキャプティブ・プライシングという。本体を低価格にすることで購入を促し、消耗品で利益を獲得する価格設定手法である。ただし、消耗品の価格を高く設定しすぎてしまっては、継続的に購入してもらえなくなる可能性が高くなる。

よって、**オ**が正解である。

第30問

流通チャネルの構造に関する問題である。

ア ×：流通チャネルの開閉基準とは、流通業者が特定のメーカーとの取引に依存するかどうかの尺度である。特定のメーカーのみと取引するのは専売店ということになる。よって、**メーカーが取引をする各流通業者にどれだけの数の商品を卸すかの尺度ではないし、当該地域におけるメーカーの出荷総額に占める卸・小売の販売シェアではない**。

イ ○：正しい。流通チャネルの広狭基準とは、チャネルの幅の広さ（メーカーが特定地域内においてどれだけの数の小売企業を通じて自社の商品を販売するか）の尺度である。その幅の広さにより、開放的流通、選択的流通、排他的流通といった分類がされる。

ウ ×：流通チャネルの長短基準とは、チャネルの段階数の多さ（メーカーから消費者に届くまでに介在する流通業者が多ければチャネルが長い）の尺度である。よって、**物流ルートの時間的・物理的長さに関する尺度ではない。そのため、輸送と保管の機能を含めたロジスティクス全体の物流効率を考慮する際に用いられるというわけでもない**。

エ ×：卸売段階と小売段階の販売額の比率とは、W/R比率と言われる。算出方法は、年間卸売総販売高÷年間小売総販売高である。たとえば、メーカーから卸売業者を３社経由して小売業者が消費者に販売する場合を考える。卸売業者Aが50円、卸売業者Bが70円、卸売業者Cが90円、小売業者が120円で販売するとすると、W/R比率は（50＋70＋90）÷120＝1.75となる。つまり、W/R比率が高いほど、小売販売高に占める卸売販売高の割合が大きいということになり、卸売業者間で販売が繰り返されている、つまり流通経路が長い（流通段階が多い）ということになる。よって、**卸売段階と小売段階においてどれだけの付加価値が生み出されているかに関する尺度ではない（付加価値基準という名称でもない）**。

よって、**イ**が正解である。

第31問

リレーションシップ・マーケティングに関する問題である。

ア　○：正しい。パレートの法則とは、売上げ（収益）の80％が上位20％の顧客によってもたらされるとする経験則である。よって、上位20％の顧客を重視することの根拠となる。ただし、当然ながらすべての業界においてこの法則が当てはまるわけではない。

イ　×：RFM分析がリレーションシップ・マーケティングにおいて優良顧客を識別するために用いられる方法の１つであることは正しい。そして、RFMは、顧客を最終購買日（Recency）、購買頻度（Frequency）、購買金額（Monetary）の３つの視点で顧客をランク付けするものである（**定価で購買している程度（Regularity）ではない**）。

ウ　×：顧客とどのレベルまで関係が構築できたか（リレーションシップ）には、さまざまな段階があることは正しい。ある消費者がブランドを利用した結果としての経験を他者に広めている場合に、確かに悪評を広める場合（リスク）もある。しかし、当然ながら良い評価を広めることもあるため、**リレーションシップの段階を判断する手がかりとはなり得るため、用いられないということはない。**

エ　×：リレーションシップの概念は、**B to Bマーケティングにおいて企業が顧客と長期継続的な関係の構築を重要視するようになったために提唱され始めた（B to Bにルーツがある）**。よって、**B to Bマーケティングにおいてリレーションシップの概念が当てはまらないということはない。**

よって、**ア**が正解である。

第32問

設問1

サービスに関する問題である。

ア　○：正しい。製造業のサービス化とは、製造業が製品を製造・販売するだけでなく、製品に関連したさまざまなサービスを組み合わせて提供する概念である。背景にはモノの消費からコトの消費、所有から共有を望む消費者の意識変化や、AI、IoT等の技術進化、製品のコモディティ化などが挙げられる。提供するサービスの例としては、アフターサービスの提供、ソリューション（提案）サービスの提供、受託生産の際の企画や設計のサポートなど、単に「つくる」だけではないサービスを提供するケースは多い。

イ　×：「真実の瞬間」とは、スカンジナビア航空のヤン・カールソンが、旅行客が従業員と接する時間は平均すると約15秒という短い時間であり、その短い時間にお

解答・解説
4年度

ける対応が、そのサービスに対する顧客の評価を決めることになるため、その時間内にいかに顧客を満足させる適切な対応ができるかが重要だとした考えである。つまり、**対価を支払う時点ではなく、実際にサービスを提供してもらう瞬間である。**この真実の瞬間の際に、サービスの品質やコストパフォーマンスに関する顧客の知覚が最も鋭敏になること自体は正しい。

ウ　×：知覚品質とは、個人によって異なる優先順位や選好が織り込まれた顧客の知覚に基づく総合的な品質のことであり、個人が持つブランドの主観的な総合イメージである。よって、**すべての消費者にとって一定というものではない（個々に異なる）。**

エ　×：サービスには、無形性、不可分性、異質性（品質の変動性）、消滅性といった特性がある。そして、近年のSNSの浸透などによってサービス提供の場面が撮影・録画されるケースが増えてきていることは正しい。たとえば、講義映像を収録したものを観るといったことにより、サービス提供の場面に実際にいなくてもサービスを受けることができる。あるいは、まだそのサービスを体験したことがない場合であっても、サービス内容を事前にある程度把握することができる。つまり、解消される面があるのは不可分性や、事前にサービス内容が把握できないことによる知覚リスクを生じさせる無形性である。**消滅性は、サービスは在庫することができないということであり、この点について解消されつつあるわけではない。**

オ　×：製品と同様にサービスにも探索財、経験財および信用財があることは正しい。そして、信用財とは、信用が重要な根拠として供給され、実際に利用した後であってもその品質の評価が難しい性質を持つ製品やサービスである。弁護士や医療、教育やコンサルティングといった専門的な技術や知識を必要とする領域や、健康食品やサプリメントなど、評価に個人差があるものなどが該当する。よって、サービス提供者の信用が特に重要であるという点は正しいが、上述したような財であるため、**高級ブランドや高価格のサービスを指すわけではない（「信用財＝高級ブランドや高価格のサービス」というわけではない）。**

よって、**ア**が正解である。

設問2

顧客満足に関する問題である。

ア　〇：正しい。顧客ロイヤルティについては以下の分類がある。

＜顧客ロイヤルティ分類＞

		心理的（態度的）ロイヤルティ	
		高い	低い
行動的ロイヤルティ	高い	真のロイヤルティ	見せかけのロイヤルティ
	低い	潜在的ロイヤルティ	ロイヤルティなし

（Dick and Basu　1994）

行動的ロイヤルティとは、繰り返し購買している（再購買率で測定）など、文字通りロイヤルティの高さが行動に表れているということであり、心理的ロイヤルティとは、消費者の心理として高いロイヤルティを有しているということである。そして、行動的ロイヤルティが高い場合であっても、その企業やブランドに対して感情的にコミットしているとは限らず、関与が低い、他のブランドにスイッチするのが面倒といったことにより、惰性で同じブランドを購入していることもある（見せかけのロイヤルティ）。一方、心理的ロイヤルティが高い場合であっても、実際に購買にはあまりつながっていない場合もある。その企業やブランドに対して好意的な認識を有しているが、たとえば価格帯が高いなどによってなかなか購買ができていないといったことである（潜在的ロイヤルティ）。企業が高い顧客価値の提供を通じて高い顧客満足を達成したのであれば、当該ブランドにロイヤルティを形成した顧客は真のロイヤルティを有する顧客である（その可能性が高い）。そして、真のロイヤルティを有する顧客なのであれば見せかけのロイヤルティを有する顧客ではないし（上記表のとおり、両者は別の状態）、高い満足を得ているのであれば、仮に真のロイヤルティを有するまでではなかったとしても、見せかけのロイヤルティを有する顧客ではない。

イ　×：顧客満足を高い水準に保つために、サービスの現場においてスマートフォンのアプリによるアンケートなどを活用して顧客の意見や不満などを常に確認すること自体は大切なことである。しかしながら、**顧客の要望はすべて実現する必要があるわけではない**。費用対効果の観点から適切ではない場合もあるし、一部の顧客の要望に応えることが他の顧客にとっては有り難くない場合もある。よって、総合的な判断が求められる。

ウ　×：サービスは無形性という特性を有していたり、経験財の特性を有していたりすることから、これからあるサービスを利用しようと考えている消費者にとって、**そのサービスの品質は経験する前（事前）に把握できるわけではない**。サービスの満足についても、もちろん利用してみなければわからない（そもそも満足するかは利用した後に生じるものである）。

エ　×：相互に競合するいくつかのブランドのサービスの中で、消費者が特定ブランドのサービスを長く利用している場合に、**それだけで当該消費者がそのブランドに対して高い満足を感じているとは限らない**。選択肢**ア**の解説でも述べた通り、見せかけのロイヤルティを有する状態の場合、特定ブランドのサービスを継続的に利用することになるが、高い満足を感じているわけではない。

オ　×：品質の測定に関して、少なくとも相対的には製品（有形財）の品質は物理的に測定可能であり、人間によって提供されるサービスの品質を測定するのは困難である。そのため、このようなサービスの品質を測定するための1つの尺度として顧客満足が用いられることはある。そして、当然、**製品（有形財）においても用いられることはある**。

よって、**ア**が正解である。

第33問

製品ライフサイクル（PLC）に関する問題である。

ア　○：正しい。PLCの衰退期にある市場において顧客である人々は一般的にロイヤルティが高い（そういう顧客が顧客として残っている）。そのため、市場が大きく成長していく見込みは低いものの、当該事業を維持していくためのコストは相対的に低いことも多く、売上げは小さくとも高い利益率を実現できる可能性は十分にある（残されている）。

イ　×：選択肢に書かれている内容は、**PLCの成熟期における対応である**。成長期の段階では、製品が消費者に認知されていき、市場が拡大していく時期であるため、基本的には売上や利益は時間の経過とともに増加していく。もちろん、市場の状況に応じてさまざまな策を講じることはあるが、市場において主流となって流通している製品を販売していくのが基本となる（選択肢に書かれているような顧客ニーズの多様性が生じてくるのは主に成熟期である）。

ウ　×：PLCは、製品や市場が今後どのように動いていくかを予測するために有用である。そのため、自社製品がこれからたどるであろう各段階の将来的なマーケティング戦略の策定に主に利用されることは正しい。しかしながら、**確実に予測することは困難である**。そもそも予測とは確実なものではない。

エ　×：計画的陳腐化とは、たとえば、毎年異なるデザインのファッションを販売したり、定期的にパソコンやスマートフォンの新モデルを出したりするなど、ある製品について企業側が意図的にPLCを短縮させ、買い替え需要を生み出していく手法である。機能やデザインを付加した新製品を出すことで旧製品の魅力を下げ、新製品への買い替えを促進するというのはまさに計画的陳腐化である。しかしながら、計画的陳腐化によって短縮されるのは対象製品のPLCであり、**当該製品カテゴリー**

そのもののPLCが短縮されるわけではない。スマートフォンは常に新製品が投入されているが、旧モデルのスマートフォンは陳腐化しても、スマートフォン自体のPLCが短縮されるわけでない。また、上述したように買い替え需要を生み出すことが効果的な場合には実行するため、**実行は避けるべきということはない**。

オ ×：すべての製品やサービスがPLCの４つの段階すべてを型通りにたどるわけではないことは正しい。一度導入された製品やサービスが、はやったり廃れたりしながら何世代にも亘って続く状況自体は生じ得ることである。しかしながら、ファッドとは、一時的な流行ということであるため、**選択肢に書かれている状況はファッドではない**。

よって、**ア**が正解である。

第34問

設問１ ●●●

従来型の典型的な製品開発プロセスに関する問題である。

＜新製品の開発プロセス＞

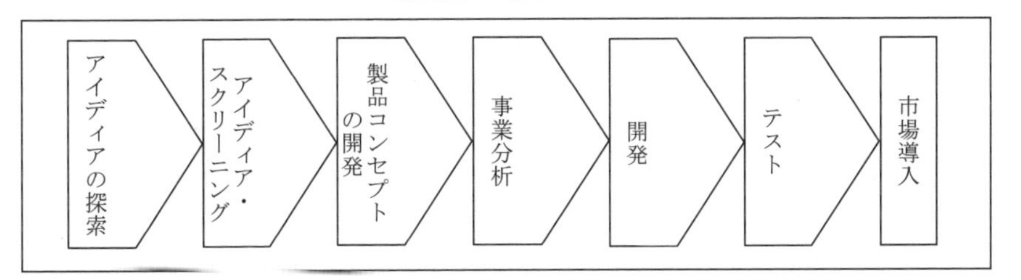

（出所：宮澤（1995）p.103　図5-4：Kotler（2000）訳書　p.416　図11-1を参考に作成）
（『マーケティング論』芳賀康浩　平木いくみ著　一般社団法人放送大学教育振興会 p.129）

アイデア・スクリーニング

アイデアの絞り込みである。自社の理念、目的、イメージとの適合度、資金面、市場の魅力度など、多様な観点が想定されるが、これらを踏まえて絞り込むことになる。

コンセプトの開発とテスト

アイデアが客観的かつ機能的な面から製品を捉えたものであるのに対し、コンセプトは標的顧客のベネフィットの面から製品を説明したものである。よって、この製品がどんな相手にどんな価値を届けるのかを開発するということである。これをアイデアを絞り込んだ段階で行うことになる。

事業性の分析

売上やコストなどを想定し、経済的な評価を行うことである。コンセプトが開発されてテストをしたら行うことになる。

プロトタイプの開発

試作品の開発である。これを事業性があることが確認できたら行うことになる。

よって、**A**がアイデア・スクリーニング、**B**がコンセプトの開発とテスト、**C**が事業性の分析、**D**がプロトタイプの開発が該当するため、**イ**が正解である。

設問2 ●●●

新たな製品開発プロセスに関する問題である。

ア　×：**選択肢の記述は、オープン・イノベーションの内容である。**オープン・イノベーションとは、ヘンリー・チェスブロウが提唱した概念で、企業内部と企業外部のアイデアを有機的に結合させて価値を創造することを指す。そして、特に外部のアイデアを取り込んで製品やビジネスモデルを創造することをクラウドソーシングと呼ぶ。ユーザー・イノベーションとは、ユーザーが直面する課題に対して、自らの利用のために製品やサービスを創造したり、改良したりすることである。つまり、ユーザー自身が起こすイノベーションである。

イ　×：企画、開発、マーケティング、財務、生産などの各段階を一つ一つ着実に完了させてから次の部門へ引き継いでいくというプロセスは、シーケンシャル型プロセスと呼ばれる。この場合、たとえば、生産段階において重大な欠陥が発覚し、開発段階から見直すといったことが生じるなどの製品の失敗や、市場投入の遅れによる売り上げの機会損失が生じる可能性が高くなる（**少なくはならず、むしろ多くなる可能性が高い**）。

ウ　×：他の組織と共同で製品開発を進める場合には、互いが有している技術やノウハウを併せることで創出できる価値を生み出すことを目的としている可能性が高い（技術やノウハウの補完性や適合性が相対的に重要視される）。つまり、**開発プロセスはニーズ志向よりもシーズ志向が重んじられる可能性が高くなる。**

エ　○：正しい。多様な部門のメンバーが1つのチームを形成して、製品開発における複数のステップを同時に進める場合とは、コンカレント型プロセスと呼ばれる。この場合、さまざまな部門のメンバーがプロセスの全段階に同時進行でかかわるため、密接なコミュニケーションを図りながら開発を進めていくことになる。そのため、従来型の典型的な開発（シーケンシャル型）と比べて、組織に緊張やコンフリクトが生じやすくなる。常に他部門の意向も踏まえる意識が求められるため緊張感があり、調整のためのコミュニケーションが多くなれば、その分コンフリクトが生じる可能性が高くなるからである。

よって、**エ**が正解である。

第35問

デジタル社会における消費スタイルに関する問題である。

ア　×：ソリッド消費とは、モノを所有することを前提とした消費である。これに対比する概念にリキッド消費がある。リキッド消費とは、モノを所有することを前提としない消費である。具体的には、サブスクリプション（一定期間の利用に対して対価を支払うため保有しない）やシェアリング（共有して利用する）といったものである。デジタル社会の進展により、**モノを所有することでステータスを得るといった消費行動であるソリッド消費が相対的に減少し、リキッド消費が増加している。**また、ソリッド消費は自らが保有したいものを持つことによってアイデンティティを表現しようとするが、リキッド消費はそのようなこだわりや執着が希薄である。よって、**「移り気で気まぐれ」というのはリキッド消費について表している。**

イ　×：選択肢**ア**の解説でも述べた通り、**カタチあるモノに対する執着が希薄になってきている。**

ウ　×：選択肢**ア**の解説でも述べた通り、**一貫したアイデンティティの形成に対するこだわりが希薄になってきている。**

エ　○：正しい。選択肢**ア**の解説でも述べた通り、物質として保有することに対するこだわりが希薄になってきている。

オ　×：選択肢**ア**の解説でも述べた通り、**長期的な所有を通じた商品やブランドへの愛着や安心感の獲得（良いものや気に入ったものを所有する）、といったことに価値を見出さなくなってきている。**

よって、**エ**が正解である。

第36問

地域ブランドに関する問題である。

ア　×：地域空間（その地域、土地）のブランド化（○○の産地、○○の街など）の際には、地理的に完全に隣接しているか否かは大きな問題ではない。よって、**飛び地などによって隣接していないからといってブランドイメージが希釈されるなどということはない。当然、協力し合うことがないということもない。**

イ　×：地域代理店や地域商社が、その土地における地域ブランドを冠した商品を取り扱っていれば、コミュニケーションや販路拡大の実行を担当することは考えられる。しかしながら、地域代理店や地域商社は民間の事業体であり、**地方自治体組織ではない。**

ウ　○：正しい。地域空間ブランドは、その地域そのものをブランド化したものであり、地域産品ブランドは、その地域における特産品などをブランド化したものである。

エ　×：全国でナンバーワンになるような資源があれば、それによってブランド化を図れることはもちろんある（みかんの生産高日本一など）。しかしながら、**それ（ナンバーワンとなる資源を見つけること）がブランド化の要件（必須）というわけではない**。他と同質的に比較するのではなく、その土地独自（オンリーワン）のものがあればブランド化は可能である。

オ　×：その地域を熟知している地元住民の目ももちろん重要であるが、身近にあるものは特別なものであると気付くことが難しいことも少なくない。よって、地域資源を棚卸しする際には、**外部者の目で客観視することも有効である**。

よって、**ウ**が正解である。

第37問

サービス・マーケティングに関する問題である。

ア　×：日本においてサービスというと、選択肢に示されている例のようにさまざまな場面で用いられる。たとえば、「おまけ」「値引き」「接客」といったことであり、多様な意味合いで用いられている。しかしながら、いわゆるサービス・マーケティングといった場合には、**これらがすべて該当するわけではない**。１番のポイントは、「売買の対象」であるものである。なお、サービス・マーケティングの対象であり、売買の対象となるものは以下のようなものがある。

＜商品の分類＞

		価値の源泉		
		有形物	情報	活動
売買の対象	所有権	① 有形物所有権 食品、家電、自動車など	③ 情報所有権 特許、著作権、意匠権など	
	使用権	② 有形物使用権 ホテル、レンタカーなど	④ 情報使用権 音楽 CD、映像 DVD など	⑤ 活動使用権 美容院のヘアカットなど

（出所：山本（1999）　pp.40-49を参考に筆者作成）

（『マーケティング論』芳賀康浩　平木いくみ著　一般社団法人放送大学教育振興会 p.199）

イ　×：経済のサービス化とは、経済が発展していくにつれて、経済活動の中心が第三次産業に移っていくという経済状況のことである。しかしながら、サービス（無形）だからといって金額が安いわけでもなく、**消費者の所得が減少していることが経済のサービス化の最大の要因というわけではない。**

ウ　×：サービスにおける品質の変動性を回避するためには、文字通り品質が変動しないようにサービス水準の標準化を図ることが必要である。よって、**魅力的なプロモーションを実施してサービスに対する期待値を均一に高めておくこととは関係がない。**あるいは、サービスが有する品質の変動性という特性によって生じるデメリット（サービス水準が変動することによって期待したサービス水準ではないといったことが生じる）を回避するという意味合いであっても、**期待値を均一に高めておけば、その期待値に達しなければ一層不満に感じることになる。**いずれにしても対応として適切ではない。

エ　○：正しい。「サーブクォル（SERVQUAL）」とは、サービス品質の測定尺度であり、サービスとクオリティを合成した造語である。顧客がサービスの品質をどう知覚するかという観点で評価するものであり、具体的には、有形性、信頼性、反応性、確実性、共感性という５つの次元に基づいた項目で測定される。顧客の知覚品質をアンケートなどによって測定し、利用前と利用後の２時点の評価を計測して変化を確認することが推奨されている。

よって、**エ**が正解である。

令和3年度問題

令和3年度問題

第1問　★重要★

多角化に関する記述として、最も適切なものはどれか。

ア　企業における多角化の程度と収益性の関係は、その企業が保有する経営資源にかかわらず、外部環境によって決定される。
イ　情報的経営資源は、複数の事業で共有するとその価値が低下するため、多角化の推進力にはならない。
ウ　多角化の動機の１つとして、社内に存在する未利用資源の活用があげられる。
エ　多角化は規模の経済を利用するために行われる。

第2問　★重要★

ボストン・コンサルティング・グループ（BCG）が開発した「プロダクト・ポートフォリオ・マネジメント」（以下「PPM」という）と、その分析ツールである「プロダクト・ポートフォリオ・マトリックス（BCG成長－シェア・マトリックス）」に関する記述として、最も適切なものはどれか。

ア　PPMの分析単位である戦略事業単位（SBU）は、製品市場の特性によって客観的に規定される。
イ　「プロダクト・ポートフォリオ・マトリックス」では、縦軸に市場成長率、横軸に戦略事業単位（SBU）の売上高をとり、その２次元の座標軸の中に各事業が位置付けられる。
ウ　「プロダクト・ポートフォリオ・マトリックス」において「金のなる木」に分類された事業は、将来の成長に必要な資金を供給する。
エ　「プロダクト・ポートフォリオ・マトリックス」において「花形」に分類された事業は、生産量も大きく、マージンは高く、安定性も安全性も高い。
オ　「プロダクト・ポートフォリオ・マトリックス」において「問題児」に分類された事業からは撤退すべきである。

第3問

M&A（企業の合併・買収）に関する記述として、最も適切なものはどれか。

ア　M&Aに当たって企業価値を算定する際には、複数の方法が用いられている。そのうち、マーケット・アプローチとは、M&Aの対象となる企業の収益力をベースに、企業価値を算定する方法である。

イ　M&Aにおいて、買収価格が買収対象企業の純資産の時価評価額を上回る場合、その差額は「負ののれん」と呼ばれる。

ウ　M&Aの手法として事業譲渡をとる場合には、譲渡・承継の対象となる資産や負債を個別に選択することができる。

エ　MBO（Management Buyout）とは、M&Aの対象となる企業や事業の経営陣が、投資ファンドなどの第三者に、主体的にその企業を売却して、経営から退くことである。MBOが成立すると、経営陣は退任の見返りとして、金銭的報酬を受け取る。

第4問　★重要★

G.ハメル（G.Hamel）とC.K.プラハラード（C.K.Prahalad）によると、コア製品とは、コア・コンピタンスによって生み出された製品であり、最終製品の一部を形成するものである。

このコア製品に関する記述として、最も適切なものはどれか。

ア　コア製品で獲得したマーケットシェアが、最終製品で獲得したマーケットシェアを上回ることはない。

イ　コア製品のマーケットシェアを拡大することは、コア製品への投資機会の増加につながり、コア・コンピタンスを強化する機会になる。

ウ　コア製品は、特定の製品や業界につながっているものであり、複数の製品や業界に展開することはない。

エ　コア製品を同業他社に販売すると、コア製品を販売した企業の最終製品の競争力は低下する。

第5問

次の文章の空欄に入る数値として、最も適切なものを下記の解答群から選べ。

業界全体の成長率は、当該業界における競争状況や収益性に影響を与えることから、競争戦略を考える上で重要な要因の１つである。

X業界における2018年度の販売金額は1,000億円で、2020年度の販売金額は1,440億円であった。この間のX業界の年平均成長率（CAGR）は、［　　　］%である。

[解答群]

ア　14.7

イ　20.0

ウ　22.0

エ　29.3

オ　44.0

第6問

次の文章を読んで、問題に答えよ。

X社は全社的な成長に向けて、新たな業界に参入して、新規事業を展開することを計画している。参入先の候補として考えられているのは、AからEの5つの業界である。社内で検討したところ、各業界の重要な特性として、次のような報告がプロジェクトチームから上がってきた。なお、X社では、いずれの業界においても、各業界における既存の取引関係を用いるとともに、製品・サービスの質とコストに関して既存企業と同様の条件で参入することを想定している。

A業界：この業界には、既に5社が参入している。主要な原材料は老舗のF社から5社に対して安定的に供給されている。A業界の製品は規模が類似した代理店5社を通じて販売されている。

B業界：この業界では、4社が事業を展開している。G社が主要な原材料に関する特許を保有しているために、これら4社は、原材料をG社から購入する契約を結んでいる。これら4社の製品は、H社が全量購入している。

C業界：この業界には、既に4社が参入している。主要な原材料は5社から購入できるが、生産工程での安定性を考えると、その1社であるK社の原材料が優れているために、K社の販売数量は他の4社の合計よりも多い。C業界の製品の販売を委託する企業は5社存在するが、その中でもL社が強い営業力を有し、他の4社を圧倒した市場シェアを獲得しており、ガリバー的な存在である。

D業界：この業界では、6社が事業を営んでいる。D業界の製品は技術革新により年々性能が向上しているが、その性能向上は、主要な原料を供給するM社の技術革新を源泉としているために、全量をM社から調達している。D業界の製品は特殊なサポートが必要であることから、そのサポート体制を有するN社を通じて全量が販売されている。

E業界：この業界には、既に２社が参入している。原材料の汎用性は高く、コストと品質で同等の水準となる供給業者が10社存在している。顧客は５つの業界であり、いずれの業界でも、規模が類似した10社以上が事業を展開している。

以上に記された情報に基づいて、各業界での競争状況、供給業者の交渉力、買い手の交渉力を業界構造として総合的に考えた場合に、X社が参入する業界として、最も高い収益性（売上高に対する利益率）が期待されるものはどれか。

ア　A業界
イ　B業界
ウ　C業界
エ　D業界
オ　E業界

第７問　★重要★

競争戦略に関する事項の説明として、最も適切なものはどれか。

ア　M.ポーター（M.Porter）によれば、競争戦略の基本は、規模の拡大による低コスト化の実現と製品差別化の同時追求にあり、製品差別化と結びつかない低コスト化の追求は、短期的には成功を収めても、中長期的には持続的な競争戦略にはならない。

イ　ある特定の製品の生産・販売の規模を拡大することによって、生産・販売に関わるコスト、特に単位当たりコストが低下する現象は、「範囲の経済」と呼ばれており、コスト・リーダーシップの基盤となる。

ウ　経験効果とは、累積生産量の増加に伴い、単位当たりコストが一定の比率で低下する現象である。この累積生産量と単位当たりコストの関係に基づくと、将来の累積生産量から単位当たりコストを事前に予測して、戦略的に価格を設定することができる。

エ　製品差別化が実現している状況では、当該製品の顧客は代替的な製品との違いに価値を認めているために、競合製品の価格が低下しても、製品を切り換えない。したがって、このような状況では、需要の交差弾力性は大きくなる。

オ　製品ライフサイクルの初期段階で、コスト・リーダーとなるためには、大幅に価格を引き下げて、一気に市場を立ち上げるとともに、市場シェアを高める「上澄み価格政策」が有効である。

第8問 ★重要★

サラス・サラスバシー（S.D.Sarasvathy）は、経験豊富な起業家の経験より抽出された実践的なロジックから構成されるエフェクチュエーション（effectuation）という概念を生み出した。エフェクチュエーションは、「手段（means）」からスタートし、「これらの手段を使って、何ができるだろうか」と問いかけることから始める。その点で、「結果（effect）」からスタートし、「これを達成するためには、何をすればよいか」を問うコーゼーション（causation）と対比されるものである。

このエフェクチュエーションを構成する５つの行動原則に関する記述として、最も不適切なものはどれか。

ア　許容可能な損失（affordable loss）の原則とは、創業後に事業を継続するかどうかを判断する際に、事前に設定した許容可能な損失の上限に達したという理由で、事業を途中でやめないということである。

イ　クレイジーキルト（crazy-quilt）の原則とは、起業活動に必要な自分以外との関係性をあらかじめ作成した設計図に基づいてつくるのではなく、起業後に自分を取り巻く関与者と交渉しながら関係性を構築していくことである。

ウ　手中の鳥（bird in hand）の原則とは、もともと自分が持っているリソースを使って行うことである。具体的には自分が何者であるか、自分は誰を知っているか、そして自分は何を知っているのかを認識して、それらを活用することから始めることである。

エ　飛行機の中のパイロット（pilot in the plane）の原則とは、予測できないことを避けようとするのではなく、予測できないことのうち自分自身でコントロール可能な側面に焦点を合わせ、自らの力と才覚を頼って生き残りを図ることである。

オ　レモネード（lemonade）の原則とは、予測できないことを前向きに捉え、不確実性を梃子（てこ）のように利用しようとすることである。

第9問

次の文章を読んで、問題に答えよ。

株式会社Xの前社長Aは長男Bに代表取締役社長の座を譲り、企業経営から完全に引退した。しかし、Aは株式全体の55％を引退後も所有しており、Bは株式を所有していない。株式会社Xではない会社に勤務しているAの次男Cが20%、Aの三男で常勤の専務取締役であるDが10%、Aの配偶者で専業主婦のEが15%の株式を有している。

Bが社長に就任した後、数年間は経営が順調であったが、最近は業績が急に悪化して経営の立て直しが求められるようになり、家族が集まり会議が開催された。**A、B、C、D、Eそれぞれが、スリーサークルモデルのどこに位置しているかを下図で確認した上で、それぞれの立場に最もふさわしい発言をしているものを下記の解答群から選べ。**

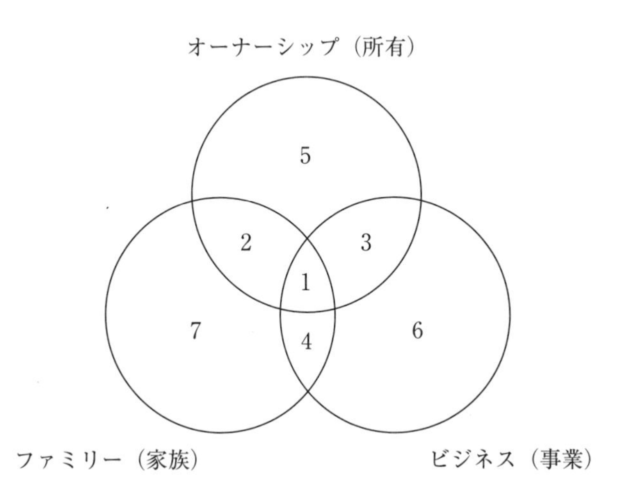

[解答群]

ア　Aの発言：大株主として、Bの親として、また日々の経営を任されたものとして今後は行動していかなければならない。

イ　Bの発言：信頼できる右腕がいなかったことも失敗の大きな要因の１つなので、代表取締役の権限で、現在別の会社で働いている友人のF君を新たに専務取締役に決定する。

ウ　Cの発言：私は、日常の経営に携わっているわけではない。株主への配当がしっかりできるように経営してほしい。

エ　Dの発言：私は、日々の経営には関心も責任もない。今までと同様に、今後もBの経営を株主としてしっかり監視する。

オ　Eの発言：次の株主総会でBが代表取締役社長に選ばれるかどうか心配であるが、私はBの母親というだけであって、株主総会で何もできない。

第10問　★ 重要 ★

次の文章は、野中郁次郎が提唱した「知識創造理論」に関する記述である。文中の空欄に入る用語として、最も適切なものを下記の解答群から選べ。

形式知と暗黙知の循環によって生み出される知識創造のプロセスには４つのモードがあり、そのうち、形式知から形式知への転換を［　　　］と呼ぶ。

[解答群]
ア　共同化
イ　統合化
ウ　内面化
エ　表出化
オ　連結化

第11問

特許戦略に関する記述として、最も不適切なものはどれか。

ア　特許などの知的財産の権利化に当たっては、数多く出願し、権利化していけばよいのではなく、出願・登録のコストやその後の活用の可能性を踏まえ、選別して出願・権利化し、管理・維持していくことが必要である。
イ　日本国内における2011年度から2018年度の特許権の利用状況を見ると、自社および他社によって利用されている特許権の割合は、およそ半数にとどまっている。
ウ　日本の特許法は、同一の発明について２つ以上の特許出願があったときに、先に発明をしたものに権利を付与する「先発明主義」を採用している。
エ　発明を特許として出願すると、一定期間が経過した後に発明の内容が公開されてしまうので、あえて出願せずノウハウとして保持するという選択肢もある。

第12問　★ 重要 ★

ソフトウェアやコンテンツなどの情報財には、独自の特性があるとされる。その特性やそこから派生する状況として、どのようなことが想定できるか。最も適切なものを選べ。

ア　インターネットの普及によって情報財の流通コストは低下しているために、情報財をその一部でも無償で提供すると、広告収入以外で収入を獲得することは不可能になる。
イ　情報財では、幅広いユーザーが利用するという特性から、スイッチングコストを生み出して顧客を囲い込む方策は、例外的な状況を除いて有効ではない。
ウ　情報財では、複製にかかるコストが相対的に低いという特性から、個々の顧客が持つ価値に応じて価格差別を行うことは困難である。
エ　情報財において、ネットワーク外部性が大きい状況では、顧客数が増えるほど、その情報財の価値は顧客間で希釈化され、個々の顧客が獲得する効用は低下する。
オ　制作・開発には多額のコストがかかるが、複製にかかるコストは低いという特性を持った情報財では、コモディティ化によって製品市場で激しい価格競争が生じると、複製にかかるコストの近傍まで製品価格が下落して、制作・開発にかかったコストが回収できなくなる可能性がある。

第13問

企業の社会的責任（CSR）は重要な戦略課題である。CSRに関する記述として、最も不適切なものはどれか。

ア　CSRで重要なのは、利益を獲得するプロセスにかかわりなく、ステークホルダー間で利益を公平に分配することである。
イ　CSRとは、企業は社会に与える影響について責任を持ち、社会の持続的発展のために貢献すべきとする考え方と、それに基づいて実践される諸活動のことを指す。
ウ　CSRを遂行するためには、企業は株主に対する責任のみならず、従業員、取引先、消費者、地域住民、行政、社会全体といった様々なステークホルダーに対する責任を自発的に果たさなければならない。
エ　ISO26000は、企業のみならず、あらゆるタイプの組織の社会的責任に関する国際規格である。
オ　不祥事が生じないよう、企業がコンプライアンスを日ごろから徹底することは、CSRの一環である。

第14問

組織の参加者が、自分の行為を決定するものとして組織内の伝達を受け入れるかどうかは、その伝達を権威あるものとして受容するかどうかに依存している。C.I.バーナード（C.I.Barnard）が主張した伝達の特徴としての権威に関する記述として、最も適切なものはどれか。

ア　権威が受容されるためには、意思決定に当たり、伝達の内容が組織目的と矛盾しないと参加者が信じることが必要である。

イ　権威は、伝達の内容が参加者の個人的利害に反する場合でも、その命令に従わせる能力を意味する。

ウ　参加者の無関心圏の範囲では、命令は権威あるものとして受容される。

エ　命令の一元性が確保されていれば、権威は職位によって決まるので、部下は上位の管理職から発せられる命令に従う。

オ　リーダーシップの権威とは、個人の知識や専門能力とは別に、リーダーの地位にその源泉が求められる。

第15問

経営戦略に関連する組織の運営・設置に関する記述として、最も適切なものはどれか。

ア　A.D.チャンドラー（A.D.Chandler）の「組織は戦略に従う」という命題に基づけば、事業の多角化が進んだ企業では事業部制組織が採用され、地理的拡大が進んだ企業では機能（職能）別組織が採用されることになる。

イ　機能（職能）別組織において、各機能部門長は事業戦略の策定・執行に関する最終責任を負っている。

ウ　事業部制組織とカンパニー制組織は類似した特性を有するが、両者の最大の違いは、事業部制組織では各事業部が企業内部の下部組織であるのに対して、カンパニー制組織では各カンパニーが独立した法人格を有している点にある。

エ　プロダクト・マネジャー制組織とは、研究開発型ベンチャー企業における事業部制組織のことであり、責任者であるプロダクト・マネジャーは、研究開発の成果に関する責任を有している。

オ　持株会社は、その設立に関して一定の制限が定められているものの、規模の下限は設定されていないことから、中小企業においても目的に応じて活用することができる。

第16問　★重要★

リーダーシップ理論に関する記述として、最も適切なものはどれか。

ア　E.P.ホランダー（E.P.Hollander）の特異性－信頼理論によると、リーダーがフォロワーから信頼を得るためには、集団の目的に貢献する有能性と、集団の自由を重んじる開放性を満たす必要がある。

イ　F.E.フィードラー（F.E.Fiedler）の研究によると、リーダーシップの有効性に影響を及ぼす状況の決定要因とは、①リーダーとメンバーの人間関係、②課業の構造化の度合い、③リーダーの職位に基づくパワーの３要因である。

ウ　R.リッカート（R.Likert）らによる初期のミシガン研究によると、高業績部門では職務中心的な監督行動が多くみられる一方で、低業績部門では従業員中心的な監督行動が多くみられる。

エ　オハイオ研究によると、有効なリーダーシップの行動特性を表す次元とは、メンバーが良好な人間関係を構築できる「構造づくり」と、課題達成に向けてメンバーに理解しやすい指示を出す「配慮」の２つである。

オ　状況的リーダーシップ論（SL理論）によると、リーダーシップの有効性に影響を及ぼす状況要因とは、目標達成に向けたフォロワーの貢献意欲の強さである。

第17問

個人が特定の組織との間に形成する継続的な関係性を説明する概念として、組織コミットメントがある。組織コミットメントに関する記述として、最も適切なものはどれか。

ア　組織の価値観や目標と個人のそれらが一致する場合、個人にとっては組織内で新たに成長できる余地が限られるため、個人の組織コミットメントは弱くなる。

イ　長期にわたって１つの組織に参加し続けることが望ましいという社会的な規範は、個人の組織コミットメントを強めるように作用する。

ウ　特定の専門的な職務に対する思い入れの強さは、個人の組織コミットメントを強めるように作用する。

エ　特定の組織内では高く評価されるものの、労働市場ではほとんど評価されない技能を習得することは、個人の組織コミットメントを弱めるように作用する。

オ　年功序列的な給与体系の下では、短期間で転職を繰り返すことが個人にとって経済的に不利に作用するため、個人の組織コミットメントは弱くなる。

第18問　★ 重要 ★

I.L.ジャニス（I.L.Janis）が提唱した集団思考（groupthink）の先行条件と兆候に関する記述として、最も不適切なものはどれか。

ア　誤った判断を下すことは許されないというような外部からの強い圧力に集団がさらされる場合、集団思考が起きやすい。

イ　機密情報を扱う場合のように集団のメンバーが限定されると、その集団は孤立しやすくなるため、現実に即さない議論が促進されやすい。

ウ　集団思考の兆候として、自分たちの集団の能力を過小評価し、集団における意思決定では極端なリスクを避けるようになる。

エ　集団思考の兆候として、集団外部の人物や集団に対して紋切り型の判断を行うようになる。

オ　集団思考の兆候として、集団内の意思決定を正当化するための理屈づけを行い、自分たちにとって都合の悪い情報を過小評価するようになる。

第19問　★ 重要 ★

J.G.マーチ（J.G.March）とH.A.サイモン（H.A.Simon）は、コンフリクトを標準的意思決定メカニズムの機能不全としてとらえた。

組織におけるコンフリクトに関する記述として、最も適切なものはどれか。

ア　意思決定に必要な情報の入手先が多様になると、組織の参加者間で認識の差異は小さくなるので、個人間コンフリクトは少なくなる。

イ　組織全体の目標の操作性が低く、曖昧さが増すと、部門目標間の差異が許容される程度が高くなるので、部門間コンフリクトは少なくなる。

ウ　組織内にスラックが多く存在すると、部門間で共同意思決定の必要性が低下するので、コンフリクトは発生しにくくなる。

エ　部門間コンフリクトが発生した場合、政治的もしくは交渉による解決策を見いだすことが、コンフリクトの原因の解消に有効である。

第20問　★ 重要 ★

組織における部門には、それぞれの目標や利害が存在するが、組織内で大きなパワーを有する部門は他部門よりも多くの予算を獲得したり、自部門にとって望ましくない他部門からの要求を排除することができる。このような部門の持つパワーの源泉に関する記述として、最も不適切なものはどれか。

ア　組織が外部環境の重大な不確実性にさらされる場合、その不確実性に有効に対処できる部門は、他部門よりも大きなパワーを持つ。

イ　組織全体の目標を達成するために解決することが不可欠な組織内外の課題に対処する部門は、他部門よりも大きなパワーを持つ。

ウ　組織の最終的なアウトプットに対して大きな影響を及ぼす部門は、他部門よりも大きなパワーを持つ。

エ　部門Ａが必要とする経営資源について、その資源を部門Ｂ以外から調達できない場合、部門Ａは部門Ｂに対して大きなパワーを持つ。

第21問

組織は社会的に正当性を獲得する必要が高くなると、組織間の類似性が高くなる同型化（isomorphism）が生じる場合がある。同型化を強制的（coercive）同型化、模倣的（mimetic）同型化、規範的（normative）同型化に分けて考えるとき、同型化に関する記述として、最も適切なものはどれか。

ア　ある組織形態を採用して成功している組織があると、それをベンチマークすることで組織内外から正当性を獲得しやすくなるので、規範的同型化が生じやすい。

イ　同じような教育課程を受けたものが異なる組織に所属している場合、異なる組織でも横断的な集団規範が正当性を獲得する根拠となるため、規範的同型化が生じやすい。

ウ　政府による規制があると、それに従う方が正当性を獲得しやすいので、模倣的同型化が生じやすい。

エ　組織文化は組織メンバーへの行為の強制力を持つため、類似の組織文化を持つ組織間では、強制的同型化が生じやすい。

オ　法律に従うことが正当性の根拠を提供する場合には、規範的同型化が生じやすい。

第22問

企業の長期的成長のためには、既存事業の深化（exploitation）と新規事業の探索（exploration）のバランスを取る経営が重要だと言われている。C.A.オライリー（C.A.O' Reilly）とM.L.タッシュマン（M.L.Tushman）は、この深化と探索を両立する組織能力を両利き（ambidexterity）と名づけた。

両利きの経営を実践するための組織に関する記述として、最も適切なものはどれか。

ア　既存事業ユニットと新規事業探索ユニットが経営理念を共有し、公平性を確保するために、共通の事業評価基準を構築する必要がある。

イ　既存事業ユニットと新規事業探索ユニットのオペレーションを効率的に管理するために、機能横断的なチームを設計する必要がある。

ウ　既存事業ユニットと新規事業探索ユニットを構造上分離しつつ、異なる文化が生まれないようにするため、ビジョンを共有する必要がある。

エ　既存事業ユニットと新規事業探索ユニットを構造上分離し、探索ユニットに独立性を与えるとともに、全社的な資産や組織能力にアクセスする権限を与える必要がある。

第23問

J.P.コッター（J.P.Kotter）の提唱した組織変革の８段階モデルによると、変革プロセスの各段階には変革を推進する場合に生じがちな独自の課題が存在し、目標とする変革を実現するために変革の推進者にはこれらの課題を克服することが求められる。

下図は、８段階モデルの各段階における課題を図示したものである。

図の中の空欄Ａ～Ｅに入る課題の組み合わせとして、最も適切なものを下記の解答群から選べ。

変革を推進するための８段階のプロセス

第１段階	A
第２段階	B
第３段階	ビジョンと戦略を生み出す
第４段階	変革のためのビジョンを周知徹底する
第５段階	C
第６段階	D
第７段階	成果を活かして、さらなる変革を推進する
第８段階	E

問題　３年度

[解答群]

ア　A：危機意識を高める
　　B：従業員の自発を促す
　　C：変革推進のための連帯チームを築く
　　D：短期的成果を実現する
　　E：新たな方法を企業文化に定着させる

イ　A：危機意識を高める
　　B：変革推進のための連帯チームを築く
　　C：新たな方法を企業文化に定着させる
　　D：短期的成果を実現する
　　E：従業員の自発を促す

ウ　A：危機意識を高める
　　B：変革推進のための連帯チームを築く
　　C：従業員の自発を促す
　　D：短期的成果を実現する
　　E：新たな方法を企業文化に定着させる

エ　A：変革推進のための連帯チームを築く
　　B：危機意識を高める
　　C：従業員の自発を促す
　　D：短期的成果を実現する
　　E：新たな方法を企業文化に定着させる

オ　A：変革推進のための連帯チームを築く
　　B：危機意識を高める
　　C：短期的成果を実現する
　　D：新たな方法を企業文化に定着させる
　　E：従業員の自発を促す

第24問　★重要★

労働基準法の定めに関する記述として、最も適切なものはどれか。

ア　使用者は、事業場ごとに労働者名簿と賃金台帳を調製しなければならず、また、労働者名簿及び賃金台帳など労働関係に関する重要な書類は10年以上保存しておかなければならない。

イ　労働基準法には、労働者が女性であることを理由として、賃金について、男性と差別的な取り扱いを禁止する規定はない。

ウ　労働基準法の違反行為をした者が、当該事業の労働者に関する事項について、事業主のために行為した代理人、使用人その他の従業者である場合においては、事業主は処罰されない。

エ　労働条件は、労働者が人たるに値する生活を営むための必要を充たすべきものでなければならない。

第25問　★ 重要 ★

変形労働時間制・フレックスタイム制に関わる労使協定の届出に関する記述として、最も適切なものはどれか。

なお、本問における「労働者の過半数を代表する者」とは「当該事業場に、(又は当該事業場の）労働者の過半数で組織する労働組合がある場合においてはその労働組合、労働者の過半数で組織する労働組合がない場合においては労働者の過半数を代表する者」をいう。

「フレックスタイム制」とは「就業規則その他これに準ずるものにより、一定の期間についてあらかじめ定めた総労働時間の範囲内で、その労働者に係る始業及び終業の時刻をその労働者の決定にゆだねる制度」をいう。

ア　使用者は、労働基準法第32条の２に規定される１箇月単位の変形労働時間制を実施するに当たり、労働者の過半数を代表する者との書面による協定を締結したとしても、当該協定を所轄労働基準監督署長に届け出る必要はない。

イ　使用者は、労働基準法第32条の３に規定されるフレックスタイム制を１箇月以内の清算期間にて実施するに当たり、労働者の過半数を代表する者との書面による協定を締結したとしても、当該協定を所轄労働基準監督署長に届け出る必要はない。

ウ　使用者は、労働基準法第32条の４に規定される１年単位の変形労働時間制を実施するに当たり、労働者の過半数を代表する者との書面による協定を締結したとしても、当該協定を所轄労働基準監督署長に届け出る必要はない。

エ　使用者は、労働基準法第32条の５に規定される１週間単位の非定型的変形労働時間制を実施するに当たり、労働者の過半数を代表する者との書面による協定を締結したとしても、当該協定を所轄労働基準監督署長に届け出る必要はない。

第26問

労働基準法における賃金に関する記述として、最も適切なものはどれか。

ア　賃金は、通貨で支払わなければならないが、労働組合がない企業について、労働者の過半数を代表する者との書面による協定があれば、使用者は通勤定期券や自社製品等の現物を賃金の一部として支給することができる。

イ　賃金は、通貨で支払わなければならないが、使用者は労働者の同意を得て、労働者が指定する銀行の労働者本人の預金口座へ振り込む方法で支払うことができる。

ウ　労働基準法で賃金とは、賃金、給料、手当、賞与その他名称の如何を問わず、労働の対償として使用者が労働者に支払うすべてのものをいうが、就業規則に支給条件が明確に定められている結婚手当は賃金となることはない。

エ　労働者が未成年者である場合には、未成年者は独立して賃金を請求することはできず、親権者又は後見人が、未成年者に代わってその賃金を受け取ることとなる。

第27問

解雇に関する記述として、最も適切なものはどれか。

ア　使用者は、産前産後の女性労働者が労働基準法第65条の規定によって休業する期間及びその後30日間については、同法第81条の規定によって平均賃金の1,200日分の打切補償を支払うことで、解雇することができる。

イ　使用者は、事業場に労働基準法又は労働基準法に基づいて発する命令に違反する事実がある場合において、労働者が、その事実を行政官庁又は労働基準監督官に申告したことを理由として、当該労働者に対して解雇その他不利益な取り扱いをしてはならない。

ウ　使用者は、労働者が業務上負傷し、又は疾病にかかり療養のために休業する期間及びその後30日間は、天災事変その他やむを得ない事由のために事業の継続が不可能となり、所轄労働基準監督署長の認定を受けた場合でも解雇することはできない。

エ　使用者は、労働者を解雇しようとする場合、少なくとも21日前にその予告をしなければならず、21日前に予告をしない場合には、21日分以上の平均賃金を支払わなければならない。

第28問

経済産業省による「SDGs経営ガイド」におけるSDGsと経営に関する記述として、最も適切なものはどれか。

ア　SDGs経営では、大企業やベンチャー企業、大学、研究機関などが連携して研究開発を進める活動を通じて、社会的課題解決のためのイノベーションの協創（collaborative creation）に参加・貢献できる機会がある。

イ　SDGs経営を心がける企業は、積極的に社会的課題解決を目指すことを通じて取り残されてきた市場を新たに獲得するためには、経済的合理性にこだわってはならない。

ウ　SDGsでは17の目標と169のターゲットが設定されるが、これらの中から自社事業と親和性が高いものだけに偏ることを避け、企業はすべての目標、ターゲットに貢献できるように自社の資源を投入する必要があるとされている。

エ　SDGsは、発展途上国内の「誰一人取り残さない」（leave no one behind）ことを誓っているため、SDGs経営を心がける企業も同様に、利益を考えず発展途上国内に取り残されるセグメントがないように留意しなければならない。

オ　企業がSDGsに取り組む自社の姿勢を「価値創造ストーリー」の中に位置づけて発信する際には、過去に取り組んできた自社のCSR活動のすべての事例をそのまま投資家に向けて発信することがよい。

第29問

消費者の知覚に対応したマーケティングに関する記述として、最も適切なものはどれか。

ア　色に対する消費者の反応は、色の物理的な波長に対する消費者の知覚であり、強い感情反応を引き出す。このため、個々の消費者が経験を通じて学習する連想には影響されない。

イ　音や音楽は消費者の感情や行動に強い影響を及ぼすため、企業は自社のブランド・ロゴなどと、特定の音や音楽との固定的な結びつきを作らないように細心の注意を払う必要がある。

ウ　オンライン販売では、実際の製品に触れる体験をオンライン上で提供することはできないが、視覚を通じて製品の重さを知覚させることは可能である。

エ　消費者の味覚は主に口腔内に存在する味覚受容体を介した反応であるから、文化的要因が消費者の実際の味の評価に影響を及ぼすことはない。

オ　においは脳の最も原始的な部分である大脳辺縁系で処理されるため、消費者の行動に対する直接の影響はほとんど見られない。

第30問　★重要★

近年は、企業（メーカー）と消費者が共に製品開発を行う共創（co-creation）が多くの企業によって導入されている。このことに関する記述として、最も適切なものはどれか。

ア　企業が企業外部のアイデアを取り入れながら価値を創造するオープン・イノベーションでは、企業は一貫して自社内のアイデアが外部に出ることがないように留意する必要がある。

イ　企業は共創によって新奇性の高い製品を開発できる可能性があるものの、当該製品を購入する消費者から見た場合は、共創によって開発された製品は企業が開発した製品より信頼性が劣ると感じる傾向がある。このため企業は、その製品が共創によって開発されたという事実を伏せて発売することが望ましい。

ウ　共創によって消費者と共に製品開発を行おうとする企業が増えつつある現状に対抗して、伝統的な方法により自社内の経営資源のみに基づいて製品開発を行う方が優れた製品を開発できると考える企業もあり、このような企業の考え方や行動様式は一般に「シーズ志向」と呼ばれることが多い。

エ　伝統的な製品開発では、企業が意思決定を行うために、専門的な知識を有していたり、製品の特殊な使い方を提案したりするなどの先進的消費者を対象とした市場調査が実施される場合が多かった。これに対して共創においては、一般に市場の平均的消費者に関するビッグデータが用いられる。

第31問

S社は国内外から仕入れたさまざまなスポーツ・シューズを、９つの自社の実店舗および数年前に開設した自社オンライン店舗において販売している。S社の今後の流通政策に関する記述として、最も適切なものはどれか。

ア　S社が店舗を最初の１つから現在の状態まで増やしてきた過程においては、顧客接点が物理的に増加した。今後同社がオムニチャネル化を進めるためには、顧客管理方法を変更することが必要であるが、現在の顧客接点をさらに増やすことは必ずしも必要ではない。

イ　S社では、９つの実店舗で多くの顧客が商品を見たり試着したりした後にオンライン店舗で購入すると、オンライン店舗に売り上げが偏り、９つある実店舗の従業員のモチベーションが低下するリスクがある。このため、S社は顧客が実店舗からオンライン店舗へ流れることを防いだ方がよい。

ウ　近年は同一の消費者であっても、実店舗を利用する場合とオンライン店舗を利用する場合とでは、利用動機や購入頻度、単価などが大きく異なることが顧客データから分かってきた。このため、実店舗における顧客データとオンライン店舗のそれとは切り離して活用することが望ましい。

エ　顧客対応のための組織体制や従業員の評価システム、在庫データの管理などの観点からは、各顧客には検討から購入までを一貫して同一店舗内で行ってもらうことが望ましい。S社がオムニチャネル化の推進の可否を今後検討していく上では、こうした点を十分に考慮する必要がある。

オ　消費者便益の観点からは、店舗外でもパソコンやスマートフォンなどからいつでも購入できるオンライン店舗に明らかにメリットがある。このため今後S社はオンライン販売を重視し、オンライン店舗に経営資源を集中することが望ましい。

第32問　★ 重要 ★

次の文章を読んで、下記の設問に答えよ。

X社では、家電および家具の①サブスクリプション・サービスを開始することを検討している。その際、家具とは異なり家電の利用状況は毎月変動する可能性があるため、家電については利用動向に応じて料金が変動する②ダイナミック・プライシングを導入することを併せて検討している。

設問1

文中の下線部①に関する記述として、最も適切なものはどれか。

ア　1回千円で飲み放題の居酒屋が、1か月3千円で飲み放題のサブスクリプション・サービスを提供する例は、鉄道・バスの定期券や新聞・雑誌の定期購読のように利用が常態化しているものとは異なり、居酒屋の選択肢が多い消費者にとってメリットがない。

イ　サブスクリプション・サービスの目的の1つは、音楽のストリーミング・サービスに典型的に見られるように、ユーザーの利用データを収集し分析することにあるため、家具のサブスクリプション・サービスを展開する場合には家具に何らかのデジタル機能を付加しなければならない。

ウ　サブスクリプション・サービスは、消費者が気軽に製品を試す機会を提供することができる。最短でも2か月以上利用しなければならないものが多いが、1か月だけの利用契約もサブスクリプション・サービスに含まれる。

エ　従来は販売により利益を得ていた家具や家電、自動車などの耐久消費財を、利用期間を３年、５年などのように定めた上で提供するサブスクリプション・サービスもある。こうしたサブスクリプション・サービスは提供する側から見ると、どのような場合でも従来のリースよりビジネス上有利であり魅力がある。

設問2 ●●● ★重要★

文中の下線部②に関する記述として、最も適切なものはどれか。

ア　AIによる需要予測に基づいて機械的に商品の価格を上下させるシステムを導入した結果、台風襲来によるボトル水の需要急増の兆しを捉えて価格を引き上げてしまい、社会的に非難を浴びた例があった。このことから、現在では生活必需品へのダイナミック・プライシングの導入は禁止されている。

イ　企業がダイナミック・プライシングを導入するためには、電子商取引のシステムを取り入れ、需要予測、価格変動などの仕組みを自社で構築する必要がある。

ウ　公共交通機関が朝夕の混雑を緩和するためにダイナミック・プライシングを導入し、比較的空いているオフピークの時間帯の価格を下げると、ただでさえ利用者に不満が多いピーク時には相対的に高額な利用料となる。

エ　コンサートやスポーツ・イベントのチケットに関するダイナミック・プライシングでは、購入時期に応じて価格を変動させる例がある。しかし席のエリア別に異なる料金を設定し、かつ売れ行きに応じて価格を変動させるものはダイナミック・プライシングとは呼ばない。

第33問

インターネット広告に関する記述として、最も適切なものはどれか。

ア　インターネット広告では広告主と媒体社との間に、さまざまな技術に基づくサービスを提供する多様なプレーヤーが存在し、極めて複雑な業界構造となっている。このような状況は消費者にはメリットがないため、広告主はこれらのプレーヤーを介さずに、できる限り媒体社と直接やりとりをすることが望ましい。

イ　インターネット広告においてインプレッションは広告の総配信回数を示す指標である。従来の広告で用いられてきた、ターゲット全体の何％に広告が到達したかを示すリーチという指標は、インターネット広告には適さない。

ウ　インターネット広告の表示をブロックするアドブロックをすべての消費者が導入すると、広告料収入に支えられている多くのビジネスモデルが成り立たなくなり、インターネット上の多くの無料サービスが有償化する可能性もある。アドブロックへの対策として、消費者が見たくなるような広告を提供することも有効である。

エ　企業が自社サイト内に掲出するコンテンツは一般的にはインターネット広告には含まれない。インターネット広告から自社コンテンツにリンクを張ると、消費者がインターネット広告と自社コンテンツとを一体として広告と捉える危険性があるため、このようなリンクはほとんど用いられていない。

オ　従来のテレビ、新聞などのマスメディアに出稿される広告では、同じ番組やコンテンツを見ているすべての消費者は同じ広告を見ていた。これに対してインターネット広告では、コンテンツと広告を切り離す試みが行われているが現状では難しい。このため同じWebサイトやコンテンツを見ているすべての消費者は、基本的に同じ広告を見ているのが現状である。

第34問　★ 重要 ★

クチコミに関する記述として、最も適切なものはどれか。

ア　ある消費者に対して、その消費者がまだ全く知らない製品やサービスについて知らせるためには、広告よりクチコミの方が受け入れられやすい傾向がある。

イ　一般的に大規模なオンライン・コミュニティでは、自ら発言や投稿をせずに他の参加者の様子を見ているだけの参加者が全体の半分程度含まれることが知られている。このような参加者はオンライン・コミュニティに悪影響を及ぼすため、企業がオンライン・コミュニティを開設しマーケティングに活用する際には、すべての参加者が活発に発言するように誘導するべきである。

ウ　コミュニティとは一般に共通の関心や地理、職業などによって参加者が結びついた集団を指す。中でもオンライン・コミュニティはソーシャルメディア上に開設されるものが多いため、地理、職業などの社会的要因を軸に参加者が結びつくことが特徴である。対照的にオフライン・コミュニティでは、参加者が共通の関心によって結びつくものが多い。

エ　ネガティブなクチコミほど広まりやすいことが知られているが、このことからも分かるように消費者は製品やサービスの欠点を確認し回避するためにクチコミを利用する傾向が強い。これに対して、製品やサービスの長所を確認するために参照する情報としては、企業が発信する広告の方が全般的に信頼できる。

第35問

次の文章を読んで、下記の設問に答えよ。

現代社会には、①さまざまな広告が存在する。企業は、現代の消費者に有効な広告戦略を立案するために、②広告が消費者の心理や行動に及ぼす影響を理解する必要がある。

設問1 ●●●

文中の下線部①に関する記述として、最も適切なものはどれか。

ア　インターネット広告は、インターネットに慣れ親しんだデジタル・ネイティブ世代に対して、製品やサービスの認知率や購入率の点で大きな影響を与えるが、紙媒体の広告は、これらの世代に対して、製品やサービスの認知率や購入率の点でほとんど影響を与えない。

イ　おとり広告は、広告に表記している製品を店舗で保有していない場合はもちろん、メーカー、サイズ、デザインなどの点で広告の表記とは異なる製品しか置いていない場合も、公正取引委員会の規制の対象となる。しかし、広告の表記に反して販売数量や販売時間の制限を行ったとしても、広告製品が実際に店舗で販売されている場合には、規制の対象とならない。

ウ　公共広告は、環境、福祉、教育、人権などの社会的、公共的な問題についての理解や解決を目的として実施する広告であり、公益社団法人ACジャパンというボランティア組織などによって行われる。ACジャパンによる公共広告の広告主には、業界団体や企業が含まれる。

エ　広告主にとって原則無料のパブリシティは、情報の掲載決定権が媒体側にあるため、消費者にとって広告よりも信頼性が高いという特徴がある。しかし、有料形態のペイド・パブリシティは、企業が情報を管理することができるため、消費者にとっての信頼性は通常の広告よりも低くなる。

設問2 ●●●

文中の下線部②に関する記述として、最も適切なものはどれか。

ア　飲酒運転禁止を説得テーマとして、恐怖感情とユーモア感情とを生起させる2つの広告を作成した場合、テーマに対して高関与な消費者はユーモア感情の広告に接する方が、テーマに対して低関与な消費者は恐怖感情の広告に接する方が、それぞれ即時的に説得に賛成する態度を示す。

イ　企業からの説得意図を強く感じる広告に対して、メッセージの唱導方向と同一方向の態度を有している消費者は、その態度をさらに強化する傾向がある一方、製品への態度が曖昧な消費者は、説得意図を強く感じる内容に対して心理的リアクタンスが生じ、逆方向の態度変化を起こしやすい。

ウ　高価な製品を購入してしまい後ろめたさを感じる場合、消費者は当該ブランドの広告ばかり見たり、他ブランドの広告は見ないようにしたりして、自分の選択を正当化することが多い。「自分へのご褒美」という広告主によるメッセージは、こうした消費者が自己の購買を正当化し、認知的不協和を軽減する効果がある。

エ　製品のポジティブ要因とネガティブ要因の両方を提示することによって、製品の信憑（しんぴょう）性を高めようとする両面提示広告では、消費者にとって低関与の製品の場合には最初にポジティブ情報を提示し、高関与の製品の場合には最後にポジティブ情報を提示した方が、それぞれ製品評価を高めることができる。

オ　テレビ広告は、消費者が意識的に接触している感覚は低くても、自分にとって関心が低いブランドの広告に関しては、単純接触の回数が増えるほど、ブランドへの態度が直線的にネガティブになっていく。

第36問

地域ブランディングの具体的な構築プロセスを示すためには、地域ブランドが有する価値構造を分析し、長期的視点で価値創造のためのプランを描く必要がある。下記の図は、基本価値、便宜価値、感覚価値、観念価値の４つの価値によって構成される製品のブランド価値構造を示したものである。これら４つの価値を居住に関連する地域空間ブランドに当てはめて考えてみた場合、以下の具体例ａ～ｄのどれと対応するか。最も適切な組み合わせを下記の解答群から選べ。

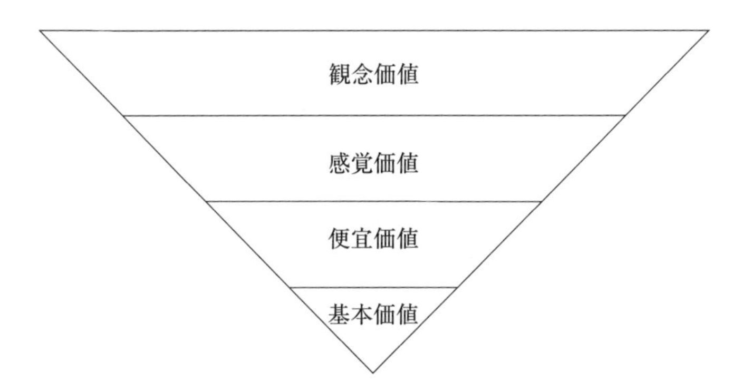

問題
3年度

【地域空間ブランドにおける価値の具体例】

a　非日常性や癒やしなど地域にまつわるイメージ

b　地域の立地条件や交通アクセスの良さ

c　地域が有するストーリーへの共感や自己啓発の場としての愛着

d　地域の居住性に関わるライフラインの充実度

［解答群］

ア　基本価値－a　便宜価値－d　感覚価値－b　観念価値－c

イ　基本価値－a　便宜価値－d　感覚価値－c　観念価値－b

ウ　基本価値－b　便宜価値－d　感覚価値－c　観念価値－a

エ　基本価値－d　便宜価値－b　感覚価値－a　観念価値－c

オ　基本価値－d　便宜価値－b　感覚価値－c　観念価値－a

第37問

マーケティング・リサーチに関する記述として、最も適切なものはどれか。

ア　アイトラッキング、fMRI（機能的磁気共鳴画像）、GPSなどを通して収集される消費者の意識化されない活動データや言語化が難しい反応データは、消費者が回答するアンケートなどの意識データと併せて分析することで、より正確な調査結果を得ることができる。

イ　観察法、インタビュー法、リード・ユーザー法などの探索的調査では、それぞれ収集データの質が異なるため、原則として、探索的調査は調査目的に対して１つの方法で実施される。

ウ　新製品開発におけるニーズ探索において、実際に対象製品が使用される家庭にビデオを設置し、一定期間、当該製品の使用状況を観察する調査はギャング・サーベイと呼ばれる。

エ　量的研究では、データ収集を進めながら徐々に事象の原因や原因の背後に潜む問題点を精緻化していくといった帰納的な方法で仮説を作り出していくのに対して、質的研究では、過去の研究蓄積や理論に基づいて演繹（えんえき）的に仮説を立案し、実験や調査を通して仮説が検証される。

第38問

次の文章を読んで、下記の設問に答えよ。

①顧客リレーションシップの構築は、マーケティングにおける最も重要な課題の1つである。企業は優れた顧客価値と顧客満足の提供を通して②顧客ロイヤルティを形成し、長期にわたって顧客から大きな見返りが得られるようマーケティングを実践する。

設問1 ●●● ★重要★

文中の下線部①に関する記述として、最も適切なものはどれか。

ア　ある顧客が東京から大阪までの移動においてA社の航空サービスしか利用しないという場合、この顧客におけるA社の顧客シェアは100%となる。この場合の顧客シェアは、東京－大阪便を提供する全航空サービスに占めるA社の利用割合を意味しており、マーケティング上、新幹線や夜行バスなどの異なる手段も含む移動サービスに占めるA社の利用割合を考える必要はない。

イ　インターネット通販と実店舗とで同一製品を扱う場合、製品の機能や美しさといったベネフィット面は同じであるのに対し、購入に要する時間や労力といったコスト面はインターネット通販において大幅に低下する。これにより、インターネット通販はあらゆる顧客に対し高い顧客価値を実現する。

ウ　企業の既存顧客および潜在顧客の生涯価値を総計したものは顧客生涯価値と呼ばれ、企業の顧客基盤がどれほどの将来価値を持っているかを測る指標となる。当然のことながら、ロイヤルな顧客が高所得であるほど顧客生涯価値は上昇する。

エ　顧客価値とは、ある顧客が自社にとってどの程度利益をもたらす顧客であるか、すなわち優良顧客であるかを表すものであり、企業は高い顧客価値を創造することによって、当該顧客の生涯価値を高めることができる。

オ　顧客満足は、製品の購入前あるいは使用前に抱いた期待と製品使用後の実際に得られたパフォーマンスとの差によって決定されるが、製品の使用前に抱く期待が直接的に満足度に影響を及ぼすことも指摘されている。この場合、事前に製品パフォーマンスやベネフィットの評価がしにくいなど消費経験の曖昧さが高いほど、期待が直接的に満足度へ及ぼす影響は大きくなる。

設問2 ●●● ★重要★

文中の下線部②に関する記述として、最も適切なものはどれか。

ア　顧客価値と顧客満足が企業によって実現されることを通してその企業のブランドにロイヤルティを形成した顧客には、真のロイヤルティを有する顧客と見せかけのロイヤルティを有する顧客が含まれる。

イ　自社製品を顧客に販売するときの収益性分析を行う場合、対象となる顧客は購買履歴が蓄積された顧客であり、真のロイヤルティを有する顧客と潜在的ロイヤルティを有する顧客が含まれる。

ウ　新規顧客の獲得を目指す企業にとって、潜在的ロイヤルティを有する顧客セグメントは、製品購入の手段や状況が改善されれば有望な市場となり得るため、企業は潜在的ロイヤルティを有するすべての顧客をリスト化し、一人一人に積極的に勧誘を行うべきである。

エ　見せかけのロイヤルティを有する赤字顧客には、特定のサービス提供を控えるなどして最低限の収益水準を確保することが望ましい。あるいは、サービス手数料などの値上げによって退出を促すことも重要である。

令和 3 年度

解答・解説

令和3年度 解答

問題	解答	配点	正答率※	問題	解答	配点	正答率※	問題	解答	配点	正答率※
第1問	ウ	2	A	第15問	オ	3	C	第29問	ウ	2	A
第2問	ウ	3	A	第16問	イ	3	D	第30問	ウ	2	B
第3問	ウ	2	C	第17問	イ	2	B	第31問	ア	2	C
第4問	イ	3	A	第18問	ウ	2	C	第32問 (設問1)	ウ	3	A
第5問	イ	2	C	第19問	ウ	2	C	第32問 (設問2)	ウ	2	B
第6問	オ	3	B	第20問	エ	3	A	第33問	ウ	3	A
第7問	ウ	2	C	第21問	イ	3	C	第34問	ア	3	B
第8問	ア	3	B	第22問	エ	3	D	第35問 (設問1)	ウ	2	C
第9問	ウ	3	A	第23問	ウ	3	C	第35問 (設問2)	ウ	3	C
第10問	オ	3	D	第24問	エ	2	B	第36問	エ	2	B
第11問	ウ	2	B	第25問	イ	2	C	第37問	ア	2	B
第12問	オ	3	B	第26問	イ	2	A	第38問 (設問1)	オ	2	D
第13問	ア	2	A	第27問	イ	2	A	第38問 (設問2)	エ	2	E
第14問	ア	2	C	第28問	ア	3	B				

※TACデータリサーチによる正答率
　正答率の高かったものから順に、A～Eの５段階で表示。
A：正答率80%以上　B：正答率60%以上80%未満　C：正答率40%以上60%未満
D：正答率20%以上40%未満　E：正答率20%未満

解答・配点は一般社団法人日本中小企業診断士協会連合会の発表に基づくものです。

令和3年度 解説

第1問

多角化に関する問題である。

ア ×：企業における多角化の程度と収益性の関係としては、効果的な多角化であれば、その進展に伴い収益性が向上することになる。その大きな要因は、多角化によって複数事業での資源の共通利用が進み、範囲の経済が生じることである。そのためには、範囲の経済の発生に適した経営資源の裏付けが必要になる。それに加えて、外部環境の分析を踏まえて、新しい事業分野への進出可否が決められる。よって、企業における多角化の程度と収益性の関係は、**その企業が保有する経営資源などの内部環境も考慮する必要がある（外部環境だけで決定されるわけではない）**。

イ ×：情報的経営資源の特徴として、多重利用が可能な点や使用による減耗がほぼない点が挙げられる。加えて、使用されることで洗練されて価値が向上したり、他の情報と結びつくことでより高度な情報が発生したりするなどの効果も見られる。ゆえに、近年では情報的経営資源がシナジー効果の発生原因として重要視されている。よって、**複数の事業で共有するとその価値が低下するわけではなく、むしろ価値が高まり、多角化の推進力になる**。

ウ ○：正しい。企業が多角化を行う動機としては、①既存事業の長期的な停滞、②リスク分散、③未利用資源の有効活用、④範囲の経済、⑤多角化の合成効果などが挙げられる。企業は事業活動において、常にヒト・モノ・カネ・情報といった経営資源の余剰を蓄積している。これは外部環境の変化に対するリスク管理上の施策や、取引量が決められている資源の必要量との差などを通して蓄積されやすい。このような余剰（未利用）資源が有効に活用できるのであれば、それは企業が多角化を行う動機の１つとなる。

エ ×：規模の経済は、特定のものに特化することで経済的な効果が得られる概念である。多角化は複数の事業を展開することであるため、**規模の経済を利用するために行われるものではない**。経済的な効果としては、選択肢**ア**や**ウ**の解説で述べたように範囲の経済が生じる。そして、その発生原因の１つとして副産物や共通費用の発生が挙げられる。主生産物の生産過程で発生する副産物の有効活用への誘因は、取り扱い製品の拡大による多角化の動機になる。

よって、**ウ**が正解である。

第2問

プロダクト・ポートフォリオ・マネジメント（PPM）とプロダクト・ポートフォリオ・マトリックスに関する問題である。

ア　×：PPMの分析単位である戦略事業単位（SBU）は、文字通り企業の戦略として、何を分析単位とするべきであるかによって決定される。よって、製品市場の特性によって客観的に規定されるのではなく、**企業側の戦略に基づき、主観的に規定される**。

イ　×：「プロダクト・ポートフォリオ・マトリックス」では、縦軸に市場成長率、横軸に**相対的市場占有率**をとり、その2次元の座標軸の中に各事業単位が位置付けられる。

ウ　○：正しい。「プロダクト・ポートフォリオ・マトリックス」において「金のなる木」に分類された事業は、市場成長率が低く、相対的市場占有率が高いポジションであり、資金流入が多く資金流出は少ないことからキャッシュフローの源になる。よって「金のなる木」で得られたキャッシュから、将来の成長に必要な資金が供給されることになる。

エ　×：選択肢**イ**の解説でも述べたように、「プロダクト・ポートフォリオ・マトリックス」は市場成長率と相対的市場占有率の2軸によって展開事業をマッピングし、財務的経営資源を配分するための指針を提供するシンプルなツールである。その中の「花形」は、市場成長率と相対的市場占有率がともに高い。よって、生産量は大きい可能性が高い。しかしながら、**資金流入と資金流出がともに多いことから、マージンは高くない**。そして、上述したようにシンプルなツールであり、**安定性や安全性の高さについて示唆するツールではない**。

オ　×：「プロダクト・ポートフォリオ・マトリックス」において「問題児」に分類された事業は、市場成長率が高く、相対的市場占有率が低いポジションのため、資金流出が多く資金流入が少ないことからキャッシュフローがマイナスである。しかし、PPMでは、現在キャッシュを稼ぎ出すことができる「金のなる木」だけを有する事業ポートフォリオとするのではなく、将来の「金のなる木」の候補である「花形」や「問題児」を育成していくことが求められる。つまり、「問題児」は、相対的市場占有率を高めることで「花形」に移行し、ひいては「金のなる木」に移行する可能性がある。よって、その可能性を有しているかどうかの選別は必要であるが、基本的には育成していく事業である。よって、**「問題児」に分類された事業からは撤退すべきというわけではない**。

よって、**ウ**が正解である。

第3問

M&A（企業の合併・買収）に関する問題である。

ア　×：選択肢の記述は**インカム・アプローチの内容である。**マーケット・アプローチとは、市場において成立する価格をもとに企業価値を算定する手法である。代表的なものとして、評価対象企業の株式の市場価格を基準に評価する「市場株価法」、評価対象企業と類似する上場企業の市場株価や、類似するM&A取引において成立した価格をベースにした一定の倍率（マルチプル）を評価対象企業の経営指標に乗じることで価値を導き出す「類似会社比較法（またはマルチプル法）」がある。これらによって企業の株式の時価総額を算出し、負債の金額を合わせて企業価値を算定する方法である。

イ　×：M&Aにおいて、買収価格が買収対象企業の純資産の時価総額を上回る場合、**その差額は「のれん」と呼ばれる。**「負ののれん」とは、買収価格が買収対象企業の純資産の時価総額を下回る場合に生じる差額のことを指す。

ウ　○：正しい。事業譲渡の本質は「事業を客体とした売買契約」である。譲渡会社は事業を引き渡した対価として、譲受会社から金銭を受け取る。合併と異なり権利義務を包括的に承継するわけではなく、権利義務、資産や負債を個別に選んで移転することができる。

エ　×：MBOとは、子会社などにおいて、現在の事業継続を前提に現経営陣が株式や部門を買い取り、経営権を取得することである。つまり、**経営陣は変わらないため、投資ファンドなどの第三者に、主体的にその企業を売却して、経営から退くものではない。**そのため、**退任の見返りとして、金銭的報酬を受け取るわけでもない。**

よって、**ウ**が正解である。

第4問

コア・コンピタンスにより生み出されたコア製品に関する問題である。

ア　×：コア・コンピタンスとは、企業が多角化戦略を実行する際に活用することができる、特にコアとなる経営資源のことを指す。つまり、さまざまな市場や製品に展開する際に活かすことができる経営資源ということである。そのコア・コンピタンスを活用した「コア製品」も、同様に様々な市場や最終製品に展開することが可能になる。たとえば「高性能なモーターの設計技術」がコア・コンピタンスで、それを活用して開発した「超高性能小型モーター」をコア製品とした場合、このモーターを様々な最終製品に活用することは想定できる。そして、このコア製品は、自社の最終製品に用いられるのはもちろん、そのコア製品そのものを販売することも想定される。このような場合、**コア製品で獲得したマーケットシェアが、最終製品**

で獲得したマーケットシェアを上回ることもある。

イ　○：正しい。コア製品のマーケットシェアが拡大するということは、市場に多く受け入れられているということである。よって、コア製品の一層の強化を図ることの有効性が高く、投資が促進されることになる（投資機会の増加につながることになる）。そして、コア製品の強化を図るということは、その源泉であるコア・コンピタンスの強化も図られることになる（機会になる）。

ウ　×：選択肢**ア**の解説で示したように、コア・コンピタンスによって生み出されたコア製品は、さまざまな市場や製品に展開することが可能である。よってコア製品は、**特定の製品や業界につながっているものではなく、複数の製品や業界に展開することもできる。**

エ　×：コア製品の競争力はコア・コンピタンスに起因する。そして、そのコア・コンピタンスは模倣困難性の高いものである。よって、選択肢**イ**の解説でも示したように、コア製品およびコア・コンピタンスは、それを生み出した企業は一層の強化を図ることができ、その結果、最終製品も継続的に競争力を高めていくことができる。しかしながら、模倣困難性の高さから、同業他社は同様に強化していくことは困難である。よって、コア製品を同業他社に販売したからといって、**コア製品を販売した企業の最終製品の競争力が低下するわけではない。**

よって、**イ**が正解である。

第5問

年平均成長率（CAGR）に関する問題である。

年平均成長率（CAGR）とは、複数年にわたる成長率を基にして、１年あたりの成長率（平均）を求めるものである。

本問の数値例の場合、２年間で販売金額が1,000億円から1,440億円に増加し、44％成長している。ここで、問われている年平均成長率をAと置くと、以下の算出式が導かれる。

$1{,}440 = 1{,}000 \times (1 + A)^2$

$\rightarrow (1 + A)^2 = 1.44$

$\rightarrow (1 + A) = 1.2$

$\rightarrow A = 0.2$（20％）

よって、**イ**が正解である。

第6問

５フォースモデルに関する問題である。

「各業界での競争状況」「供給業者の交渉力」「買い手の交渉力」という３つの要素を総合的に踏まえた際に、５つの業界の中で「最も高い収益性が期待される業界」が問われている。この３つの要素について５つの業界の状況は以下の通りである。

	各業界での競争状況	供給業者の交渉力	買い手の交渉力
A業界	５社	老舗のF社から安定供給される→１社に依存する形になるが、売り手の交渉力は強くない（行使してこない）	規模が類似した代理店５社
B業界	４社	特許を保有しているG社から購入→１社に依存している上、売り手の交渉力が強い可能性	H社が全量購入している。→１社に依存しており、買い手の交渉力が強い可能性
C業界	４社	５社から購入できるが、そのうちの１社（K社）との取引量が多く、売り手の交渉力が強い可能性	５社に販売を委託できるが、そのうちの１社（L社）が営業力が強いため、買い手の交渉力が強い可能性
D業界	６社	M社の技術革新に業界企業の性能向上を依存している。→売り手の交渉力が強い可能性	販売におけるサポート体制を有したN社によって全量を販売→買い手の交渉力が強い可能性
E業界	２社	原材料の汎用性が高く、同程度の供給業者が10社	規模が類似した10社以上が事業を展開

上記から、B業界、C業界、D業界は、売り手や買い手が強い交渉力を有している可能性が高い。A業界は交渉力の面では影響はなさそうであるが、E業界と比較すると業界企業の数が多い。また、E業界は、売り手や買い手に対して、むしろ業界企業のほうが交渉力が強い可能性が高い。よって、この３つの観点で各業界を分析した場合には、E業界が最も高い収益性が期待される業界である。

よって、**オ**が正解である。

第７問

競争戦略に関する問題である。

ア　×：ポーターの競争戦略の基本形は「差別化戦略」「コスト・リーダーシップ戦略」「集中戦略」の３つである。そして、ポーターは、よくある戦略上の過ちとして、「スタック・イン・ザ・ミドル」を提唱している。これは、複数のタイプの競争戦略を同時に追求することにより、虻蜂取らずになって失敗することであり、あらゆる顧客にあらゆるものを提供しようとする際に陥ることである。つまり、規模の拡大による低コスト化（コスト・リーダーシップ戦略）の実現と製品差別化（差別化戦略）の同時追求はスタック・イン・ザ・ミドルに陥る可能性がある。少なくとも、**この同時追求が競争戦略の基本というわけではない**（ただし、ポーターは特別なバリューチェーンを構成することができれば、同時追求ができることもあることも述べている）。そのため、**たとえ製品差別化に結びつかないとしても、コスト面で業界のリーダーとなる強固な体質を築くことで、短期的な成功だけでなく、中長期的に持続的な競争戦略にもなりえる。**

イ　×：ある特定の製品の生産・販売の規模を拡大することによって、生産・販売に関わるコスト、特に単位当たりコストが低下する現象は、**「規模の経済」と呼ばれており**、コスト・リーダーシップの基盤となる。コスト・リーダーシップ戦略は、同種の製品を競合企業よりも低いコストで生産するなど、特定の事に特化することで低コスト体質を築くのが、基本的な戦略イメージである。

ウ　○：正しい。経験効果とは、累積生産量の増加に伴い、単位当たりコストが一定の比率で低下する現象である（なお、なぜ一定の比率になるかは未だに解明されておらず、帰納的に導かれた経験則である）。これは、経験を重ねることによる作業者の熟練（学習効果による習熟率）や生産工程・生産設備の改善などにより、効率的な生産が可能になることが要因であり、コストの低下のペースが一定であることから、現在の累積生産量と単位当たりのコストとの関係に基づくと、将来の累積生産量から単位当たりコストを事前に予測することも可能である。よって、それを踏まえて戦略的に価格を設定することができることになる。

エ　×：製品差別化が実現している状況では、当該製品の顧客は代替的な製品との違いに価値を認めているために、競合製品の価格が低下しても、製品を切り換えない。このような状況では、**需要の交差弾力性は小さくなる。**「需要の交差弾力性」とは、ある財・サービスの価格変化が他の財・サービスの需要にどの程度影響を及ぼすかを示すもので、「当該製品の需要の変化率÷代替製品の価格の変化率」で求められ、絶対値が小さい場合、当該製品の需要は代替製品の価格変化の影響を受けにくくなる。

オ　×：製品ライフサイクルの初期段階で、コスト・リーダーとなるためには、大幅に価格を引き下げて、一気に市場を立ち上げるとともに、市場シェアを高める**「市場浸透価格政策（ペネトレーションプライス政策）」が有効である。**「上澄み価格政策」は、製品の導入時に高い価格を設定しておき、成長期に移行するとともに価格を徐々に低下させる政策で、高価格でも十分な数の購買者が強い需要を持っている場合や、参入障壁が高く競合が簡単に安い価格で参入できない場合などに有効である。

よって、**ウ**が正解である。

第8問

エフェクチュエーションを構成する５つの行動原則に関する問題である。

エフェクチュエーションとは、インド人経営学者のサラス・サラスバシーが、27人の起業家に対してスタートアップによって直面する典型的な10の意思決定課題への回答を求め、その思考内容を分析したものであり、その結果から、優れた起業家が産業や地域、時代に関わらず、共通の理論や思考プロセスを活用していることに着目して研究し、誰もが後天的に学習可能な理論として体系化したものである。そして、対比する概念にコーゼーションがある。

コーゼーションは、最初に「目的」があり、その達成のために「何をすべきか」を考える。つまり、「目的」から逆算して「手段」を考えて事業を進めていく。現実には未来は不確定・不確実なものだが、これをできる限り予想しながら進めていく。そのため、目的や意思決定がブレないメリットがある反面、未来予測（仮説）が外れた時には失敗するリスクがある。

エフェクチュエーションは、「手段」を用いて何ができるかを考え「目的」をデザインしていく。もともと予測不可能なものは、いくら予測してもわからないため、自ら影響を与えて周囲を変えていき、可能な限り不確実な未来をコントロールしていく。コーゼーションと比較すると、リスクが軽減される一方で、目的が変化する可能性を含むスタンスである。

ア　×：許容可能な損失（affordable loss）の原則とは、プロジェクトから期待できる利益を計算して投資（期待利益の最大化）するのではなく、どこまで損失を許容できるか（損失の最小化）に基づいてコミットメントを決めることである。つまり、**事前に設定した許容可能な損失の上限に達したら、事業をそこでやめるということである。**

イ　○：正しい。クレイジーキルト（crazy-quilt）の原則とは、起業家は、自社に対してコミットする意思を持っているすべての人々とパートナーシップを持とうとするとするものである。関わる人はすべてパートナーであり、それをどのように活用できるかを考えるとし、競合すらパートナーであるとしている。よって、自分以外との関係性をあらかじめ作成した設計図に基づいてつくるのではなく、起業後に自分を取り巻く関与者と交渉しながら（積極的に）関係性を構築していくことになる。なお、エフェクチュエーションの対となるコーゼーションの考え方では、既存事業者との差別化を図ろうとする。

ウ　○：正しい。手中の鳥（bird in hand）の原則とは、目的を起点にそれを達成する新しい方法を考えるのではなく、有している既存の手段を起点に新しいものを作ろうとする考え方である（もともと自分が持っているリソースを使って行うことである）。具体的には、自分が何者であるか（アイデンティティ、選好、能力）、自分は誰を知っているか（社会的ネットワーク）、そして、自分は何を知っているのか（教育、訓練、経験から得た知識）を認識して、それらを活用することから始めることになる。

エ　〇：正しい。飛行機の中のパイロット（pilot in the plane）の原則とは、予測によって不確実性を減らす（予測できないことを避けようとする）のではなく、（予測できないことのうち）自分自身でコントロールできる活動に集中し（焦点を合わせ）、自らの力と才覚を頼って生き残りを図ることである。社会のトレンドのような、自分でコントロールできない外的要因による失敗を回避するのではなく、事業の最も根本的な原動力である周りの人間に働きかけることで、望ましい未来をつくり出そうとする。

オ　〇：正しい。レモネード（lemonade）の原則とは、「粗悪なレモンを避ける」のではなく、「粗悪品ならそれをレモネードにしてしまおう」と発想を転換する、つまり不確実な状況を避けて、克服、適応するのではなく、むしろ予測できないことを前向きに捉え、不確実性を梃子のように活用しようとすることである。

よって、**ア**が正解である。

第9問

スリー・サークル・モデルに関する問題である。

スリー・サークル・モデルとは、ファミリービジネス（創業者や創業者の親族といった創業家が中心となって経営している企業）を理解するためのフレームワークであり、ファミリービジネスを、所有（オーナーシップ）、事業（ビジネス）、家族（ファミリー）という3つの要素で構成されていると考えるものである。

＜ファミリービジネスのスリー・サークル・モデルと構成者＞

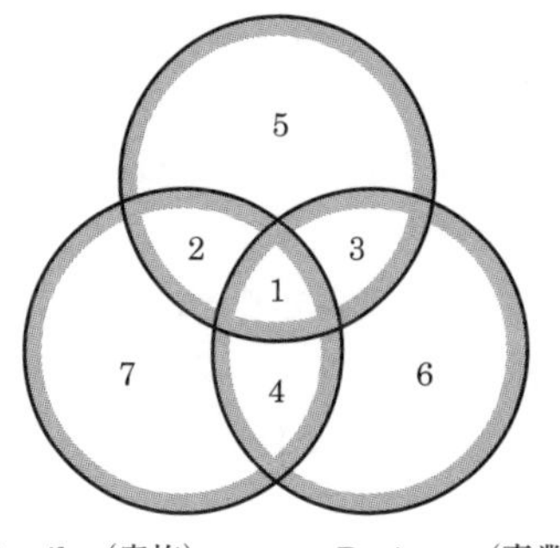

1	家族、所有者、経営者もしくは従業員の３要素を持つ
2	所有権を持つ家族であるが、社外
3	所有権を持つ経営者か従業員
4	所有権を持たない家族で経営者か従業員
5	外部の投資家
6	非家族の経営者か従業員
7	所有者でも従業員でもない家族

（『ファミリービジネスの経営力創成』小嶌正稔　経営力創成研究、第９号、2013 一部修正）

本問における登場人物５人のそれぞれの状況を整理すると以下のようになる。

A（前社長、完全に引退）	所有：○（55%） 家族：○ 事業：×	位置：**2**
B（Aの長男、代表取締役社長）	所有：× 家族：○ 事業：○	位置：**4**
C（Aの次男、他社に勤務）	所有：○（20%） 家族：○ 事業：×	位置：**2**
D（Aの三男、常勤の専務取締役）	所有：○（10%） 家族：○ 事業：○	位置：**1**
E（Aの配偶者、専業主婦）	所有：○（15%） 家族：○ 事業：×	位置：**2**

ア　×：Aはすでに企業経営から完全に引退しており、長男であるBに後を託している。いくら業績が急に悪化して経営の立て直しが求められているとはいえ、再び経営に関与してしまっては、いつまで経っても事業承継が進まない。よって、**「日々の経営を任されたものとして行動」というのはふさわしくない。**

イ　×：Bは株式を所有していない。よって、代表取締役社長であっても、**専務取締**

役を任命する権限は有していない。

ウ　〇：正しい。Cは他社に勤務しており、日常の経営に携わっているわけではない。一方で、株主ではあるため、「配当がしっかりできるように経営してほしい」というのは、株主の立場として自然な発言内容である。

エ　×：Dは常勤の専務取締役である。よって、**「日々の経営には関心も責任もない」というのは不適切であり**、現在の経営の立て直しを行う立場である。

オ　×：Eは15%の株式を有している。よって、**「株主総会で何もできない」ということはない。**株式を有しているということは議決権を有している。議決権とは、株主総会での決議に参加して票を入れる権利であり、一般的には1単元株に対し1つの議決権を有することになる。

よって、**ウ**が正解である。

第10問

知識創造論（SECIモデル）に関する問題である。

SECIモデルとは、暗黙知と形式知の相互変換によって、組織的に知識が創造されるプロセスを「共同化ないし社会化（Socialization）」「表出化（Externalization）」「連結化（Combination）」「内面化（Internalization）」という4つのモードで表現するものである。

（共同化ないし社会化）

組織メンバーが経験を共有することで、個人の暗黙知が共有され、異質な暗黙知の相互作用を通じて、新たな暗黙知が創出されていくことになる。

（表出化）

個人が蓄積した暗黙知が、言語などの表現手段によって形式知化されていく。暗黙知を共同化できる範囲は限られるが、表出化された知識は共有することが容易になる。

（連結化）

形式知を組み合わせて、より高次の形式知へと体系化していく。

（内面化）

共有された形式知が、属人的な暗黙知として再び個人に取り込まれていく。形式化された知識を実践において活用し、活きた知識として体得していくプロセスのなかで、新たな暗黙知が創造される。

よって、「形式知から形式知への転換」は「連結化」であり、**オ**が正解である。

第11問

特許戦略に関する問題である。

ア　○：正しい。特許などの知的財産の権利化に当たっては、出願・登録のコストが生じる。そのため、その知的財産権のその後の活用の可能性を踏まえた上で、コストをかけて特許として保護する価値があるかを見定める。従って、やみくもに数多く出願して権利化するのではなく、あくまで必要なものを選別して出願･権利化し、管理・維持していくことが必要である。

イ　○：正しい。特許の利用状況については、「特許行政年次報告書」で報告されている。

＜国内における特許権所有件数及びその利用率の推移（全体推計値）＞

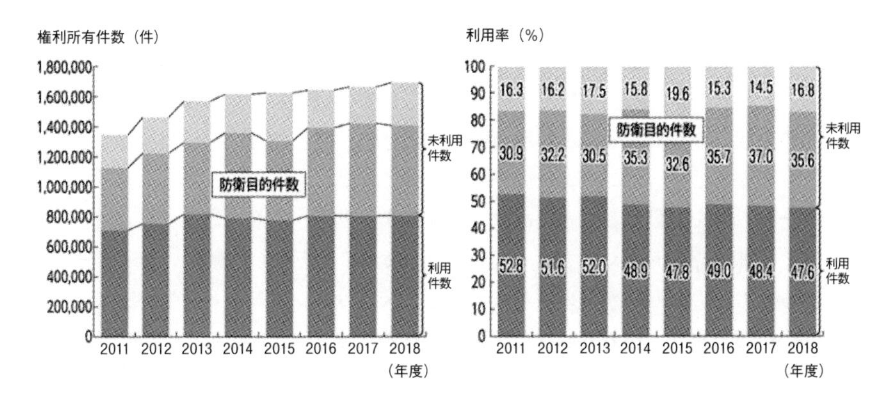

	2011年度	2012年度	2013年度	2014年度	2015年度	2016年度	2017年度	2018年度
国内特許権所有件数(件)	1,346,804	1,464,176	1,570,897	1,616,472	1,624,596	1,643,595	1,662,839	1,690,866
うち利用件数*1	711,773	755,209	816,825	790,752	776,358	805,519	805,018	805,351
うち未利用件数*2	635,031	708,967	754,072	825,720	848,238	838,076	857,821	885,515
うち防衛目的件数*3	415,630	471,041	479,029	569,938	529,115	586,724	615,995	601,695

（備考）＊1：利用件数とは、権利所有件数のうち「自社実施件数」及び、「他社への実施許諾件数」のいわゆる積極的な利用件数の合計である。

＊2：未利用件数とは自社実施も他社への実施許諾も行っていない権利であり、防衛目的権利及び開放可能な権利（相手先企業を問わず、ライセンス契約により他社へ実施許諾が可能な権利）等を含む。

＊3：防衛目的件数とは、自社実施も他社への実施許諾も行っていない権利であって、自社事業を防衛するために他社に実施させないことを目的として所有している権利である。

（資料）特許庁「令和元年度知的財産活動調査報告書」

（『特許行政年次報告書2020年版』特許庁p.49）

上記の右側のグラフから、2011年度から2018年度の国内における特許の利用率は、50%前後で推移していることがわかる（およそ半数にとどまっている）。

ウ　×：「先発明主義」とは、出願の前後に関係なく、時間的に最も先に発明した発明者を権利者とするものであり、日本でも、1921年に特許法が先願主義を採用するまでは、先発明主義であった。しかし、**現在の日本の特許法は、発明の前後に関係**

なく、最も先に出願した発明者を権利者とする「先願主義」を採用している。

エ　○：正しい。発明を特許として出願すると、一定期間（１年６か月）が経過した後に発明の内容が公開されることになり、それによる模倣リスクが生じる。よって、あえて出願せずノウハウとして保持する（企業秘密とする）という選択肢もある。

よって、**ウ**が正解である。

第12問

ソフトウェアやコンテンツなどの情報財の特性やそこから派生する状況に関する問題である。

ア　×：インターネットの普及によって情報財の流通コストが低下していることは正しい。しかしながら、情報財をその一部でも無償で提供したからといって、**広告収入以外で収入を獲得することが不可能になるということはない。**情報財にもさまざまなものがあるが、コンテンツの一部を無償で提供し、気に入ったユーザーには有料でそれ以外を提供することで、収入を獲得するといった形式は多く見られる。

イ　×：情報財だからといって、（有形財と比較して）必ずしも幅広いユーザーが利用するとも言いがたいが、いずれにしても、**スイッチングコストを生み出して顧客を囲い込む方策が、例外的な状況を除いて有効ではないということはない。**たとえば、その情報財の取り扱い方法に独自性があれば、スイッチングコストが高まり、それによって顧客を囲い込むことは可能である。

ウ　×：情報財が、複製にかかるコストが相対的に低い特性を有しているのは正しい。しかしながら、**個々の顧客が持つ価値に応じて価格差別（価格に差をつける）を行うことが困難だということはない。**むしろ、情報財の価値は、有形財以上に顧客によって得られる便益が異なる可能性が高い。よって、価格差別を行うことの有効性は高い。

エ　×：情報財において、ネットワーク外部性が大きい状況では、顧客数が増えるほど、**その情報財の価値が高まり、個々の顧客が獲得する効用が高まる。**

オ　○：正しい。製作・開発には多額のコストがかかるが、複製にかかるコストは低いという特性を持った情報財がコモディティ化によって製品市場で激しい価格競争が生じると、製品価格が下落することになる。そして、その水準が複製にかかるコストの近傍まで達すれば、ほとんど利益が得られないことになり、製作・開発にかかったコストも回収できなくなることは十分に可能性がある。

よって、**オ**が正解である。

第13問

企業の社会的責任（CSR）に関する問題である。

ア　×：CSRとは、企業にとっての多様なステークホルダー（利害関係者）のニーズに応えることである。しかしながら、だからと言って、**事業活動の結果獲得した利益を公平に分配するわけではない**。各ステークホルダーとの関わり方はそれぞれ異なるし、ステークホルダーの中にも重要度の違いがあるからである。特に利益を獲得するプロセスが異なれば、ステークホルダーによって分配される利益は大きく異なる事になる。

イ　○：正しい。CSRは、企業は営利を追求するだけでなく、事業活動によって社会に与える影響について責任を持ち、社会の持続的発展のために貢献すべきと考え、その考えに基づいて具体的に実践される諸活動であるととらえることができる。

ウ　○：正しい。選択肢アの解説でも述べたように、CSRとは、企業にとっての多様なステークホルダーのニーズに応えることである（責任を自発的に果たさなければならない）。

エ　○：正しい。ISO26000は、SR（Socially Responsibility：社会責任）に関する手引きとなる国際規格である（社会責任を持った活動のあるべき姿を記したガイドというイメージ）。そして、企業などの営利組織だけでなく、学校、病院、政府といったあらゆるタイプの組織の社会的責任に関するものである。

オ　○：正しい。コンプライアンスの遵守は、CSRにおいて重要なことである（CSRの一環である）。

よって、**ア**が正解である。

第14問

C.I.バーナードが主張した伝達の特徴としての権威に関する問題である。

バーナードは、組織が成立するためには、①共通目的、②貢献意欲、③コミュニケーションという３要素を満たす必要があるとしている。このうちのコミュニケーションに関連して、組織は誰が誰に命令し、誰が誰に報告するかを規定するというコミュニケーション・システムであるという側面がある。そのため、コミュニケーションの１つには命令があり、その権限が付与される。この公式な形で権限を有するということそのものが権威の一側面である（権威の客観的側面）。しかしながら、このような権威の客観的側面によって命令が発せられても、それが意味を成すのは命令に同意や受容してこそである。つまり、権威が権威となり得るのは、受け取る側の協働的態度に依存する（権威の主観的側面）。

(権威の客観的側面)

「職位の権威」と「リーダーシップの権威」が組み合わさると、客観的権威が確立し、受容されることになる。

・職位の権威

上位者の「職位」がより高いことによって、その上位者の個人的な能力が決して高いとは言えなかったとしても、その伝達（命令）が優れている、ととらえることがある。上位の職位からの伝達であるということをもってして、権威を認める場合があるからである。

・リーダーシップの権威

上位者の知識や理解力といった個人的能力が卓越していることによって、職位にかかわりなく権威を認められる場合がある。

(権威の主観的側面)

個人は、伝達（命令）が以下の４つの条件を同時に満たす場合に、それを権威あるものとして受容する。

・伝達を理解でき、また実際に理解すること
・意思決定にあたり、それが組織目的と矛盾しないと信じること
・意思決定にあたり、それが自分の個人的利害全体と両立しうると信じること
・その人は精神的にも肉体的にもそれに従いうること

ア　〇：正しい。上述したように、伝達の内容が組織目的と矛盾しないと参加者が信じることは権威が受容されるための要件である。

イ　✕：上述したように、伝達の内容が個人的利害全体と両立しうると信じることが重要である。よって、**伝達の内容が参加者の個人的利害に反する場合、その命令に従わせる能力は、権威が機能していない（権威とはこのような能力を意味するものではない）**。

ウ　✕：組織の参加者は、組織が提供する誘因を踏まえて、貢献する（組織の均衡条件）。つまり、組織から発せられる伝達（命令）は、ある程度の範囲のものは無条件で受け入れる。つまり、ここでいう「無関心圏」とは、権威があるかないかに関係なく、受け入れる伝達（命令）ということである。よって、**参加者の無関心圏の範囲の命令なのであれば、それは権威あるものとして受容されるわけではない（受容している要因は権威があるからというわけではない）**。

エ　✕：命令の一元性が確保されていれば、その命令はトップマネジメントからの公式なものとして受け止められる。そして、上述したように、確かに「職位」は「権威」を構成する要素となるが、**必ずしもこのことだけを持ってして部下が上位の管**

理職から発せられる命令に従うとは限らない。「リーダーシップの権威」が合わさって初めて客観的権威が確立するし、権威の主観的側面も重要である。

オ　×：上述したように、「リーダーシップの権威」とは、**リーダーの地位ではなく、個人の知識や専門能力にその源泉が求められる。**

よって、**ア**が正解である。

第15問

経営戦略に関連する組織の運営・設置に関する問題である。

ア　×：A.D.チャンドラー（A.D.Chandler）は、米国企業における事業部制組織の成立史を研究し、1962年に発表した著書「経営戦略と組織」において、デュポン、ゼネラル・モータース、スタンダート・オイル、シアーズ・ローバックという4社の戦略と組織構造の関係を記し、「組織は戦略に従う」という命題を提示している。この中では、この4社が多角化を進展させていく中で事業部制組織が成立していったことを記している（事業の多角化が進んだ企業では事業部制組織が採用されるのは正しい）。しかしながら、**地理的拡大が進んだ企業では機能（職能）別組織が採用されるわけではない。**地理的な拡大が進んだのであれば、地域別事業部制組織が採用される可能性が高くなる。

イ　×：機能（職能）別組織においては、各機能部門長は、営業、製造、開発といった各機能の責任者である。よって、**各機能部門長は特定機能に関する責任しか有していないため、事業戦略を構築する立場にはない。**機能別組織の場合には、トップマネジメントが事業戦略を構築することになる。

ウ　×：事業部制組織とカンパニー制組織は分権型組織である点で類似した特性を有していることは正しい。そして、事業部制組織では各事業部が企業内部の下部組織であることも正しいが、カンパニー制組織も事業部制組織同様、企業内部の下部組織である（**各カンパニーが独立した法人格を有しているわけではない**）。

エ　×：プロダクト・マネジャー制組織とは、事業部内で、個別の製品ごとに分権化を進める場合に、事業部内において特定の製品（プロダクト）ごとに管理者であるプロダクト・マネジャーを設置し、事業部内における製造、販売、研究開発といった機能間の調整を行うことを制度化した組織である。よって、**研究開発型ベンチャー企業に限った形態ではないし、事業部制組織そのものではない。**また、プロダクト・マネジャーは、基本的な役割としてその特定の製品に関する情報を収集し、その製品ないしブランドのさまざまな側面を考慮して全体的なマーケティングを立案して実行することになるが、実際には役割や責任の度合いは組織によって異なる。よって、**必ずしも研究開発の成果に関する責任を有しているわけではない。**

オ　○：正しい。持株会社は、その設立に関して一定の制限が定められている。具体的には独占禁止法9条において、「事業支配力が過度に集中することとなる会社」となることを禁じている。つまり、持株会社として子会社などを数多く有することでそのような状態になる可能性がある。「事業支配力過度集中会社ガイドライン」では、その具体的な状況として3つの類型を提示している。たとえば第1類型では、総資産の合計が15兆円を超え、5つ以上の事業分野のそれぞれにおいて、別々の大規模な会社（単体総資産の額3,000億円超の会社）を有する場合を示している。このように持株会社としての上限に関する規定はあるが、下限は設定されていない（小さいからと言って持株会社になれないということはない）。そのため、中小企業においても目的に応じて活用することができる。

よって、**オ**が正解である。

第16問

リーダーシップ理論に関する問題である。

ア　×：E.P.ホランダー（E.P.Hollander）の特異性―信頼理論は、リーダーシップの有効性は、リーダーがいかにしてフォロワーから「信頼」を獲得できるかによって決まるとするものである。そして、そのためには、集団の状態を掴む、理解を示す、フォロワーの立場や気持ちに配慮するといった「同調性」と、集団に貢献する仕事ができる（集団の目的に貢献する）といった「有能性」の2つの要素が必要だとしている（**開放性ではなく同調性が必要**）。さらには、この2つの順番も重要であり、まずは同調性の発揮が重要であるとしている。

イ　○：正しい。F.E.フィードラー（F.E.Fiedler）の研究では、「人間関係志向」と「タスク志向」という2つのリーダーシップスタイルを想定した上で、そのいずれが適するかは、置かれている状況によって異なるとした。そして、その状況要因（リーダーシップの有効性に影響を及ぼす状況の決定要因）として、①リーダーとメンバーの人間関係、②課業の構造化の度合い、③リーダーの職位に基づくパワーの3要因を挙げている。

ウ　×：R.リッカート（R.Likert）らによる初期のミシガン研究においては、他の多くのリーダーシップ論において見られるのと同様に、リーダーシップ行動の2つの側面にたどりつき、従業員志向型と生産志向型と名付けている。そして、結論として、従業員志向型のリーダーシップのほうがはるかに好ましいとしている。よって、選択肢に書かれているような、**部門の業績によって監督行動（リーダーシップ行動）が変わるものではない**。

エ　×：オハイオ研究において、有効なリーダーシップの行動特性を表す次元として、

「構造づくり」と「配慮」が想定されていること自体は正しい。しかしながら、メンバーが良好な人間関係を構築できるのは「構造づくり」ではなく「配慮」であり、課題達成に向けてメンバーに理解しやすい指示を出すのは「配慮」ではなく「構造づくり」である（**それぞれの名称とその説明内容の対応関係が不適切である**）。

オ　×：状況的リーダーシップ論（SL理論）は、リーダー行動としての要素である「タスク志向」と「人間関係志向」の２つの強さを、部下の成熟度に応じて変えていくものである（**リーダーシップの有効性に影響を及ぼす状況要因は、「フォロワー（部下）の貢献意欲の強さ」ではなく、「フォロワー（部下）の成熟度」である**）。

よって、**イ**が正解である。

第17問

組織コミットメントに関する問題である。

コミットメントとは、対象に対する関与や執着、およびそれによって引き起こされる現在の行為や関係の連続である。モチベーションとの端的な違いは、コミットメントは関与や執着であるため、研究内容によって捉え方がさまざまであるが、原動力が動機づけ（なりたい、手に入れたいといった衝動）とは限らず、やらざるを得ない理由があるので執着している、といったこともある。よって、組織コミットメントとは、上記のような要因により、自らが所属している組織にコミットする（所属し続けようと動機づけられる）ということである。

ア　×：組織の価値観や目標と個人のそれらが一致する場合、個人としては自らが目指すものがその組織において実現しやすいことになる。よって、**新たに成長できる余地が限られるということはないし、個人の組織コミットメントはむしろ強くなる**。

イ　○：正しい。長期にわたって１つの組織に参加し続けることが望ましいという社会的規範、つまり特定の企業に長年勤続するのが望ましいという社会における考えを踏まえると、むやみに転職を繰り返すのは忍耐がない人物であることを自らの中において認識する。また周囲からもそのような見られ方をすることを感じる。このようなことを要因として、現在の組織にコミットするということが起こりえる（個人の組織コミットメントを強めるように作用する）。

ウ　×：特定の専門的な職務に対する思い入れが強い場合とは、たとえば自らがそれまでに蓄積してきた技術者としてのスキルを用いた仕事をすることに対する思い入れが強いということである。この場合、その組織ではなく、その職種に対してコミットしている。よって、自らのスキルをより一層活かして仕事ができる環境があれば、他の組織に移る可能性が高い。よって、**特定の専門的な職務に対する思い入れの強さは、個人の組織コミットメントを弱めるように作用する**。

エ　×：特定の組織内では高く評価されるものの、労働市場ではほとんど評価されない技能は、企業特殊能力といわれるが、これは、その特定の組織における業務を遂行するために身につけた能力であり、他の組織では活かせないものである。また、このような特性の能力であることから、その特定の組織においてでしか身につけることができず、さらに身につけるのに多くの時間を要することも多い。よって、このような能力を身につけている場合、他の組織に移ることによって失われるものが大きい。よって、**個人の組織コミットメントを強めるように作用することになる。**

オ　×：年功序列的な給与体系の下では、特定の組織に長年勤務することによる経済的なメリットが大きい。裏を返せば、短期間で転職を繰り返すことが個人にとって経済的に不利に作用する。そのため、**個人の組織コミットメントは強くなる。**

よって、**イ**が正解である。

第18問

集団思考（グループシンク）に関する問題である。

集団思考（集団浅慮ともいう）とは、集団のメンバーが、コンセンサスを重要視するあまり、短絡的な意思決定がされてしまう現象である。また、集団思考が生じた際に、出される結論が極端なものになることが少なくなく、これをグループシフトという。そして、グループシフトには、極端にリスクの高いものになる場合（リスキーシフト）と、極端に慎重になる場合の2つがある。

集団思考に陥りやすい状況に影響を及ぼすものとして、①集団の凝集性が高い、②集団を率いるリーダーシップが従業員参加型ではない、③外部から孤立している、④時間的プレッシャーがある、⑤秩序だった意思決定手続きが不履行、などが挙げられる。

ア　○：正しい。誤った判断を下すことは許されないというような外部からの強い圧力に集団がさらされる状況は、端的にいえばプレッシャーにさらされている状況である。このような状況になると、保守的な意思決定になる可能性が高い。そのため、とっぴな意見、少数派の意見といったものが議論の場で出てきにくくなる。つまり、**集団思考が起こり**、グループシフト（極端に慎重になる）が生じることになる。

イ　○：正しい。機密情報を扱う場合のように集団のメンバーが限定されると、そのメンバーは他の集団とのコミュニケーションや接触が制限される可能性が高くなる（実際に制限されていなくても心理的には制限を感じる）。結果として、このような状況に置かれた集団は孤立しやすくなる。そして、孤立した結果、大局的視点や客観的な視点が失われることも多く、現実に即さない議論が促進されることになる。

ウ　×：集団思考の兆候として、選択肢**イ**の解説で述べたとおり大局的視点や客観的な視点が失われることも多い。その結果、**自分たちの集団の能力を過大評価してしまうことが見られる**。そのことにより、**集団における意思決定では極端にリスクが高い意思決定がされてしまう場合がある（リスキーシフト）**。

エ　○：正しい。集団思考の兆候として、選択肢**イ**の解説で述べたとおり大局的視点や客観的な視点が失われることも多い。そのため、集団外部の人物や集団に対して紋切り型の判断を行うようになることも多い。

オ　○：正しい。集団思考の兆候として、集団内の意思決定を正当化するための理屈づけを行うことは少なくない（集団のメンバーたちが自分たちの論理に抵抗する意見をもっともらしい理屈で説き伏せる）。そのために、自分たちにとって都合の悪い情報を過小評価するようになる。

よって、**ウ**が正解である。

第19問

コンフリクトに関する問題である。

ア　×：意思決定に必要な情報の入手先が多様になれば、組織の参加者がどこから情報を入手するかが多様になり、結果として、入手する情報が多様になる。よって、**組織の参加者間で認識の差異は大きくなる**。その結果、考えの相違が生じやすく、**個人間コンフリクトは多くなる**。

イ　×：組織全体の目標の操作性が低く（変更しにくい）、曖昧さが増しているのであれば（目標が曖昧になっている）、目標が形骸化している状況が想定される。このような状態になると、各部門がそれぞれ目標を設定して活動することが許されてしまう（部門目標間の差異が許容される程度が高くなる）。このような状況になると、部門間において共通の目標がなく、かつ目指しているものが異なるため、**部門間コンフリクトは多くなる**。

ウ　○：正しい。組織内にスラックが多く存在すると、業務遂行においてゆとりが生じ、部門間の調整を削減することができる（部門間で共同意思決定の必要性が低下する）。その結果、（部門間の）コンフリクトは発生しにくくなる。

エ　×：部門間コンフリクトが発生した場合に、交渉による解決策を見いだすことは、コンフリクトの原因の解消に有効である。しかしながら、政治的に解決してしまっては、そのコンフリクトの原因と向き合わずに、対立状態だけを解決することになる。よって、**コンフリクトの原因の解消には有効ではない**。

よって、**ウ**が正解である。

第20問

パワーの源泉に関する問題である。

ア　○：正しい。組織が外部環境の重大な不確実性にさらされる場合、その不確実性に対処できる部門は、組織内において力と威信を得ることになる。よって、他部門よりも大きなパワーを持つことになる。

イ　○：正しい。組織全体の目標を達成するために解決することが不可欠な組織内外の課題に対処する部門は、選択肢**ア**の状況と同様、組織内において力と威信を得ることになる。よって、他部門よりも大きなパワーを持つことになる。

ウ　○：正しい。組織内の最終的なアウトプットに対して大きな影響を及ぼす度合いは、中心性といわれる。このような特性を有した部門は、たとえば、製造業における製造部門、自動車のディーラーにおける営業部門といった、その組織における主要な活動を担う部門のことである。このような活動を担う部門は、組織内において他部門よりも大きなパワーを持つことになる。

エ　×：部門Aが必要とする経営資源について、その資源を部門B以外から調達できない場合、部門Aの業務は部門Bに依存した状態であり、部門Bの意向に左右される。このような状況においては、**部門Bが部門Aに対して大きなパワーを持つことになる**。

よって、**エ**が正解である。

第21問

同型化（組織間の類似性が高くなる）に関する問題である。

同型化とは、組織が自らの存在や行為の正当性を獲得する必要性が高まった際に、他の組織や、個体群（組織の集合体。同じ業界企業の集合をイメージするとよい）に似ていくことである。そうしないと存続しにくい、下手をすると淘汰されてしまうと考え、このようなことが起こる。

そして、その同型化は、「競争的同型化」と「制度的同型化」に大別される。

（競争的同型化）

個体群生態学で言われるように、環境の機能的特性に適合した、似通った組織形態を持つ個体が選択されると主張する。競争的同型化は、環境との機能的適合を強調している。

（制度的同型化）

正統性を示した組織が環境から選択されると主張する。つまり、機能的適合ではなく、文化･社会的適合を強調している。制度的同型化は、さらに「強制的同型化」「模倣的同型化」「規範的同型化」の３つに分けられる。

＜同型化組織変化のメカニズム＞

メカニズム＝同型的組織変化の源泉（source of isomorphic organizational change）		
競争的同型化（competitive isomorphism）	個体群生態学が扱うようなメカニズム	
制度的同型化（institutional isomorphism）	強制的同型化（coercive isomorphism）	依存している組織からの圧力 社会の中での文化的期待 例）法的な規制
	模倣的同型化（mimetic isomorphism）	組織はより正統的あるいは、より成功していると認識している類似の組織を後追いしてモデル化する。不確実性は模倣を助長する。
	規範的同型化（normative isomorphism）	主に職業的専門家（professionalization）に起因するもので、①大学の専門家による公式の教育と正統化、②職業的ネットワークの成長と洗練が重要。人員の選別も重要なメカニズム。

（『赤門マネジメント・レビュー６巻９号（2007年９月）同型化メカニズムと正統性』
安田雪・高橋伸夫）

ア　×：上記から、ある組織形態を採用して成功している組織をベンチマークすることで組織内外から正当性を獲得するのは、**「模倣的同型化」である。**

イ　○：正しい。上記から、同じような教育課程を受けたものが異なる組織に所属している場合、異なる組織でも横断的な集団規範が正当性を獲得する根拠となるのは、規範的同型化である。

ウ　×：政府による規制があると、それに従う方が正当性を獲得しやすいことは正しい。しかしながら、これは、**強制的同型化である。**

エ　×：組織文化は、組織メンバーの行為を同質化させる効果がある（強制力とまでは言いがたい）。そして、類似の組織文化を持つ組織間では、同型化することによって正当性を獲得することがあるが、これは、**模倣的同型化である。**

オ　×：法律に従うことが正当性の根拠を提供する場合には、その法律に従うことになるが、これは、**強制的同型化である。**

よって、**イ**が正解である。

第22問

両利きの経営を実践するための組織に関する問題である。

両利きの経営とは､｢蓄積した知識や技術､ノウハウなどを効果的に使うこと(活用)｣と「新たな知識や技術を探り、新たな技術や事業機会を見つけ出す（探索)」を両立すること、言い換えれば、既存事業の深化と新規事業の探索を両立する経営である。

このために踏まえるべきは、この2つは目標や仕事の進め方、価値基準等の多くの点で違いがあるということである。「活用」に偏れば、将来に向けた新事業の芽を摘むことになり（探索を阻害)、「探索」に偏れば、収益性の低下を引き起こす可能性がある（活用が不充分になる)。そのため、実践するための組織に求められることとしては、①仕事のプロセスや目標などが根本的に異なるため、評価基準は異なったものにし、活用に特化する部署と探索に特化する部署を分離させること、②組織として蓄積している技術やノウハウなどの経営資源（既存事業で蓄積している）を新規事業に有効に活用できるようにすること、が求められる。

ア **×**：経営理念の共有は必要ではあるが、上記①より、**事業評価基準は異なるものを構築することになる**。

イ **×**：上記①より、部署を分離して運営することが求められるため、**機能横断的なチームを設計する必要はない**。

ウ **×**：2つのユニットを構造上分離することは正しい。しかしながら､上記①より､目標が異なる、**つまりビジョンは違ったものになる**。そのため、文化についても、下位組織文化がそれぞれ形成され､異なるものになる可能性を否定することもない。つまり、**それ（異なる文化）が生まれないようにすることは重要視されない**。

エ **○**：正しい。上記①より、探索ユニット（新規事業）には独立性を与えて運営させるべきである。また、上記②より、全社的な資産や組織能力にアクセスする権限を与える必要がある（組織として蓄積してきた経営資源は活用できるようにする)。

よって、**エ**が正解である。

第23問

コッターの組織変革の8段階モデルに関する問題である。

コッターは、組織変革を実現するまでのステップを以下のような形で具体的に示している。コッターはこの中で最も重要なのが、第1ステップであるとしている。これは、組織変革を妨げる最大の障害は、現状に安住し、変化することの必要性を認識できないことによる。まずは経営層が危機感を肌で感じ、それを共有することが重要になる。そして、コッターは、この8つのステップは、順序が重要であり、前のステップをしっかりと経なければ、次のステップには進めないとしている。

<J.P.コッターの組織変革の８段階モデル>

第１ステップ	危機意識を高め、共有する
第２ステップ	変革推進のための連帯チームを築く
第３ステップ	ビジョンと戦略を生み出す
第４ステップ	変革のためのビジョンを周知徹底する
第５ステップ	組織メンバーの自発を促す
第６ステップ	短期的成果を実現する
第７ステップ	成果を活用し、さらに変革を推進する
第８ステップ	新たな方法を企業文化に定着させる

出所：Kotter [1996].

（『経営組織』安藤史江　稲水伸行　西脇暢子　山岡徹著　中央経済社p.89）

よって、**ウ**が正解である。

第24問

労働基準法に関する問題である。

ア　×：使用者は、事業場ごとに労働者名簿と賃金台帳を調製しなければならない旨は正しい（労働基準法第107条、108条）。しかし、労働者名簿および賃金台帳など労働関係に関する重要な書類は**５年間（当分の間３年間）**保存しておかなければならない（労働基準法第109条）。

イ　×：労働基準法には、使用者は、**労働者が女性であることを理由として、賃金について、男性と差別的取扱いをしてはならない**と規定している（労働基準法第４条）。

ウ　×：労働基準法の違反行為をした者が、当該事業の労働者に関する事項について、事業主のために行為した代理人、使用人その他の従業者である場合においては、一定の場合を除き、**事業主に対しても罰金刑を科する**（労働基準法第121条）。

エ　○：正しい。労働基準法では第１条において、労働条件は、労働者が人たるに値する生活を営むための必要を充たすべきものでなければならないと規定している。

よって、**エ**が正解である。

第25問

変形労働時間制に関わる労使協定の届出に関する問題である。以下の表は変形労働時間制の手続に関する事項をまとめたものである。

種　類	1年単位	1週間単位	フレックスタイム	1か月単位
常時使用労働者等		30人未満の小売業、旅館、料理店、飲食店に限る		
変形期間	1か月超 1年以内	1週間	清算期間 （3か月以内）	1か月以内
手　続	労使協定 ＋ 届出	労使協定 ＋ 届出	就業規則等※1 ＋ 労使協定※2	労使協定＋届出 or 就業規則等※1

※1　就業規則等：就業規則その他これに準じるもの→就業規則は常時使用労働者10人以上の場合に作成義務（＋届出）が生じる。常時使用労働者10人未満の場合は就業規則の作成義務が生じないため、この場合は「その他これに準じるもの（就業規則に準じるもの）」が必要となる。

※2　**清算期間が1か月超3か月以内の場合、届出が必要**となる。

ア　×：1か月単位の変形労働時間制を実施するに当たり、就業規則等ではなく、労働者の過半数を代表する者との書面による協定を締結した場合は、**当該協定を所轄労働基準監督署長に届け出なければならない。**

イ　○：正しい。フレックスタイム制を実施するに当たり、原則として労働者の過半数を代表する者との書面による協定を所轄労働基準監督署長に届け出なければならないが、清算期間が1か月以内のものであるときは届け出る必要はない。

ウ　×：1年単位の変形労働時間制を実施するに当たり、労働者の過半数を代表する者との書面による協定を**所轄労働基準監督署長に届け出なければならない。**

エ　×：1週間単位の非定型的変形労働時間制を実施するに当たり、労働者の過半数を代表する者との書面による協定を**所轄労働基準監督署長に届け出なければならない。**

よって、**イ**が正解である。

第26問

賃金に関する問題である。

ア　×：賃金は通貨で支払わなければならない旨は正しい（通貨払の原則）。しかし、通勤定期券や自社製品等の現物を賃金の一部として支給するためには、**労働組合と使用者またはその団体との間で結ばれた労働条件その他に関する協定（労働協約）を締結しなければならない。**つまり、**労働者の過半数を代表する者との書面による**

協定では、現物を賃金の一部として支給することは認められない。

イ　○：正しい。賃金を労働者が指定する金融機関へ振り込むことは労働者の同意を得れば足りる。

ウ　×：労働基準法で賃金とは、賃金、給料、手当、賞与その他名称の如何を問わず、労働の対償として使用者が労働者に支払うすべてのものをいう旨は正しい。しかし、**結婚手当等であって労働協約、就業規則、労働契約等によってあらかじめ支給条件の明確なものは賃金にあたる**。

エ　×：賃金は直接労働者に支払わなければならない（直接払の原則）。よって、**労働者が未成年であっても未成年者が独立して賃金を請求することができる**。また、直接払の原則は、使用者が労働者の親権者その他の法定代理人など労働者本人以外の者に賃金を支払うことを禁止するものである。したがって、**親権者または後見人が、未成年者に代わってその賃金を受け取ることとはならない**。

よって、**イ**が正解である。

第27問

解雇に関する問題である。

ア　×：使用者は、原則として次の期間内にある労働者を解雇することができない。

①　業務上の負傷、疾病により、療養のために休業する期間とその後30日間

②　産前産後の休業期間とその後30日間

そして、上記①については、療養開始後３年を経過しても負傷または疾病が治らない場合においては、使用者は、平均賃金の1,200日分の打切補償を支払うときには解雇制限の規定は適用されない。**打切補償による解雇制限の解除の規定が適用されるのは上記①の場合のみであり、上記②（本肢の場合）にはこの規定は適用されない**。

イ　○：正しい。事業場に労働基準法または労働基準法に基づいて発する命令に違反する事実がある場合においては、労働者はその事実を行政官庁または労働基準監督官に申告することができ、使用者は、その申告をしたことを理由として、労働者に対して解雇その他不利益な取り扱いをしてはならない（労働基準法第104条）。

ウ　×：選択肢**ア**で述べたとおり、使用者は、労働者が業務上の負傷、疾病により、療養のために休業する期間とその後30日間は解雇することはできない。しかし、選択肢**ア**の①②の状況であっても、**天災事変その他やむを得ない事由のために事業の継続が不可能となった場合は、その事由について所轄労働基準監督署長の認定を受けた場合は解雇制限の規定は適用されない**。つまり、本肢の場合は解雇することができる。

エ　×：使用者は、労働者を解雇しようとする場合においては、少なくとも**30日前**にその予告をしなければならない。**30日前**に予告をしない使用者は、**30日分以上**の解雇予告手当を支払わなければならない。

よって、**イ**が正解である。

第28問

SDGs（SDGs経営ガイド）に関する問題である。

経済産業省は、企業がいかに「SDGs経営」に取り組むべきか、投資家はどのような視座でそのような取組を評価するのか等を整理した「SDGs経営ガイド」を取りまとめ、2019年5月31日に開示している。

ア　○：正しい。「SDGs経営ガイドP28」には以下のように記されている。

「社会課題を解決するためには、イノベーションを通じた新たな技術やビジネスモデルの創出がカギとなる。新規事業に取り組む際に自社の技術だけでは足りなければ、オープン・イノベーションの促進、大企業の「出島」におけるベンチャー企業とも連携した試行錯誤など、他の企業やアカデミアとも柔軟に連携して、イノベーションを「協創」していく発想が必要となる。また、非連続的なイノベーションを生み出すためには、長期的視座に立った研究開発も重要である。」

イ　×：「SDGs経営ガイドP22」には以下のように記されている。

「経済合理性がないと判断され、**取り残されている市場**もあり、そこには未だ社会課題が多く残っていたりもする。そのような経済合理性のないマーケットに対しては、短期的視点ではなく長期的視点を持つことが非常に重要。経営者は長期的視点で意志を持って、自社の技術だけでは超えられない大きな社会課題に対し、他社を巻き込みながら、**経済合理性を生み出すイノベーションを先導すること**が、世界的に求められているSDGs経営の姿勢なのではないか。」

よって、**経済的合理性にこだわってはならないわけではない。**

ウ　×：「SDGs経営ガイドP26」には以下のように記されている。

「SDGsは、**各プレイヤーに17の目標、169のターゲット全てに焦点を当てることを求めているわけではない。**自社にとっての重要課題（マテリアリティ）を特定し、関連の深い目標を見定めることで、自社の資源を重点的に投入することができ、結果として、自社の本業に即した、効率的なSDGsへの貢献が可能となる。」

よって、**企業がすべての目標、ターゲットに貢献できるように自社の資源を投入する必要があるとされているわけではない。**

エ　×：「SDGs経営ガイドP４」には以下のように記されている。

「持続可能な世界を実現するための17のゴール・169のターゲットから構成され、

地球上の誰一人として残さない（leave no one behind）ことなどを謳っている。」

よって、「発展途上国」だけに焦点を当てているわけではない。また、選択肢**イ**の解説でも述べたように、長期的視点で経済合理性を生み出すことを志向することになるため、**利益を考えずに行う取り組みというわけではない。**

オ　×：「SDGS経営ガイドP38」には以下のように記されている。

「企業のSDGs事例などを伺う際、過去にCSR活動として語ってきた事例をそのまま使い回しているケースが散見される。そういう話を幾らIRで伝えたところで、投資家には響かないだろう。」

よって、**過去に取り組んできた自社のCSR活動のすべての事例をそのまま投資家に向けて発信することがよいわけではない。**

よって、**ア**が正解である。

第29問

消費者の知覚に対応したマーケティングに関する問題である。

ア　×：人間の錐体細胞には異なる３つの色素があり、それぞれが光の波長のわずかな違いを知覚できるようになっているとされる。そして、色は感情反応を引き出すことになる。たとえば、一般に青みがかって見える短い波長の光は、人を落ち着かせたり、リラックスさせたりするとされ、赤みがかって見える長い波長の光は、人を刺激したり興奮させたりするとされる。一方で、たとえば、青は男、赤やピンクは女といった連想をすることがあるが、これらは色そのものが本質的に（物理的に）もっている対応関係ではなく、文化的なものである（人間が社会の中で形成してきた）。よって、このような、社会において**個々の消費者が経験を通じて学習する連想からも影響を受けることになる。**

イ　×：音や音楽が消費者の感情や行動に強い影響を及ぼすことは正しい。そのため、企業は自社のブランド・ロゴなど（他にもブランドネーム、スローガンなども想定される）と、特定の音や音楽との固定的な結び付きを作る取り組みを行う。このような特定の音とブランド要素を結びつけることをソニック・ブランディングといい、ブランド価値向上に寄与する。よって、**固定的な結び付きを作らないように細心の注意を払う必要があるということはない。**

ウ　○：正しい。オンライン販売では、実際の製品に触れる体験をオンライン上で提供することはできない。しかしながら、視覚を通じて製品の重さを知覚させることは可能である。たとえば、パッケージデザインは、製品の重量感に影響を及ぼすことが学術研究で導かれている。パッケージの下側や右側に製品画像を掲載すると重い印象となり、パッケージの上側や左側に製品画像を掲載すると軽い印象となる。

その他にも目の錯覚を利用して重さを感じさせる方法もある。

エ ✕：消費者の味覚は、実際に口腔内に存在する味覚受容体（接触した化学物質を検出するための受容体）を介して感じるが、それだけが要因ではない。たとえば、日本の寿司店と外国の寿司店では、仮に実際には同じ味であっても、日本の寿司店で食べた場合のほうがおいしいと感じることがある（逆もあり得る）。あるいは、ワインを飲む際に、それが有名な産地のものであると聞けば、一層おいしいと感じることもある。このように、**実際の味の評価には、味覚受容体で感じる要素だけでなく、文化的要因も多分に影響を及ぼすことになる。**

オ ✕：においの処理（嗅覚情報処理）は、脊椎動物の終脳吻側に位置する脳の領域である嗅球で行われる。そして、この嗅球は大脳辺縁系の一部である（大脳辺縁系で処理されるのは正しい）。しかしながら、**消費者の行動に対する直接の影響がほとんど見られないということはない。**食べ物を中心に、においによって好意的にも非好意的にも評価は変わり、その結果購買行動に影響を及ぼすことになる。

よって、**ウ**が正解である。

第30問

共創に関する問題である。

ア ✕：オープン・イノベーションは、最初に唱えたヘンリー・チェスブロウが、「企業内部と外部のアイデアを有機的に結合させ、価値を創造すること」と定義している。つまり、外部のアイデアを取り込む、内部のアイデアを外部に出すという両方の側面があり、文字通りオープンな姿勢で新たな価値を生み出していくものである。よって、**企業は一貫して自社内のアイデアが外部に出ることがないように留意する必要がある、というものではない。**

イ ✕：消費者によるアイデアは、企業内部の専門家のアイデアに比べ、新奇性と顧客便益が高いとされる（企業は共創によって新奇性の高い製品を開発できる可能性がある）。また、消費者によって作られたという情報自体が、他の消費者に好意的な印象をもたらすとされている。この効果はラベル効果と呼ばれる。よって、**共創によって開発された製品が、企業が開発した製品より信頼性が劣ると感じる傾向があるわけではない。むしろ、共創によって開発した事実をアピールしていくべきである。**

ウ 〇：正しい。選択肢**ア**、**イ**で見てきたように、共創によって消費者と共に製品開発を行おうとする企業が増えつつある。一方で、伝統的な方法により、自社内の経営資源のみに基づいて製品開発を行う方が優れた製品を開発できると考える企業も当然存在する。このように、自社内部にある資源をベースに価値を生み出していこうという考え方や行動様式は一般に「シーズ志向」と呼ばれる。対比する概念は「ニーズ志向」であるが、これは、消費者の求める商品の機能を追及したり、問題を解決したりするような新商品や新規事業を生み出す考え方や行動様式である。

エ　×：専門的な知識を有していたり、製品の特殊な使い方を提案したりするなどの先進的消費者とは、リード・ユーザーと呼ばれる先進的なエキスパート・ユーザーである。伝統的な製品開発では、企業が意思決定を行うためにマーケティング・リサーチの対象となるのは、**平均的なユーザーであることも少なくなかった**。これに対して共創においては、消費者が問題解決や予測にも参加して企業の意思決定を支援する。そのために望ましい共創参加者は、**リード・ユーザーである（平均的消費者ではない）**。なお、ビッグデータの活用そのものは、デジタル化やIoTの進展によって膨大なデータを効率的に収集してそれを分析、共有する環境が実現されてきており、積極的に活用されるようになっている。

よって、**ウ**が正解である。

第31問

流通政策（オフラインとオンライン）に関する問題である。

チャネルは、古くは実店舗だけを有しているシングルチャネル、2000年頃からはECサイトとの複数のチャネル（マルチチャネル）、2005年頃からは複数のチャネルが連携するクロスチャネル、そして、2010年頃からはオフラインとオンラインがシームレスにつながり、消費者は時間、購入場所、受け取る場所などを好きに選択できるオムニチャネルへと変遷してきている。

<チャネルの変遷>

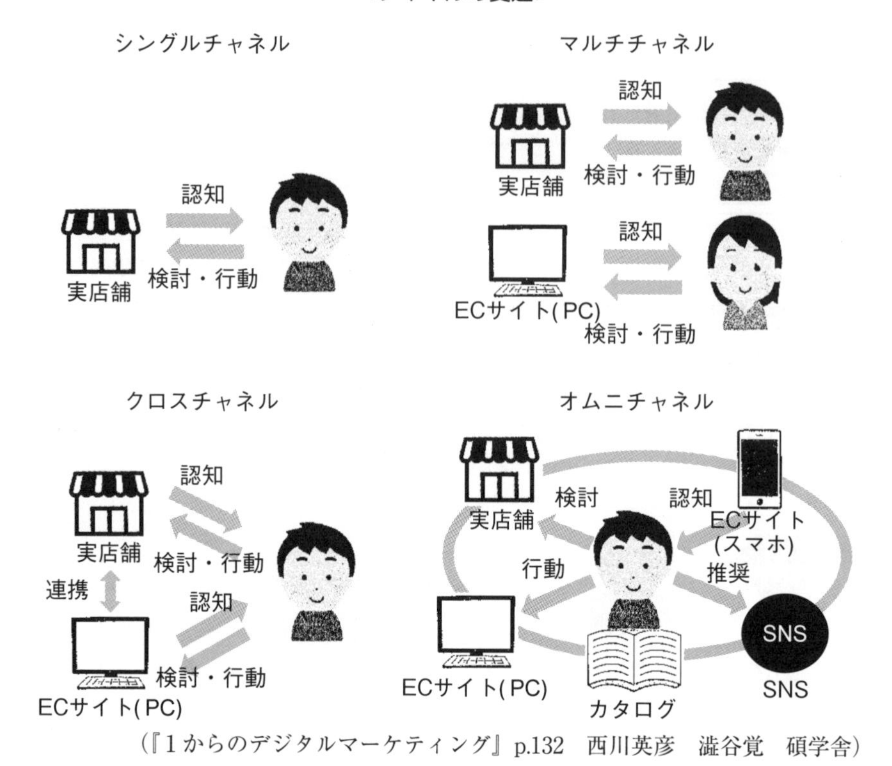

(『1からのデジタルマーケティング』p.132　西川英彦　澁谷覚　碩学舎)

ア　○：正しい。S社が店舗を最初の1つから現在の状態まで増やしてきた過程においては、顧客接点が物理的に増加している（現在は9つの自社の実店舗と自社オンライン店舗を有している）。よって、冒頭文も踏まえると、今後はオムニチャネル化が課題になる。そのためには、顧客管理方法を変更し、オフラインとオンラインの情報の連動性が必要である。よって、**現在の顧客接点をさらに増やすことが必要なわけではない。**

イ　×：実店舗で多くの顧客が商品を見たり試着したりした後にオンライン店舗で購入するという購買行動はショールーミングといわれる。多くの消費者がこのような購買行動をとれば、オンライン店舗に売り上げが偏る可能性はあり、確かに9つある実店舗の従業員のモチベーションが低下するリスクは考えられる。しかしながら、**顧客が実店舗からオンライン店舗へ流れることを防いだほうがよいわけではない。**このようなことを行ってはオムニチャネル化に逆行することになり、顧客満足度低下による顧客の離反、同じショールーミングでも他社のオンライン店舗に顧客が離反するといった事態になりかねない。実店舗の従業員の評価基準を変えるなどしてモチベーションの維持を図る取り組みを行えばよいであろう。

ウ　×：同一の消費者であっても、実店舗を利用する場合とオンライン店舗を利用する場合とでは、利用動機や購入頻度、単価などが大きく異なることがあることはよく知られている（単価の高いものは実店舗で購入するなど）。しかしながら、**実店舗における顧客データとオンライン店舗のそれとは切り離して活用することが望ましいわけではない**。選択肢アの解説でも述べたように、オムニチャネル化によって顧客満足度を高めるためには、オフラインとオンラインの情報の連動性が重要になる。

エ　×：顧客対応のための組織体制や従業員の評価システム、在庫データの管理などの観点だけで考えれば、各顧客に検討から購入までを一貫して同一店舗内で行ってもらえば評価や管理の面では明瞭な形で行いやすいかもしれない。しかしながら、選択肢イの解説でも述べたように、これはオムニチャネル化に逆行することである。**S社がオムニチャネル化の推進の可否を今後検討していくのであれば、十分に考慮する必要があることではない**。

オ　×：消費者の便益にはさまざまなものがある。確かに店舗外でもパソコンやスマートフォンなどからいつでも購入出来るオンライン店舗にはメリットがある。しかしながら、実店舗で購入したい顧客、あるいは、商品によっては実店舗で購入したい顧客、実店舗で実物を確認した上で購入したい顧客など、実店舗の役割は未だ大きい。他の選択肢で見てきたように、だからこそS社はオムニチャネル化を推進している。よって、**オンライン販売を特別重視するというわけではないし、オンライン店舗に経営資源を集中することが望ましいというわけでもない**。あくまで、実店舗とオンライン店舗を連動させ、顧客によりよい購買体験をしてもらうことを志向すべきである。

よって、**ア**が正解である。

第32問

設問1　●●●

サブスクリプション・サービスに関する問題である。

サブスクリプション・サービスとは、定額料金を支払って利用するコンテンツやサービスのことであり、「所有」ではなく、「利用」に対して金銭が支払われるビジネスモデルである。具体的には、「Amazon Music」などの音楽配信サービス、「Netflix」などの動画配信サービス、「Oisix」などの厳選された食材や便利な手料理キットが宅配で届くサービスなどがある。

ア ×：サブスクリプションは、定期購読という意味であるため、鉄道・バスの定期券や新聞・雑誌の定期購読などもサブスクリプション・サービスの１つである。しかしながら、一般にサブスクリプション・サービスといわれるのは冒頭文に示したようなサービスである。その違いは、新聞などは「定額で定量」のサービスであるのに対し（厳密には鉄道などは何度でも利用できるので定量ではないが、実質定量の利用となる）、昨今のサブスクリプション・サービスは、「定額で使い放題」であり、お得感が大きい点が特徴である。この点を踏まえると、１回千円で飲み放題の居酒屋が、１か月３千円で飲み放題のサブスクリプション・サービスを提供するのは、月に４回以上その居酒屋を利用する場合にお得感を得られる。「居酒屋の選択肢が多い消費者」であることを踏まえると、同じ居酒屋に月に４度も行かないとも読めるが、このようなサービスがあるのなら、同じ居酒屋に通うことを選択する消費者もいるであろう。よって、**消費者にとってメリットがないということはない。**

イ ×：サブスクリプション・サービスは、消費者ごとの利用サービスの内容が明瞭になるため（どんな音楽を聴いているのかなど）、ユーザーの利用データを収集し分析しやすい（このことは、このような料金体系にする目的の１つであるといえる）。しかしながら、**家具のサブスクリプション・サービスを展開する場合に家具に何らかのデジタル機能を付加しなければならないわけではない。**消費者が契約期間中にどのような家具を利用するかがわかればよいため、家具そのものにデジタル機能が付加されているか否かは関係がない。

ウ ○：正しい。サブスクリプション・サービスは、購入するとなるとそれなりの支払金額になるものであっても、低額で利用することができることから、気軽に製品を試す機会を提供することができる。

エ ×：家具や家電、自動車などの耐久消費財は、従来は購入、あるいはリースという形式で利用するのが主流であったが、昨今はこれらもサブスクリプション・サービスとなっている。しかしながら、**どのような場合でも従来のリースよりビジネス上有利になるわけではない。**リースと比較したサブスクリプション・サービスの特徴としてよく見られるものに、契約期間が短く設定できる（不要になれば返却できる契約もある）、利用して気に入れば購入できる、などがある。そのため、企業側からすると、消費者にさまざまな商品を気軽に試してもらえることから継続的に利用してもらえる顧客を確保できたり、試しに利用して気に入ってもらえれば購入を促進できたりといったメリットがある。しかしながら、１度の契約における利用期間が短くなることから、継続的に利用してもらえる顧客が確保できなければ安定した収益が確保できないことになる。また、特定のユーザーが利用する期間がリースのように耐用年数に近くなるわけではないため、商品価値の低下も想定されるなど、一長一短である。

よって、**ウ**が正解である。

設問2 ●●●

ダイナミック・プライシングに関する問題である。

ダイナミック・プライシングとは、需給バランスや時期などに応じて価格を変動させる価格設定方式である。

ア ×：ダイナミック・プライシングを行う際には、需要予測が前提となる。従来は人間の手で月別の売上や年間の顧客動向といったデータを分析し、価格を導き出していたが、昨今はAIによる需要予測により、その分析精度が向上している。そして、ネットショップ大手のAmazonにおいてもいち早くダイナミック・プライシングを導入していたが、フロリダ州に大型台風が上陸した際に多くの人が防災グッズを購入したため、AIがボトル水などの生活必需品の価格を大きく上げてしまい、社会的に非難を浴びる事態が生じた（このような事例があったことは正しい）。しかしながら、**生活必需品へのダイナミック・プライシングの導入が禁止されているということはない**。たとえば災害や天候不良が続くと野菜が不作となり、その結果、野菜の価格が高騰する。このような時に「野菜が高い」という消費者の声は出るものの、この価格設定に対して不信感を持ったり、社会的に問題になったりといったことはない。これは、今年の不作によって単価を上げないと採算が合わないのだろう、温室など野菜を育てるのにコストがかかるのだろう、といった理解が得られ、実際に農家はそのような価格設定にしなければ収益が確保できないため、当然の価格設定であると受け止められるからである。

イ ×：企業がダイナミック・プライシングを導入することと、電子商取引のシステムを取り入れることは直接関係がない（ダイナミック・プライシングは、電子商取引ではなくても採用できる）。よって、**電子商取引のシステムを取り入れなければならないわけではない**。また、需要予測、価格変動などの仕組みは必要であるが、**その仕組みを自社で構築する必要がある（しなければならない）わけでもない**（システムを開発している企業に依頼して導入すればよい）。

ウ ○：正しい。ダイナミック・プライシングのコンセプトからすれば、需要が多い場合に価格が上昇し、需要が少ない場合に価格が低下することになる。公共交通機関において導入し、比較的空いているオフピークの時間帯の価格を下げれば、確かにオフピークの時間帯を利用する人は増加する可能性がある。しかしながら、通勤の時間帯を変えるのが困難な人もいるし、公共交通機関の場合、需要が多い時間帯は「混雑」という別の事象によって不満が生じる。ダイナミック・プライシングは、通常は、「高い価格を支払ってもよい、と感じる場合に実際に価格が高く」、「高い価格を支払いたくない、と感じる場合に実際に価格が低い」、といった形にすることで販売数を確保するものであるが、公共交通機関の場合、「高い価格を支払いたくない、と感じる場合に実際には価格が高い」という状況になり、相対的に高額な利用料となる。

エ **×**：コンサートやスポーツ・イベントのチケットはダイナミック・プライシングを導入している典型的な例の１つである。そして、「購入時期に応じて価格を変動させる」に加え、**「席のエリア別に異なる料金を設定し、かつ売れ行きに応じて価格を変動させる」は、従来からコンサートやスポーツ・イベントなどのチケットの販売において行われているが、これも需要や消費者が適性であると感じる価格に応じて価格を設定することになるため、ダイナミック・プライシングである。**なお、一例として、Jリーグの名古屋グランパスは、リーグにおいて全面的にダイナミック・プライシングを導入した最初のクラブであるが、「購入時期に応じて価格を変動させる」ことによって主催者の販売価格がその時点の需要に応じたものになることから、不正転売が抑制されることになる（不正転売のメリットが小さくなるため）。

よって、**ウ**が正解である。

第33問

インターネット広告に関する問題である。

ア **×**：インターネット広告においては、広告主（広告を出す企業）と媒体社（ヤフー、YouTubeなど）との間に、さまざまな技術に基づくサービスを提供する多様なプレーヤーが存在する。具体的には、電通、博報堂、サイバーエージェントといったインターネット広告の代理店などであり、広告主と媒体社との間の仲介役を担うことになる。用いられている技術としては、たとえばRTB（Real-Time Bidding：リアルタイムビディング）が挙げられる。これは、広告主が訪問者（消費者）の属性情報に合わせた広告をリアルタイムに入札できる仕組みである。広告主は「広告費を安く抑えて広告効果を最大にする」ことを望み、媒体社は「広告枠を高く売る」ことを望んでいる。訪問者は自分の嗜好にあった広告を望んでいる。RTBは、このように三者の思惑のバランスを取りながら、現実的な取引を行うことに貢献する。そして、「広告枠価格の急落」や「入札競争の激化による広告枠高騰」を防ぎ、訪問者が関心のある広告を表示することにつながる。よって、**消費者にとっては、自らにとって有益な広告を見ることができるというメリットが生じることになる。**また、広告主としては、確かにこれらのプレーヤー（インターネット広告の代理店）を介さなければ、マージンの支払いを削減できるが、上記のようなメリットもあるため、**必ずしも媒体社と直接やりとりをすることが望ましいとも言えない**。

イ　×：インプレッションとは、リスティング広告などがディスプレイ上に表示された回数、すなわち、閲覧者が広告を目にした回数である（広告の総配信回数）。また、リーチとは、掲載された広告がどれだけ多くの人に到達したか（ターゲット全体の何％に広告が到達したか）であるが、**この指標（リーチ）がインターネット広告に適さないということはない**。広告の内容が一般の消費者にとってすぐに理解できるような内容の場合には、リーチが広告効果の指標として適している（複数回広告を見ることで効果が上がる場合にはフリクエンシーが広告効果の指標として適している）。

ウ　○：正しい。アドブロックとは、ネットの広告をブロックできるソフト（あるいは技術）のことである。消費者はインターネット上で不快な広告をブロックすることで、快適にウェブサイトを閲覧することができる。しかしながら、仮にすべての消費者がこれを導入すれば、広告の効果が失われるため、広告主は広告を出さなくなり、広告料収入に支えられている多くのビジネスモデルが成り立たなくなる。広告料収入がなくなれば、その代わりにそのウェブサイトを利用する消費者から料金を徴収せざるを得なくなる（有償化する）可能性がある。そのため、広告ビジネスを存続させていくためには、アドブロックを減らす必要があり、対策としては消費者が見たくなるような広告を提供することが求められる。

エ　×：インターネット広告は、通常はディスプレイ広告（バナー広告）やリスティング広告といったものが該当し、企業が自社サイト内に掲出するコンテンツは、一般的にはインターネット広告には含まれないことは正しい。そして、インターネット広告から自社コンテンツにリンクを張ることで、消費者を自社コンテンツに誘導することができる。この際には、**消費者が自ら興味を抱き、バナー広告やリスティング広告をクリックしているため、インターネット広告と自社コンテンツとを一体として広告と捉える危険性があるということはない**。また、このようなリンクは多く用いられている（**ほとんど用いられていないということはない**）。

オ　×：たとえば、消費者が同じテレビ番組を見ていれば、その間に流れるCMは同じであるし（同じ広告を見る）、同じ新聞を読めば、紙面には同じ広告が掲載されている（従来のテレビ、新聞などのマスメディアに出稿される広告では、同じ番組やコンテンツを見ているすべての消費者は同じ広告を見ていた）。それに対して、インターネット広告の場合、**同じWebサイトやコンテンツを見ているすべての消費者が、基本的に同じ広告を見ているわけではない**。消費者のそれまでのインターネット上における行動によって、掲載される広告は異なることになる。よって、**イ**

ンターネット広告においてコンテンツと広告を切り離す試みはすでに行われている（現状では難しいということはない）。
よって、**ウ**が正解である。

第34問

クチコミに関する問題である。

ア　○：正しい。ある消費者に対して、その消費者がまだ全く知らない製品やサービスについて知らせる際に、受け入れられやすい傾向にあるのは広告よりもクチコミである。消費者が、自らがまだ全く知らない製品やサービスということは、どのような製品やサービスなのかはもちろん、判断基準についても有していない。このような場合に「受け入れやすい」のは買わせようという意図がなく、客観的な情報であると感じるクチコミである。

イ　×：一般的に大規模なオンライン・コミュニティでは、自らコンテンツの作成や投稿を行う参加者が全体の約１％、自らコンテンツの作成や投稿は行わないが、誰かのコンテンツにコメントする形で参加する者が全体の約９％、**自ら発言や投稿をせずに他の参加者の様子を見ているだけの参加者が約90%いるとされている（全体の半分程度以上に存在する）**。このような参加者を「潜伏者」という（90-９-１の原則）。この原則は、多くのコミュニティで成り立っているとされている。なお、従来は、潜伏者は投稿せずに情報を得るだけの存在であり、これを否定的に捉える論調もあったが、昨今はコミュニティに参加した際にそのコミュニティについて学ぶ期間が生じることで通過する一時的な状態という側面もあり、肯定的な捉え方もされるようになってきている。よって、**オンライン・コミュニティに悪影響を及ぼすわけではないし、企業側からすべての参加者が活発に発言するように誘導するべきでもない**（そのようなことをすれば、発言したくない参加者はそのコミュニティから離れていくであろう）。

ウ　×：コミュニティとは、一般に共通の関心や地理、職業などの要因によって、参加者が結びついた集団を指すことは正しい。そして、オンライン・コミュニティとオフライン・コミュニティでは、その性質に違いが見られる。オンライン・コミュニティは、ソーシャルメディア上に開設されるものが多いことは正しいが、コミュニティ形成において地理的な制約もなく、日常の社会生活とは別の共通項によって形成されることが多い。よって、**オンライン・コミュニティは、参加者が共通の関心によって結びつくものが多い**。対照的にオフライン・コミュニティは、リアルな交流によって形成されるコミュニティである。よって、**地理、職業などの社会的要因を軸に参加者が結びつくことが特徴である**。

エ ×：ネガティブなクチコミほど広まりやすいことは正しい。そのため、消費者は製品やサービスの欠点を確認し、そのような購買（好ましくない製品やサービスを購入してしまう）を回避するためにクチコミを利用することになる。また、企業側が発信する情報は、基本的には良い面が中心（すべて）になるため、製品やサービスの長所の確認においても、何が長所であるのか、そして、それがどの程度の水準であるのかが客観的に理解しにくい。そのため、**長所を確認する際にも、やはりクチコミを利用する傾向が強くなる**。

よって、**ア**が正解である。

第35問

設問1

広告に関する問題である。

ア ×：デジタル・ネイティブとは、インターネットやそれに接続されたモバイル機器が、生まれた時から存在し、これらを日常生活の中で自然に使いこなしながら育ってきた世代であり、インターネット広告は、このような世代に対して製品やサービスの認知率や購入率の点で大きな影響を与えることは正しい。しかしながら、だからといって、**紙媒体の広告がこれらの世代に対して、製品やサービスの認知率や購入率の点でほとんど影響を与えないということはない**。インターネットに慣れ親しんでいる分、逆にインターネット広告はまったく目に入らない場合もあるし、紙媒体だからこそ目にとまるということも少なくない。

イ ×：おとり広告とは、商品・サービスが実際には購入できないにもかかわらず、購入できるかのような表示を不当表示する広告である。そのため、広告に表記している製品を店舗で保有していない場合、メーカー、サイズ、デザインなどの点で広告の表記と異なる製品しか置いていない場合は、消費者が広告を見て購入したい（購入できる）と思った製品が、実際には購入できないため、おとり広告に該当し、公正取引委員会の規制の対象となる。また、**広告の表記に反して販売数量や販売時間の制限を行えば、仮に広告製品が実際に店舗で販売されていても、購入したい（購入できる）と感じた消費者が実際には購入できないことになる。そして、その要因が「広告の表記に反している」ということであるので、この状況も規制の対象となる**。

ウ ○：正しい。公共広告は、環境、福祉、教育、人権などの社会的、公共的な問題についての理解や解決を目的として実施する広告である。日本では、1970年の日本万国博覧会を契機に公共広告推進組織の設立機運が高まり、アメリカの広告協議会Advertising Council（略称AC）をモデルケースとして、関西公共広告機構が発足した。1974年に全国組織の社団法人公共広告機構となり、1977年には東京にも本部を設置している。そして、2009年にACジャパン（Advertising Council Japan）と改称し、2011年には公益社団法人となっている。広告を取り扱う会員企業が資金を出し（ACジャパンの公共広告の広告主には業界団体や企業が含まれる）、媒体は紙面や時間を無償または割安な料金で提供し、広告会社はアイデアや制作費を負担するという、政府や行政機関とは一線を画した立場からの仕組みである。

エ　×：パブリシティとは、企業や商品、サービスなどに関する事柄がマスコミ媒体に記事やニュースとして報道もしくは紹介されること（あるいはそのニュース素材を企業がマスコミ媒体に提供する活動）をいう。企業が自ら料金を支払う広告とは異なり、情報の掲載決定権が媒体側にある。また、第三者的立場が掲載するため、消費者にとっては広告よりも信頼性が高いという特徴がある。また、ペイド・パブリシティとは、料金を支払うパブリシティであり、「広告に見えない広告」といわれる。そのため、**消費者にとっての信頼性は通常の広告よりも高くなる。**

よって、**ウ**が正解である。

設問2

広告が消費者の心理や行動に及ぼす影響に関する問題である。

ア　×：恐怖感情を生起させて説得する場合（対処しなければ重大な問題を引き起こすことを訴求する）には、もともと説得と同じ方向の態度を持つ受け手の場合には効果的であるが、もともと説得の方向とは反対の態度を持つ受け手の場合には逆効果になるというのが一般的である。そして、恐怖を感じる程度は、そのことに対して関与が高い場合は恐怖を感じる可能性が高く、関与が低い場合はたいしたことはないと考え、あまり恐怖を感じない。また、ユーモア感情を生起させて説得する場合（ユーモラスな表現を用いて訴求する）には、ユーモア感情を生じさせて商品に対する肯定的評価を高めて購買に向かわせることになる。よって、**テーマに対して高関与な消費者は、恐怖感情の広告に接する方が、テーマに対して低関与な消費者は、ユーモア感情の広告に接する方が、説得に賛成する態度を示すことになる。**なお、飲酒運転禁止を説得テーマとして、テーマに対し**高関与な消費者に対して、**ユーモア感情と恐怖感情とを生起させる２つの広告を作成した実験がある。その結果は、**広告が呈示された直後には（即時的に）、恐怖感情を生起させる広告のほうが、ユーモア感情を生起させる広告よりも説得に対して賛成する態度を示している。**また、２週間から４週間後に再度、参加者の態度を測定しているが、その際には、ユーモア感情を生起させる広告に触れた参加者は、広告呈示直後よりも態度が説得の方向に変容しており、その上、その程度が、恐怖感情を生起させる広告に触れた参加者の態度の変容の程度よりも大きかった、という実験結果がある。

イ ×：心理的リアクタンスとは、人には選択や行動の自由があるという意識があるため、何らかの働きかけによってそれが脅かされると感じた場合、その働きかけに対して抵抗が生じることである。このことを踏まえると、企業からの説得意図がそれほど強くなければ態度は変わらない可能性が高いが、製品への態度が曖昧な消費者はもちろん、メッセージの唱導方向と同一方向の態度を有している消費者でさえ、**企業からの説得意図を強く感じる広告に対しては、心理的リアクタンスが生じ、説得意図とは逆方向に態度変化することになる（メッセージの唱導方向と同一方向の態度は強化されず、むしろ逆方向の態度となる）**。

ウ ○：正しい。高価な製品を購入することに対して、「贅沢ではないか」と後ろめたさを感じる場合がある。つまり、購入した後に、「本当にこの買い物は良かったのだろうか」という心理的ストレスを感じることになる（認知的不協和が生じる）。このような場合、その買い物を自らの中で正当化してストレスを軽減するために、当該ブランドの広告ばかりを見て購入してよかったと感じようとする。一方、通常の認知的不協和の場合には、購入しなかった他ブランドの広告も見て、欠点を確認することで自らが選んだブランドを購入してよかったことを感じようとすることがあるが、本問の場合には、「高価な製品（文脈上、ブランドという意であると考えられる）」を購入してしまって後ろめたさを感じているため、他の相対的に安価なブランドの広告は、むしろ見ないようにすると考えられる。そして、「自分へのご褒美」という広告主によるメッセージは、「たまには贅沢するのもよい」という考えを正当化し、認知的不協和を軽減する効果がある。

エ ×：両面提示広告とは、「両面提示の法則」に基づいた広告である。両面提示の法則とは、ポジティブ要因だけではなくネガティブ要因も合わせて「一緒に提示して」明らかにすることで、信頼感、説得力、好感度などが高まる心理法則であり、これによって、製品の信憑性を高めることができる。よって、**関与の高低にかかわらず、ポジティブ要因とネガティブ要因を一緒に提示することが効果的であり**、製品評価を高めることができる。

オ ×：多くの広告は、消費者が何度も接触するように計画されている。そして、このような接触回数の多さは、接触対象に対する態度をポジティブにすることがわかっており、これを単純接触効果という。そして、この効果は、自分が対象に接触しているという意識がなくても生じることがわかっている。よって、テレビ広告などで、消費者が意識的に接触している感覚は低くても、自分に取って関心が低いブランドの広告に関しては、単純接触の回数が増えるほど、**ブランドへの態度が直線的にポジティブになっていく**。なお、このような効果が生じる要因として、現在有力視されている説としては、新奇な刺激への警戒感が接触回数の増加によって軽減する、といったことがいわれている。
よって、**ウ**が正解である。

第36問

製品やサービスの価値に関する問題である。具体的には以下の4つに分類される。

① 基本価値
その製品の基本的な機能である。この基本価値が完璧に備わっていると消費者に認識されることが前提となる。たとえば、ボールペンであれば文字が書ける、時計であれば時刻が表示されるといったことである。

② 便宜価値
便利さや使い勝手の良さ、購買のしやすさといったことである。たとえば、シャンプーであればポンプ付きの容器に入っているといったことである。また、価格が安い、購入時の持ち運びがしやすい、といったことも含まれる。

③ 感覚価値
購買や使用に際して、消費者に楽しさを与えるなど、主観的なものであり、ブランド価値の源泉ともなるものである。たとえば、パッケージデザインによる心地よさといったことである。

④ 観念価値
製品自体の品質や機能以外に、その製品に付された意味や解釈といったものであり、感覚価値とともに主観的なものであり、ブランド価値の源泉となるものである。たとえば、その製品が生まれたストーリーや文化的な意味といったことである。

よって、基本価値がd、便宜価値がb、感覚価値がa、観念価値がcであり、**エ**が正解である。

第37問

マーケティング・リサーチに関する問題である。

ア ○：正しい。アイトラッキング（消費者の視線の動きを解析）、fMRI（機能的磁気共鳴画像）（MRI装置を使って無害に脳活動を調べる方法）、GPS（人工衛星を使って現在位置を正確に割り出す測位システム）などの機械装置の進歩により、質問法などの伝統的なマーケティング・リサーチだけでは測定するのが困難な、消費者の意識化されない活動データ、言語化が難しい反応データなどを収集することができる。ただし、このような機械装置を装着していることがバイアスとなってしまう可能性がある。そのため、現状では消費者が回答するアンケートなどの意識データと併せて分析することで、より正確な結果を得ることができるとされている。

イ　×：観察法、インタビュー法、リード・ユーザー法などは、仮説やアイデアの導出に有用な予備情報を集めたり、問題点の明確化を目的としたりして行われる探索的調査である。そして、それぞれの収集データの質が異なることは正しい。そのため、**調査目的に対して複数の方法で実施し、多面的にデータを収集するべきである。**

ウ　×：新製品開発におけるニーズ探索において、実際に対象製品が使用される家庭にビデオを設置し、一定期間、当該製品の使用状況を観察する調査は、**エスノグラフィー（調査対象者の自宅などに調査員が赴き、行動の観察を行う。写真や動画の撮影や、適宜インタビューを行う）の1種である。**ギャング・サーベイとは、調査対象者を一堂に集めて調査票を配布し、同時に記入してもらう方法である。

エ　×：マーケティング・リサーチは、探索型リサーチ（課題を明確化する）と検証型リサーチ（仮説を検証する）に大別される。そして、量的研究とは、あらかじめ質問文と選択肢を設定するなど、質問の内容と形式を固定して数値で結果を表す定量的な研究である。この研究（手法）は、通常は検証型リサーチにおいて用いられる。つまり、**仮説を作り出していく場合ではなく、仮説の検証に用いられる。**それに対して、質的研究とは、対象者に対する質問や回答を比較的自由な形式で行い、その結果を数値ではなく、言語で表す研究である。そして、この手法は、通常は探索型リサーチにおいて用いられる。つまり、**仮説の検証においてではなく、仮説を作り出していく場合に用いられる。**帰納的な方法（帰納法）が、データ収集を進めながら徐々に事象の原因や原因の背後に潜む問題点を精緻化する、演繹的（演繹法）が、過去の研究蓄積や理論に基づく、というそれぞれの説明は正しい。

よって、**ア**が正解である。

第38問

設問1 ●●●

顧客リレーションシップに関する問題である。

顧客リレーションシップを考えるにあたって踏まえておきたいこととして、以下の価値形成プロセスがある。

<企業における価値形成プロセス>

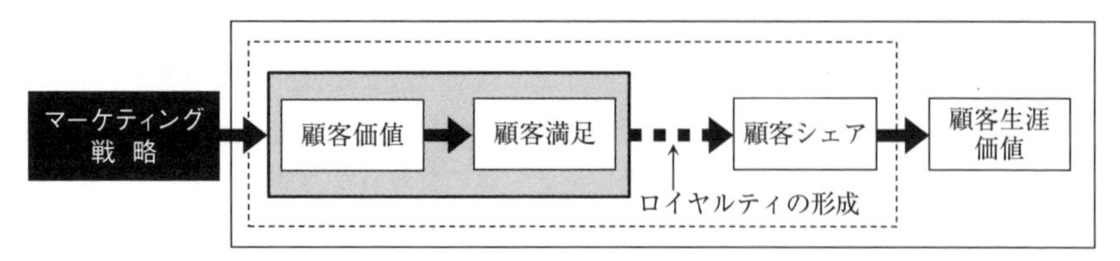

(『マーケティング論』 芳賀康浩 平木いくみ著
一般社団法人放送大学教育振興会p.26)

図中の「顧客価値」とは、顧客が製品に対して認めた価値であり、それによって顧客満足が高まる。そして、この顧客価値と顧客満足の形成が複数回繰り返されることで、そのブランドに対する好ましい態度や購買行動の傾向として表れるものであるロイヤルティが形成され、顧客シェアが高まり、最終的に顧客生涯価値が高まることになる。

ア ×：顧客シェアとは、ある顧客の特定カテゴリーの利用や消費において、自社ブランドが占める割合である。よって、ある顧客が東京から大阪までの移動においてA社の航空サービスしか利用していないという場合、この顧客におけるA社の顧客シェアは100%となることは正しい（この場合の顧客シェアは、東京—大阪便を提供する全航空サービスに占めるA社の利用割合）。しかしながら、たとえば、ある顧客が東京—大阪の移動において、10回中３回は飛行機を利用し、そのすべてがA社であっても、残りの７回は新幹線や夜行バスを利用しているのであれば、A社としてはより飛行機を利用してもらうためにサービスを充実させたり、効果的なプロモーション策を実施したりといった企業努力が必要である。よって、**マーケティング上、新幹線や夜行バスなどの異なる手段も含む移動サービスに占めるA社の利用割合を考えることは重要である。**

イ ×：上述した顧客価値について、P.コトラーは以下の式で説明している。

顧客価値＝総知覚ベネフィット÷総知覚コスト

そして、総知覚ベネフィットと総知覚コストには以下のように多様なものがあるとされる。

＜顧客価値の構成要素＞

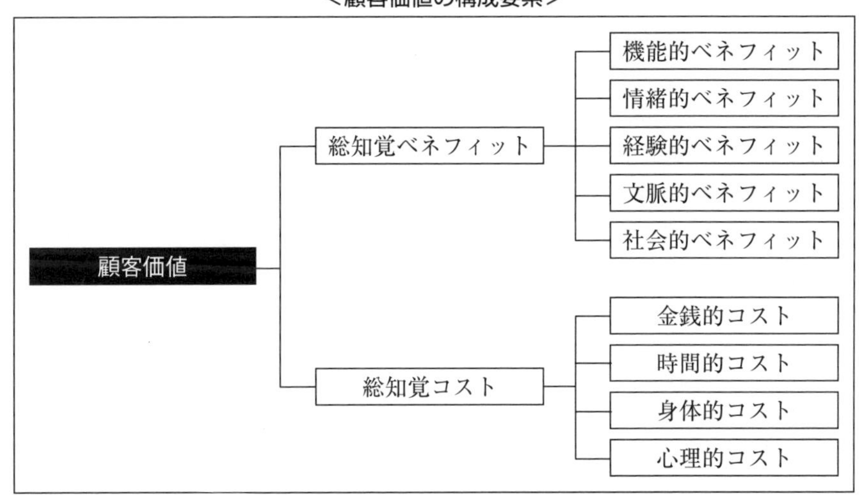

（『マーケティング論』　芳賀康浩　平木いくみ著
一般社団法人放送大学教育振興会p.29）

インターネット通販と実店舗とで同一製品を扱う場合には、製品の機能や美しさといったベネフィット面（上図の機能的ベネフィット、情緒的ベネフィット）は同じであるのに対し、購入に要する時間や労力といったコスト面（上図の時間的コスト、身体的コスト）はインターネット通販において大幅に低下することは正しい。しかしながら、インターネット通販は、若年層にとっては上図にある心理的コストが低い可能性が高いが、高齢者にとっては心理的コストが高くなる可能性が高い。よって、**あらゆる顧客に対し高い顧客価値を実現するとは限らない**。

ウ　×：顧客生涯価値とは、１人の顧客が生涯にわたり自社にもたらしてくれるであろう価値（生涯の全期間で顧客が企業にもたらすことが予想される価値の総計の現在価値）である。**企業の既存顧客および潜在顧客の生涯価値を総計したものは、カスタマーエクイティといわれる**。カスタマーエクイティは、企業が有する顧客の将来価値の指標といえる（企業の顧客基盤がどれほどの将来価値を持っているかを測る指標）。ロイヤルな顧客が高所得であるほど顧客生涯価値が上昇することは正しい。

エ　×：**顧客価値とは、上述したように顧客が製品に対して認めた価値である。つまり、顧客の視点での価値である**。ある顧客が自社にとってどの程度利益をもたらす顧客であるか（優良顧客であるか）を表す指標として、顧客シェアや顧客生涯価値などがある。企業は高い顧客価値を創造することによって、当該顧客の生涯価値を高めることができることは正しい（冒頭文の図参照）。

オ　〇：正しい。顧客満足は、製品の購入前あるいは使用前に抱いた期待と製品使用後の実際に得られたパフォーマンスとの差によって決定される（製品の使用前に抱く期待が直接的に満足度に影響を及ぼす）。「期待＜知覚されたパフォーマンス」であれば非常に満足、「期待＝知覚されたパフォーマンス」であれば満足、「期待＞知覚されたパフォーマンス」であれば不満となる。そして、事前に製品パフォーマンスやベネフィットの評価がしにくいなど消費経験の曖昧さが高い場合には、事前の期待水準が不確かなものになる。そのため、知覚パフォーマンスとのギャップが大きくなる可能性が高く、満足度へ及ぼす影響は大きくなる。

よって、**オ**が正解である。

設問2　●●●

顧客ロイヤルティに関する問題である。

顧客ロイヤルティについては以下の分類がある。

＜顧客ロイヤルティ分類＞

		心理的（態度的）ロイヤルティ	
		高い	低い
行動的ロイヤルティ	高い	真のロイヤルティ	見せかけのロイヤルティ
	低い	潜在的ロイヤルティ	ロイヤルティなし

（Dick and Basu　1994）

行動的ロイヤルティとは、繰り返し購買している（再購買率で測定）など、文字通りロイヤルティの高さが行動に表れているということであり、心理的ロイヤルティとは、消費者の心理として高いロイヤルティを有しているということである。そして、行動的ロイヤルティが高い場合であっても、その企業やブランドに対して感情的にコミットしているとは限らず、関与が低い、他のブランドにスイッチするのが面倒といったことにより、惰性で同じブランドを購入していることもある（見せかけのロイヤルティ）。一方、心理的ロイヤルティが高い場合であっても、実際に購買にはあまりつながっていない場合もある。その企業やブランドに対して好意的な認識を有しているが、たとえば価格帯が高いなどによってなかなか購買ができていないといったことである（潜在的ロイヤルティ）。

ア　×：顧客価値と顧客満足が企業によって実現されることを通してその企業のブランドにロイヤルティを形成した顧客は、実際に企業のブランドに対して価値を認め、満足しているため、心理的ロイヤルティが高く、行動的ロイヤルティも高い。つまり、真のロイヤルティを有する顧客である。よって、**見せかけのロイヤルティを有する顧客は含まれない。**

イ　×：自社製品を顧客に販売するときの収益性分析を行う場合、分析対象は過去の販売状況を用いることになる。そのため、対象となる顧客は購買履歴が蓄積された顧客であることは正しい。そして、購買履歴が存在するのは、基本的には真のロイヤルティを有する顧客と、**見せかけのロイヤルティを有する顧客である。**潜在的ロイヤルティを有する顧客は、基本的にはほとんど購買履歴が蓄積されていない顧客である。

ウ　×：新規顧客の獲得を目指す企業にとって、潜在的ロイヤルティを有する顧客セグメントは、製品購入の手段や状況が改善されれば有望な市場となり得る。しかしながら、冒頭文および選択肢**イ**の解説で述べたように、潜在的ロイヤルティを有する顧客セグメントはほとんど購買履歴がないため、**顧客をリスト化することは困難であるし、一人一人に積極的に勧誘を行うのも困難である。**

エ　〇：正しい。見せかけのロイヤルティを有する顧客は冒頭文のように心理的なロイヤルティは高くない。そのため、たとえばポイントや割引といったサービスのみに惹かれて継続的に利用しているケースもあるなど、赤字顧客であることも少なくない（見せかけのロイヤルティを有する顧客がすべて赤字顧客になるわけではないため、その点、文章の解釈の面で誤解を与える文章ではある）。このような顧客には、企業側にとって価値をもたらさないような特定のサービス提供を控える（利用できないようにする）などして最低限の収益水準を確保することが望ましい。あるいは、そのような対応が困難なのであれば、サービス手数料などの値上げなどによって魅力を低下させ、他社にスイッチさせる（退出を促す）ことも重要である。

よって、**エ**が正解である。

令和２年度問題

令和2年度問題

第1問　★重要★

VRIOフレームワークにおける競争優位に関する記述として、最も適切なものはどれか。

ア　ある経営資源が数多くの企業に保有されていても、外部環境の機会を適切にとらえ脅威を無力化するものであれば、この経営資源は一時的な競争優位の源泉となる。
イ　経営陣のチームワークや従業員同士の人間関係などの組織属性が経済価値を生み、希少性があり、かつ他の企業による模倣が困難な場合、この組織属性は企業の一時的な競争優位の源泉となる。
ウ　組織内のオペレーションを他の企業に比べて効率的に行うことができる技術やノウハウが、業界内で希少である場合、模倣困難性を伴わなくても企業の一時的な競争優位の源泉となる。
エ　他の企業が獲得できない経営資源が経済価値を持ち、業界内で希少である場合、その経営資源を活かす組織の方針や体制が整っていなくても、持続的な競争優位の源泉となる。

第2問

H.I.アンゾフは、経営戦略の考察に当たって、戦略的意思決定、管理的意思決定、業務的意思決定の３つのカテゴリーを基軸として、企業における意思決定を論じている。
それぞれの意思決定に関する記述として、最も適切なものはどれか。

ア　管理的意思決定とは、最大の成果を引き出すための経営資源の組織化に関わる意思決定である。
イ　企業の多角化戦略は、管理的意思決定における主要な決定事項の１つである。
ウ　戦略的意思決定の対象となる問題は、事業活動を通じて生じることから、トップ・マネジメントが意識的に関心を寄せなくても、自ら明らかになる。
エ　戦略的意思決定は、企業外部の問題よりも、むしろ企業内部の問題と主に関わっている。
オ　戦略的意思決定は、企業における資源配分を中心としており、固定資産や機械設備など企業内部の資産に対する投資の意思決定と同じである。

第3問　★重要★

「業界の構造分析」の枠組みに基づいて考えられる、売り手（サプライヤー）と買い手（顧客）との間での交渉力に関する記述として、最も適切なものはどれか。

ア　新たな企業が売り手として参入できる場合には、新規参入が不可能な場合と比べて、売り手に対する買い手の交渉力は低下する。

イ　ある売り手が供給する製品と他社の競合製品との間での互換性が高い場合には、互換性が低い場合と比べて、売り手に対する買い手の交渉力は低下する。

ウ　ある売り手が供給する製品を買い手が他社の競合製品に切り換える際に、買い手がその製品の使用方法を初めから学び直す必要がある場合には、その必要がない場合と比べて、買い手に対する売り手の交渉力は低下する。

エ　売り手が前方統合できる場合には、前方統合が不可能な場合と比べて、売り手に対する買い手の交渉力は低下する。

オ　売り手側のハーフィンダール指数がゼロに近づくほど、買い手に対する売り手の交渉力は高くなる。

第4問　★重要★

企業の競争優位に関する記述として、最も適切なものはどれか。

ア　PIMS（Profit Impact of Market Strategy）プログラムでは、市場シェアの追求と知覚される相対的な品質の追求は両立できないことが、明らかにされている。

イ　経験効果における習熟度は業界の特性に関わらず一定であるために、累積生産量の増加に伴う単位当たり費用の変化は、いかなる業界においても同様の習熟度を係数とする式で示される。

ウ　経験効果を利用したコスト・リーダーシップを追求する場合には、競合企業よりも多くの累積生産量を達成するために、できるだけ早い時点で参入することが有効な方策となる。

エ　製品差別化が有効である場合には、価格が上昇しても、競合する製品への乗り換えが生じにくいことから、需要の交差弾力性は高い。

オ　範囲の経済は、多角化を進める要因であることから、特定の事業においてコスト・リーダーシップを追求する上では、影響をもたらさない。

第5問　★重要★

多角化とM&Aに関する記述として、最も不適切なものはどれか。

ア　異業種、同業種を問わず、M&Aの統合段階における機能統合では、準備段階でのデューデリジェンス（due diligence）による、研究開発、生産、販売などの重複部分や補完関係の明確化が重要である。

イ　異業種のM&Aのメリットは、基本的には、範囲の経済とリスクの分散の実現であるが、自社の必要としない資源までも獲得してしまうリスクもある。

ウ　多角化では、企業の主要な市場での需要の低下という脅威は、外的な成長誘引（external inducement）となる。

エ　多角化には、特定の事業の組み合わせで追加的に発生する相乗効果と、複数の製品市場分野での事業が互いに足りない部分を補い合う相補効果がある。

オ　同業種のM&Aのメリットは、基本的には、規模の経済と経験効果の実現であるが、同業種間であるため各々の組織文化の調整と統合にはコストがかからない。

第6問　★重要★

設計、生産、販売などの活動から構成されるバリューチェーン（価値連鎖）の中で、どのステージ（活動）を自社で行うかの決定が、その企業の垂直統合度を決める。

自社で行う活動の数が多いほど垂直統合度が高く、その数が少ないほど垂直統合度が低いとした場合、完成品メーカーA社の垂直統合度を高くする要因に関する記述として、最も適切なものはどれか。

ア　A社が使用する素材については、仕入先が多数存在しており、どの仕入先からでも、必要な時に品質の良い素材を仕入れることができる。

イ　A社が使用する部品を製造しているすべてのメーカーは、A社に納入する部品製作のために専用機械を購入し、その部品はA社以外に納入することはできない。

ウ　A社の完成品を使用する企業や工場は、A社の完成品を使用できなくなると、日常業務が成り立たなくなったり、生産ラインが維持できなくなったりする。

エ　A社は、完成品を作るために必要な原材料や部品を提供している会社との間で、将来起こりうるすべての事態に対してA社が不利にならないような契約を交わすことができる。

オ　A社は販売代理店を通じて製品を販売しているが、景気の回復局面ではその販売代理店はライバル会社の製品を優先して販売する。

第7問

次の文章の空欄A～Dに入る語句の組み合わせとして、最も適切なものを下記の解答群から選べ。

(1) 現代の企業は、商品ライフサイクルの短縮化によって、多様な商品を低コストで連続的に開発することが求められている。商品開発に関する市場や技術の不確実性を低くするためには、開発の初期段階での活動によって多くの曖昧な情報を精査して、アイデアを徐々に絞り込む［ A ］を実施することが効果的である。

(2) 商品開発戦略では、個々の商品開発におけるコスト削減やリードタイムの短縮が求められ、商品ライン間の技術的な共通化を戦略的かつシステマティックに実行し、複数の商品開発プロジェクトを統合的に取り扱う戦略とマネジメントが重要となる。その戦略やマネジメントでは、さまざまな技術や部品の担当部門を横断的に組織化したプロジェクト・チームを先導する［ B ］を設けることは必ずしも有効ではなく、複数の商品開発プロジェクトを統括して管理する［ C ］の設置が効果的である。

(3) 技術開発は商品開発のプロセスにおいて、開発期間短縮と開発効率の向上および品質向上を同時に実現するという目標の達成には、各機能部門が業務を終了してから次の機能部門へ引き渡すのではなく、各機能業務を並行させて商品開発を進める［ D ］が必要である。

[解答群]

ア　A：コンカレント・エンジニアリング
　　B：重量級プロジェクト・マネジャー
　　C：プラットフォーム・マネジャー
　　D：ステージ・ゲート

イ　A：コンカレント・エンジニアリング
　　B：プラットフォーム・マネジャー
　　C：ステージ・ゲート
　　D：重量級プロジェクト・マネジャー

ウ　A：重量級プロジェクト・マネジャー
　　B：ステージ・ゲート
　　C：プラットフォーム・マネジャー
　　D：コンカレント・エンジニアリング

エ　A：ステージ・ゲート
　　B：重量級プロジェクト・マネジャー
　　C：プラットフォーム・マネジャー
　　D：コンカレント・エンジニアリング

オ　A：ステージ・ゲート
　　B：プラットフォーム・マネジャー
　　C：コンカレント・エンジニアリング
　　D：重量級プロジェクト・マネジャー

第8問　★重要★

以下のA欄の①～④に示す新製品開発やイノベーションを推進するための取り組みと、B欄のa～dに示すこれらの取り組みに当てはまる名称の組み合わせとして、最も適切なものを下記の解答群から選べ。

【A　取り組みの内容】

①　新興国で開発された製品や技術を先進国に導入すること

②　新製品に関わる各部門が、外部環境における関連する領域と卓越した連携を持つこと

③　製品の構造を分析し、動作原理、製造方法、設計図の仕様、ソースコードを調査し、学習すること

④　職務よりもプロセスを重視した、事業プロセスの大きな設計変更を伴う職務横断的な取り組み

【B　取り組みの名称】

a　リバース・エンジニアリング

b　リエンジニアリング

c　バウンダリー・スパンニング

d　リバース・イノベーション

[解答群]

ア	①－a	②－b	③－c	④－d
イ	①－a	②－d	③－c	④－b
ウ	①－b	②－d	③－a	④－c
エ	①－d	②－c	③－a	④－b
オ	①－d	②－c	③－b	④－a

第9問

米国において起業家教育、起業家研究のパイオニアと称されるJ.A.ティモンズは、数多くのベンチャー企業の成功事例や失敗事例の調査から、事業機会、経営資源、経営者チーム、それらをコントロールする起業家からなる、ベンチャー企業が成功するためのモデルを構築した。

このモデルに関する記述として、最も適切なものはどれか。

ア　事業機会、経営資源、経営者チームが常に適合していることが重要であり、不均衡が一時的にでも生じないように３つの要素を管理する能力が起業家に求められている。

イ　事業機会、経営資源、経営者チームの３つの要素が均衡することはまれであり、ベンチャー企業の経営は不安定であることを前提としているので、起業家の役割は不安定な状態にある３つの要素のバランスを取ることである。

ウ　事業機会、経営資源、経営者チームの３つの要素の中で、ベンチャー企業は優れた経営者チームによって始められることを前提としているので、経営者チームが他の要素と比べて弱くなる状態は想定していない。

エ　事業機会、経営資源、経営者チームの３つの要素の中で最も重要なものは事業機会の発見であり、事業機会を実現するために必要な経営資源不足への対応は、起業家の役割ではない。

第10問　★重要★

次の文章を読んで、問題に答えよ。

老舗と呼ばれる中小企業Ｚ社は、重代で受け継ぐ製法による生産品を中心に事業を営むファミリービジネスである。創業以来の価値観や行動規範を重視して独自の組織文化を形成し、50％を超える株式を保有する創業家出身の四代目社長と、創業者一族が中心となって従業員との一体感を重視している。二代目社長の代からは、新しい品目や製造プロセスの改良に関して外部から技術を導入していた。①歴史的経緯で外部から導入した製造プロセスの改良技術に基づき、技術関係部門同士の連携による問題解決は定型化されて続いている。

創業以来、危機的状況を何度も乗り切ってきたが、近年、過去にZ社を危機から救った伝統的な事業戦略が機能しなくなった。②創業以来の企業の価値観は、現在も社員の間で共有されているが、伝統的な価値観に基づく戦略による過去の成功が現在の戦略を機能させていない根本的原因となっていることを誰も認めようとはしない。

経営の意思決定は、創業家出身の社長を中心として行われてきた。最近、③役員や生え抜きの部門長と違和感なく全員一致で戦略的に意思決定したが、建設的なアイデアや現実的な解決策は顧みられなかった。

Z社に関する下線部①～③の記述と、それらを説明する以下のa～cの語句の組み合わせとして、最も適切なものを下記の解答群から選べ。

a　経路依存性

b　グループ・シンク

c　組織文化の逆機能

[解答群]

ア	①－a	②－b	③－c
イ	①－a	②－c	③－b
ウ	①－b	②－a	③－c
エ	①－b	②－c	③－a
オ	①－c	②－a	③－b

第11問

次の文章を読んで、問題に答えよ。

企業Aは、前社長のBが30年前に設立した株式会社であるが、Bが高齢化のため、すでに10年前から同社の役員を務めていた長男Cが社長に就任し、Bは会長に就任した。会長としても、毎日出社して仕事は継続する。CはBが所有する株式をすべて買い取り、Cの持株比率は５％から60％になり、Bの持株比率はゼロになった。Bの妻Dも所有する株式すべてを長女Eに譲り、Eの持株比率は10％から20％になった。DもEも、社長の交代前も後も企業Aの役員や従業員ではない。また、Bとともに企業

Aを支えていた家族以外の役員５人も退社し、所有していた20％の持株すべてを子供たち10人に譲った。

ファミリービジネスのシステムを､｢オーナーシップ（所有)｣｢ビジネス（事業)｣｢ファミリー（家族)｣の３つのサブシステムから成るスリー・サークル・モデル（下図参照）で表した場合、企業Ａの社長交代前と交代後のＢ、Ｃ、Ｅのスリー・サークルにおける位置の変化を示す最も適切なものを下記の解答群から選べ。

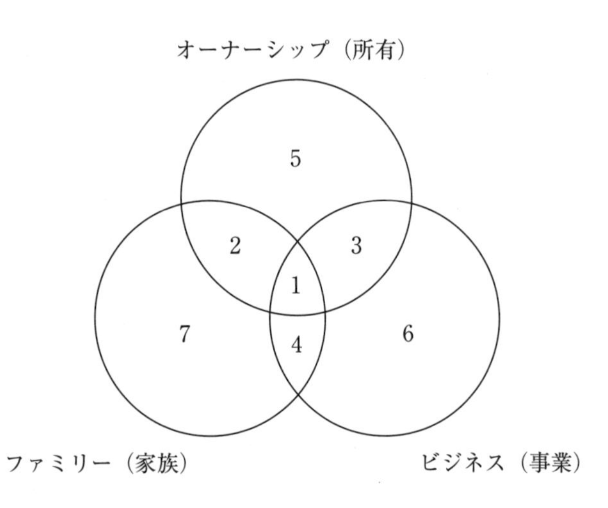

[解答群]

ア

	B	C	E
社長交代前	1	4	7
社長交代後	4	1	2

イ

	B	C	E
社長交代前	1	2	7
社長交代後	2	1	2

ウ

	B	C	E
社長交代前	1	1	2
社長交代後	2	1	1

エ

	B	C	E
社長交代前	1	1	2
社長交代後	4	1	2

オ

	B	C	E
社長交代前	1	2	7
社長交代後	3	1	2

第12問 ★重要★

C.A.バートレットとS.ゴシャールは、本国の本社と海外拠点間との分業関係や各拠点間の統合のあり方を基軸として、国際的に展開する企業の経営スタイルを、インターナショナル、グローバル、トランスナショナル、マルチナショナルの４つに分類している。

これら４つの類型の基本的な特性は、それぞれ次のようにまとめられる。

a　資産や能力は本国に集中して、その成果は世界規模で活用される。海外拠点は本国の本社の戦略を忠実に実行する。知識は本国で開発・保有される。

b　コア・コンピタンスの源泉は本国に集中するが、その他は分散される。海外拠点は本社の能力を適用し、活用する。知識は本国で開発され、海外拠点に移転される。

c　資産や能力は各国の拠点に分散されるとともに、本社を含む各国の拠点は相互依存的であり、専門化されている。知識は各国の拠点で共同で開発され、世界中で共有される。

d　資産や能力は各国の拠点に分散され、それぞれ自己充足的に活動する。海外拠点は現地の機会を感知して、活用する。知識は各国の拠点で開発・保有される。

上述のa、b、c、dは、それぞれインターナショナル、グローバル、トランスナショナル、マルチナショナルのいずれに該当するか。それらの組み合わせとして、最も適切なものを下記の解答群から選べ。

[解答群]

ア　a：インターナショナル　b：マルチナショナル
　　c：グローバル　d：トランスナショナル

イ　a：グローバル　b：インターナショナル
　　c：トランスナショナル　d：マルチナショナル

ウ　a：グローバル　b：トランスナショナル
　　c：マルチナショナル　d：インターナショナル

エ　a：トランスナショナル　b：グローバル
　　c：インターナショナル　d：マルチナショナル

オ　a：マルチナショナル　b：グローバル
　　c：インターナショナル　d：トランスナショナル

第13問

デファクト・スタンダードやネットワーク外部性に関する記述として、最も適切なものはどれか。

ア　デファクト・スタンダードの確立には、ISOのような国際的な標準化機関が重要な役割を果たすことから、これらの機関での調整や協議を進めることが、デファクト・スタンダードの獲得に向けた中心的な方策となる。

イ　デファクト・スタンダードは、パーソナルコンピュータやスマートフォンのOS（基本ソフト）のようなソフトウェアにおいて重要な役割を果たすものであり、情報技術が関わらない領域では生じない。

ウ　デファクト・スタンダードは製品市場における顧客の選択を通じて確立するために、競合する製品や規格の中で、基本性能が最も高いものが、デファクト・スタンダードとしての地位を獲得する。

エ　当該製品のユーザー数の増加に伴って、当該製品において補完財の多様性が増大したり価格が低下したりすることで得られる便益は、ネットワーク外部性の直接的効果と呼ばれ、間接的効果と区分される。

オ　ネットワーク外部性を利用して競争優位を獲得するためには、ユーザー数を競合する製品や規格よりも早期に増やすことが、有効な方策となる。

第14問

C.I.バーナードは、経営者の役割を論じるためには、組織についての理解が不可欠だとし、その要素を明らかにした。

バーナードが示した組織の要素として、最も適切なものはどれか。

ア　階層、分権化、統合化

イ　計画、指揮、統制

ウ　コミュニケーション、貢献意欲、共通目的

エ　責任と権限の一致、命令の一元性

オ　分業、専門化、調整

第15問

企業が利用する生産技術を次の３つに分類して考える。

1．大規模バッチのマスプロダクション技術

2．小規模バッチ生産技術

3．連続的処理を行うプロセス技術

このとき、次の文章の空欄A～Cに入る技術の組み合わせとして、最も適切なものを下記の解答群から選べ。

[A]から[B]、さらに[C]へ移行するにしたがって、一人の監督者の部下数が増し、組織の階層が増え、スタッフやスペシャリストを支援する管理職の比率が増え、一人当たりの労務費が低下する。

[解答群]

ア　A：大規模バッチのマスプロダクション技術
　　B：小規模バッチ生産技術
　　C：連続的処理を行うプロセス技術

イ　A：大規模バッチのマスプロダクション技術
　　B：連続的処理を行うプロセス技術
　　C：小規模バッチ生産技術

ウ　A：小規模バッチ生産技術
　　B：大規模バッチのマスプロダクション技術
　　C：連続的処理を行うプロセス技術

エ　A：小規模バッチ生産技術
　　B：連続的処理を行うプロセス技術
　　C：大規模バッチのマスプロダクション技術

オ　A：連続的処理を行うプロセス技術
　　B：小規模バッチ生産技術
　　C：大規模バッチのマスプロダクション技術

第16問

T.バーンズとG.M.ストーカーは、外部環境の不確実性がそれに適した組織内部の管理システムに影響を与えることを明らかにした。彼らは「機械的管理システム（mechanistic management system）」と「有機的管理システム（organic management system）」という２つのモデルを提唱した。

これらのモデルに関する記述として、最も適切なものはどれか。

ア　不確実性が高い環境下では、階層トップへの知識が集中し、階層構造を強化する有機的管理システムが有効である。

イ　不確実性が高い環境下では、各タスクと全体状況や技術との関係が希薄な有機的管理システムが有効である。

ウ　不確実性が高い環境下では、タスクそのものや優れた仕事をしようとすることへのコミットメントが強い有機的管理システムが有効である。

エ　不確実性が低い環境下では、横断的相互作用を通じたタスク間の調整を重視する機械的管理システムが有効である。

オ　不確実性が低い環境下では、上司の指示や命令に支配された職務よりも、スタッフによる助言的内容のコミュニケーションが重視される機械的管理システムが有効である。

第17問

ある時点で特定の組織形態を採用している企業でも、経営戦略に従って新たな組織形態に移行していくべき場合がある。その場合、単純な発展段階を経るというよりも、経営者の意思決定によって、異なる経路をたどる可能性がある。J.R.ガルブレイスとD.A.ネサンソンは、経営戦略とそれによって採用される組織形態の可能な組み合わせを、組織の発展段階モデルとして定式化した。

下図は、彼らがモデル化した企業組織の発展過程を図示したものである。図の［　　］は組織形態を、―→は経営戦略をそれぞれ表している。

図の中のA～Dに当てはまる経営戦略の組み合わせとして、最も適切なものを下記の解答群から選べ。

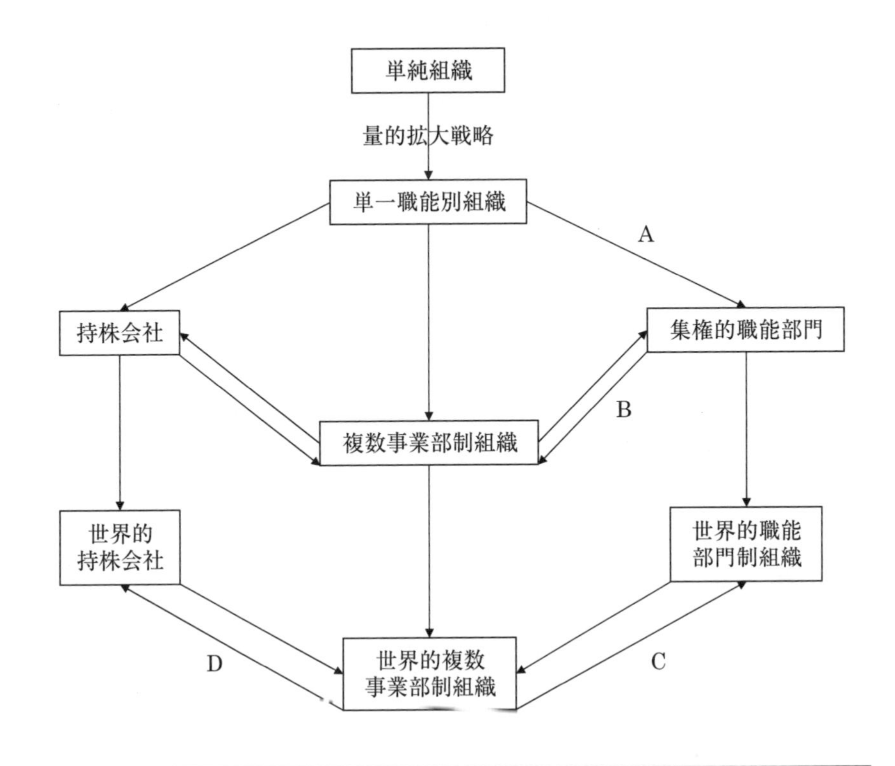

［解答群］

ア　A：関連多角化　　B：垂直統合
　　C：非関連多角化　　D：非関連事業の買収

イ　A：垂直統合　　B：関連多角化
　　C：規模の経済の活用　　D：非関連事業の買収

ウ　A：内部成長の強化　　B：関連多角化
　　C：垂直統合　　D：非関連多角化

エ　A：非関連多角化　　B：規模の経済の活用
　　C：垂直統合　　D：内部成長の強化

問題

2年度

第18問　★重要★

組織メンバーの帰属集団に対する一体化とリーダーシップに関する記述として、最も適切なものはどれか。

ア　集団の凝集性が高いほど、個人が集団の意思決定に参加していると感じる程度が低くなり、集団圧力が弱くなるので、公式の権限に基礎を置くリーダーシップが有効になる。

イ　集団の中で個人の欲求が充足される程度が高くなると、特に集団の目標に一体化する必要がなくなるので、集団内の相互作用を支援するようなリーダーシップが必要になる。

ウ　組織の外部に参加することができる代替的選択肢を持っているメンバーは、帰属集団の目標への一体化の程度が高くなるので、集団外部の人々と交流を促すリーダーシップが有効になる。

エ　他の集団との競争が激しくなる中で、帰属集団の威信が高くなると、集団に対する一体化の程度が強くなるので、上位集団や他の集団に対する影響力を持ったリーダーシップが有効になる。

第19問　★重要★

期待理論における、組織メンバーのモチベーションの水準を規定する要因に関する記述として、最も不適切なものはどれか。

ア　成果が自身の報酬につながるかについての認知

イ　他者の報酬と比較した自身の報酬に対する認知

ウ　努力することで成果をあげられるかについての期待

エ　報酬がもたらしうる満足の程度

第20問　★重要★

職務特性の代表的なモデルであるJ.R.ハックマンとG.R.オルダムのモデルに関する記述として、最も適切なものはどれか。

ア　上司からのフィードバックの程度が低く、職務の自律性が高い場合、内発的動機づけが高まる。

イ　職務が細分化され、他の職務への依存度が高い場合、その職務の有意義感は高まる。

ウ　職務に対する有意義感の実感、責任の実感、結果についての理解、の３つがそろうと、内発的動機づけが高まる。

エ　成長欲求が高い従業員ほど、職務特性に関わりなく、内発的動機づけが高くなる。

第21問

D.コルブが提唱した経験学習モデルによると、人の学習は４つの要素から成り、ある要素が別の要素の前提となるというサイクルを形成する。

下図の空欄A～Cに当てはまる用語の組み合わせとして、最も適切なものを下記の解答群から選べ。

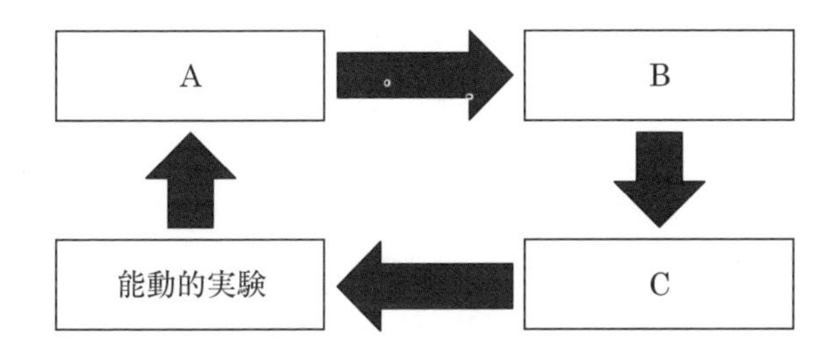

［解答群］

ア　A：具体的経験　B：概念的抽象化　C：内省的観察

イ　A：具体的経験　B：内省的観察　C：抽象的概念化

ウ　A：抽象的概念化　B：具体的経験　C：内省的観察

エ　A：抽象的概念化　B：内省的観察　C：具体的経験

オ　A：内省的観察　B：概念的抽象化　C：具体的経験

第22問

近年の日本では、従業員や求職者が企業にどれだけ貢献できるかについて、採用、能力開発、処遇などの面で、測定・把握しようという動きがある。そのような中で関心が集まっている概念に「コンピテンシー（competency）」がある。

コンピテンシーに関する記述として、最も適切なものはどれか。

ア　実際にあげられた顕著な個人的成果は、因果に関わりなく、コンピテンシーに含まれる。

イ　性格やパーソナリティについては、直接的に観察することが難しいため、コンピテンシーには一切含まれない。

ウ　組織内外の人々との関係性の中で培われた肯定的な評判によって達成された職務上の高い成果や業績は、コンピテンシーに含まれる。

エ　組織の成果に結びつく同僚支援という行動特性は、コンピテンシーに含まれる。

第23問

次の文章の空欄A～Cに入る語句の組み合わせとして、最も適切なものを下記の解答群から選べ。

採用や選抜、あるいは報酬配分の中で、管理者や人事担当者は、組織に所属する人々を評価しなければならないが、実際の評価の作業では、人間の認知能力に由来したバイアスが度々発生する。

例えば、評価対象の実態について体系的に把握できる自信がない評価者であるほど、人を甘めに評価するという［ A ］が見られることがある。また、自分の得意な分野を評価することになった評価者であるほど、［ B ］に支配され、その分野について辛めの評価をすることがある。

さらには、実際に評価すべき項目は極めて多岐にわたるため、多くの評価者が、先に全体の評価結果を決めて、それに沿うように個別の項目の評価を行うことがある。このような評価バイアスを［ C ］と呼ぶ。

［解答群］

ア　A：寛大化傾向　B：厳格化傾向　C：中心化傾向
イ　A：寛大化傾向　B：対比誤差　C：逆算化傾向
ウ　A：寛大化傾向　B：対比誤差　C：中心化傾向
エ　A：論理的誤差　B：厳格化傾向　C：中心化傾向
オ　A：論理的誤差　B：対比誤差　C：逆算化傾向

第24問

労働基準法第36条の手続きによる労使協定（以下「36協定」という）によって、法定労働時間を延長して労働させることができる時間外労働（ないし時間外労働に休日労働を加えた時間）の上限に関する記述として、最も不適切なものはどれか。

なお、本問中、建設事業、自動車運転手、医師、鹿児島県及び沖縄県におけ

る砂糖製造事業については考慮に入れないものとする。

ア　違反に対して罰則が適用される時間外労働（ないし時間外労働に休日労働を加えた時間）の上限に関する規定は、新たな技術、商品又は役務の研究開発に係る業務についても適用される。

イ　時間外労働の限度時間は、原則として１か月について45時間及び１年について360時間（対象期間が３か月を超える１年単位の変形労働時間制にあっては、１か月について42時間及び１年について320時間）である。

ウ　事業場における通常予見することのできない業務量の大幅な増加等に伴い臨時的に原則としての限度時間を超えて労働させる必要がある場合においては、36協定に特別条項を付加することができるが、それによって労働時間を延長して労働させ、及び休日において労働させることができる時間は、１か月について100時間未満の範囲内に限られ、並びに１年について労働時間を延長して労働させることができる時間は720時間を超えない範囲内に限られる。

エ　使用者は、36協定の定めるところによって労働時間を延長して労働させ、又は休日において労働させる場合であっても、１か月について労働時間を延長して労働させ、及び休日において労働させた時間は、100時間未満でなければならない。

第25問

労働基準法第32条の３に定められた、いわゆる「フレックスタイム制」に関する記述として、最も適切なものはどれか。

ア　フレックスタイム制は、一定期間の総労働時間を定めておき、労働者がその範囲内で各日の始業及び終業の時刻を選択して働くことにより、労働者が仕事と生活の調和を図りながら、効率的に働くことを可能とする制度であって、当該一定期間は１か月を超えることはできない。

イ　フレックスタイム制を採用した場合は、労働基準法第34条第２項に定められた休憩についてのいわゆる「一斉付与の原則」は適用されない。

ウ　フレックスタイム制を採用する場合であって、対象となる労働者に支払われると見込まれる賃金の額が当該企業における労働者一人当たりの平均給与額の３倍の額を相当程度上回る水準である場合は、労働時間、休日及び深夜労働に関する割増賃金の支払いを要しない。

エ　フレックスタイム制を採用する場合には、労働基準法第32条の３に定められた労使協定において標準となる１日の労働時間を定めておかなければならない。

第26問

次の文章は、「労働施策の総合的な推進並びに労働者の雇用の安定及び職業生活の充実等に関する法律」第30条の2に定められた雇用管理上の措置等に関する記述である（同法附則第３条「中小事業主に関する経過措置」により読み替えられたものである）。

文中の空欄A～Dに入る語句の組み合わせとして、最も適切なものを下記の解答群から選べ。

事業主は、職場において行われる［A］を背景とした言動であって、［B］範囲を超えたものによりその雇用する労働者の［C］が害されることのないよう、当該労働者からの［D］に応じ、適切に対応するために必要な体制の整備その他の雇用管理上必要な措置を講じるように努めなければならない。

[解答群]

ア　A：育児休業制度の利用　B：母性健康配慮等の
　　C：雇用継続の意思　D：申出
イ　A：使用者の業務命令権　B：労働契約の内容の
　　C：健康、安全　D：申告
ウ　A：性別による差別　B：社会通念上許容される
　　C：職業生活　D：苦情
エ　A：優越的な関係　B：業務上必要かつ相当な
　　C：就業環境　D：相談

第27問 参考問題

外国人雇用及び外国人技能実習制度に関する記述として、最も不適切なものはどれか。

ア　技能実習とは、人材育成を通じた開発途上地域等への技能、技術、又は知識の移転による国際協力等を目的とするもので、技能実習制度による在留期間は、在留資格の変更又は取得があったとして、一旦帰国する期間を含め最長で５年間とされている。

イ　事業主は、新たに外国人を雇い入れた場合には、その者の氏名、在留資格、在留期間、生年月日、性別、国籍・地域等の事項について確認し、当該事項を事業所の所在地を管轄する地方入国管理局に届け出ることが義務づけられている。

ウ　特定技能１号は、特定産業分野に属する相当程度の知識又は経験を必要とする技能を要する業務に従事する外国人向けの在留資格で、その在留期間は、更新することができ、通算で上限５年までとされている。

エ　特定技能２号は、特定産業分野に属する熟練した技能を要する業務に従事する外国人向けの在留資格で、その在留期間は、通算５年を超えても更新することができる。

第28問

マーケティング・コンセプトおよび顧客志向に関する記述として、最も適切なものはどれか。

ア　企業は顧客を創造し、顧客の要望に応えることを基礎とする一方で、競合他社との競争にも気を配る必要がある。これらをバランスよく両立する企業は、セリング志向であるということができる。

イ　ケーキ店Xが「どの店でケーキを買うか選ぶときに重視する属性」についてアンケートを複数回答で実施した結果、回答者の89%が「おいしさ、味」を選び、「パッケージ・デザイン」を選んだのは26%だった。顧客志向を掲げるXはこの調査結果を受け、今後パッケージの出来栄えは無視し、味に注力することにした。

ウ　マーケティング・コンセプトのうちシーズ志向やプロダクト志向のマーケティングは、顧客志向のマーケティングが定着した今日では技術者の独りよがりである可能性が高く、採用するべきではない。

エ　マーケティング・コンセプトはプロダクト志向、セリング志向などを経て変遷してきた。自社の利潤の最大化ばかりでなく自社が社会に与える影響についても考慮に入れる考え方は、これらの変遷の延長線上に含まれる。

オ　マーケティング・コンセプトを説明した言葉の中に、“Marketing is to make selling unnecessary” というものがあるが、これはマーケティングを「不用品を売ること」と定義している。

第29問

次の文章を読んで、下記の設問に答えよ。

中小企業のX社では、同社が数年間にわたって取り組んできた、温室効果ガスを一切排出しない新しい小型電動バイクの開発が、最終段階を迎えていた。同社では、この新製品を①小型バイク市場または電動アシスト自転車市場等のどのようなセグメントに向けて発売するかについて検討を重ねていた。同時に、②これらの市場においてどのような価格で販売するのがよいかについても、そろそろ決定する必要があった。

設問1 ●●● **★重要★**

文中の下線部①に関する記述として、最も適切なものはどれか。

ア　小型電動バイクと従来型のバイクとの主な差異は、エンジンの構造などの機能面に限定されるから、小型電動バイクにはライフスタイルに基づくセグメントは適さない。

イ　小型電動バイクの走行性能は従来型のバイクに比較して多くの面で劣るため、ベネフィットによるセグメントを検討することは、この製品にとって不利であり、適切ではない。

ウ　従来型バイクのユーザーのパーソナリティに関する調査を実施した結果、保守的で権威主義的なユーザーは従来型のバイクを強く好むことが分かったため、これらのユーザーを小型電動バイクのターゲットから除外した。

エ　調査を実施した結果、「保育園に子供を連れて行くための静かで小型の乗り物」を求める消費者の存在が明らかになった。セグメントはより細分化することが必要なので、X社では保育園の規模、子供を連れていく時間帯などの変数を用いて、このセグメントをさらに細分化した上で、ターゲットを選定することにした。

設問2 ●●●

文中の下線部②に関する記述として、最も適切なものはどれか。

ア　X社は、小型電動バイクの開発に要した数年にわたる多大な費用を早期に回収するため、初期価格を高く設定すると同時に多額の広告費を集中投入して、短期間に市場から利益を得る市場浸透価格戦略を採用することにした。

イ　X社は、小型電動バイクの発売に当たり、性能の差により下からA、B、C、Dの4モデルを検討していた。モデル間の性能差は実際には大きくないが、消費者に最上位モデルであるDの品質をより高く知覚してもらうため、モデルAからCまでは小刻みの価格差、CとDの間にはやや大きめの価格差を設定した。

ウ　あらかじめプロトタイプのテストを繰り返し、最終的に販売を想定した製品のコストに基づいて価格を決める「ターゲット・コスティング」の方法で価格を設定した。

エ　小型バイク市場では、非常に多くの競合企業間で激しい競争が展開されているため、売り手であるX社だけでなく、買い手である多くのユーザーも市場価格に対する極めて大きな影響力をもつ。

オ　ユーザーが製品やサービスのベネフィットに対して支払ってもよいと考える対価をベースに設定されるさまざまな価格設定方法を、一般にコストベース価格設定と呼ぶ。

第30問

広告に関する記述として、最も適切なものはどれか。

ア　BtoBマーケティングのコミュニケーションにおいては、受け手は特定少数の顧客であるため、広告は不要である。

イ　広告効果階層モデルのうち「DAGMARモデル」は、Desire, Attention, Grade, Memory, Action, Recommendationを意味し、近年のオンライン上の消費者行動を表す。

ウ　広告予算の算出方法には売上高比率法、競争者対抗法、タスク法などがあるが、これらのどれも用いずに、単純に前期の広告予算実績に基づいて広告予算を決めている企業も多い。

エ　テレビCMでメッセージを途中まで流し、「続きはこちらで」などとして検索ワードを表示しWebに誘導しようとする方法は、「ステルス・マーケティング」として非難される場合が多く、消費者庁も注意を喚起している。

第31問

デジタル・マーケティングに関する記述として、最も適切なものはどれか。

ア　O2O戦略は、デジタル時代の消費者がオンラインとオフラインを行き来し、認知・検討と購買が分離する傾向があるという問題への企業による対応策の１つである。

イ　クラウドソーシングにより製品開発を行おうとする企業が、そのために開設するネットコミュニティにおいては、参加者同士のコミュニケーションが活発に行われなければ、製品開発は成功しない。

ウ　プラットフォーマーとは、異なる複数のユーザー・グループを結びつけ、交流させて価値を創出しつつ、同時にこれらのユーザー・グループに向けて自社の製品・サービスの販売も行う事業者を指す。

エ　ユーザーにとってのプラットフォームの価値は、ユーザー間のネットワーク効果によって作り出されるものであり、プラットフォーム自体によって作られるものではないから、プラットフォームを切り替えても特にスイッチングコストは発生しない。

オ レンタルでは製品の貸し手は自社で保有する製品を貸し出すが、シェアリング・サービスは製品を所有するユーザー間をマッチングするだけであり、シェアリング・サービスの事業者が製品を所有することはない。

第32問

次の文章を読んで、下記の設問に答えよ。

文具の製造・販売を行う中小企業のA社は、従来、売上の多くを大手文具メーカー向けの多様なOEM製品からあげてきた。しかし社会のデジタル化が進む一方で、アナログな文具の人気が高まりつつある昨今の市場環境を鑑みて、A社では今後自社ブランドによる文具の製造・販売を拡大していくことを検討していた。

A社では、働く若い女性や女子学生が、オフィスや自宅、学校で使用する文具が有望ではないかとかねてより考えており、①このセグメントにおけるニーズを探り、確認するためのさまざまな調査を実施することを計画していた。

またこれと並行して、同セグメントに向けて自社ブランドによる製品を発売する場合、どのような②製品ミックスとすべきかについても、検討を重ねていた。

設問1 ●●● ★ 重要 ★

文中の下線部①に関する記述として、最も適切なものはどれか。

ア オフィスで働く数名の若い女性を対象としたフォーカスグループ・インタビューを実施することにより、このセグメントのニーズに関する一般論を導き出すことができる。

イ オフィスや自宅、学校における文具の利用に関するエスノグラフィー調査を実施したところ、フォーカスグループ・インタビューとは異なる結果が得られた。そのため両者の結果を考慮して製品開発を進めることにした。

ウ 調査には、質問票を用いる方法や機械装置を用いる方法などがある。後者には調査対象者の身体的反応を測定する方法なども含まれるが、これにより得られるデータは複雑であるため、データの分析や解釈、調査結果から導かれる戦略策定などは、リサーチャーに任せるべきである。

エ 調査を実施する前に、このようなニーズに関して社外ですでに行われた調査や報告などA社にとっての一次データを入手できないか、十分に検討する必要がある。

設問2 ●●●

文中の下線部②に関する記述として、最も適切なものはどれか。

ア　1つの製品ラインには1つのブランドが対応していなければならないため、A社では発売する製品ライン数と同じだけのブランドを用意する必要がある。

イ　A社が発売を計画している小型のホチキスについては、価格や色のバリエーションを用意することにより、複数アイテムで販売することを検討していた。

ウ　A社の競合企業であるS社では、販売中の文具における特定の製品ラインのアイテム数を実験的に減らしてみたところ、売上と利益がともに増加した。この結果からS社は、この製品ラインの幅が広すぎると判断した。

エ　製品ラインを立案するためには、一般的には想定する製品ラインを構成するすべての製品ミックスと製品アイテムを検討する必要がある。

第33問　★重要★

消費者と社会的アイデンティティに関する記述として、最も適切なものはどれか。

ア　感覚や好みに基づいて選択される場合と異なり、専門的知識が必要な製品やサービスに関しては、消費者は属性や価値観が自分と類似している他者の意見やアドバイスを重視する。

イ　自己アイデンティティを示すため、消費者は拒否集団をイメージさせるブランドの選択を避ける傾向がある。この傾向は、他者から見られている状況において行う選択よりも、見られていない状況において行う選択で顕著に強くなる。

ウ　自己概念において社会的アイデンティティが顕著になっている場合、自分が所属している内集団で共有される典型的な特徴を支持するようになる一方、自分が所属していない外集団すべてに対して無関心になる。

エ　自分に影響を与えようとする意図をもった他者が存在する場合、消費者の行動はその他者から強く影響を受ける一方で、単にその場にいるだけの他者からは、影響を受けることはない。

オ　自分に対する他者からの否定的な評価を避け、肯定的な評価を形成していこうとする欲求は自己高揚と呼ばれる。自己高揚のレベルが高い消費者は、自分の所属集団よりも、願望集団で使用されているブランドとの結びつきを強める傾向がある。

第34問

次の文章を読んで、下記の設問に答えよ。

企業は、ブランド・エクイティを創出し、維持し、強化するために、①自社ブランドの市場状況と製品状況を考慮しながらブランド戦略を展開している。その成果を示す1つの指標が、毎年、ブランド価値評価の専門会社から発表される企業ブランド価値ランキングであり、それはランキングが上位であるほど②強いブランドであることを示している。

設問1 ●●● ★重要★

文中の下線部①に関して、以下の表は、自社ブランドの市場状況と製品状況によって、当該ブランドが採るべき戦略を検討する際の戦略枠組みである。自社の既存ブランドが、既存市場において、新たなブランド名を付すことによって再出発を図るというCに該当する戦略として、最も適切なものを下記の解答群から選べ。

ここでいう市場とは、ニーズや用途を意味する。

		既存製品	
		既存ブランド	新規ブランド
市場	既存市場	A	C
	新規市場	B	D

[解答群]

ア　ブランド・リポジショニング

イ　ブランド開発

ウ　ブランド強化

エ　ブランド変更

設問2 ●●● ★重要★

文中の下線部②に関する記述として、最も適切なものはどれか。

ア　近年のグローバル版の企業ブランド価値ランキングではGAFAのようなIT企

業ブランドが存在感を増す中、日本版の企業ブランド価値ランキングでもモノを中心に据えたブランドではなく、IT企業ブランドが上位を占めている。

イ　消費者のブランド選択は、想起集合に含まれる比較的少数のブランドの中から行われる。しかし、近年のブランド数の増加に伴い想起集合サイズは大きくなっているため、強いブランドが想起集合にとどまることは以前より容易になっている。

ウ　成分ブランディングは自社ブランドの品質評価を高める有効な方法である。強いブランドほど、採用した成分ブランドによって良いイメージが生まれるため、１つの成分ブランドを採用する。

エ　同等の製品でも、強いブランドを付した製品は高値で取引されたり売上数量が増加したりするなど、ブランドには顧客の知覚を変化させる機能があり、他のブランドとの違いを生み出す原動力となっている。

オ　ブランド・エクイティとは、「同等の製品であっても、そのブランド名が付いていることによって生じる価値の差」であり、多くのブランド連想を有するほどブランド・エクイティは高くなる。

第35問　★重要★

ソサイエタル・マーケティングに関する記述として、最も適切なものはどれか。

ア　「啓発された自己利益（enlightened self-interest）」の考え方のもとで行われる社会貢献活動であるため、長期的あるいは間接的にも企業やブランドのイメージ、ブランド・ロイヤルティといったマーケティング成果への効果は期待されていない。

イ　消費者の長期的な利益あるいは社会的利益に配慮してマーケティングを行うということだけでなく、それを企業の長期的な経営計画と統合することを目指すマーケティングはサステイナブル・マーケティングと呼ばれるが、これとソサイエタル・マーケティングは同義で使われている。

ウ　製品の売上の一定額を社会的課題の解決のために寄付する行為はコーズリレーテッド・マーケティングとも呼ばれ、実務において社会的価値と密接に結びつけられたソサイエタル・マーケティングの一部である。

エ　病院、大学、協会、NGOなどの非営利組織で培われた考え方を営利組織にも適用したマーケティングである。

第36問

パッケージ・デザインに関する記述として、最も適切なものはどれか。

ア　多くのパッケージ・デザインにおいて蓋（ふた）は左に回せば開くようになっているように、パッケージでは人にある行動を自然に起こさせるアフォーダンスが重視される。しかしコモディティ化が進む中、アフォーダンスとは異なる新しい使い方の提案は、パッケージを通して差別化を図り、価値を高めやすい。

イ　消費者がブランドに対して抱くイメージに対してパッケージ・カラーは強く影響を与えるため、食品パッケージの色を濃くすることによって濃い味の商品であることを伝達することができる。しかし、パッケージ・カラーの色の濃さが、実際の商品の味覚にまで影響することはない。

ウ　脳の半球優位性に基づくと、パッケージにおいて画像は右に、文字は左に配置したほうが商品の評価を高めることができるため、このルールはほとんどのパッケージ・デザインで採用されている。

エ　パッケージにおける便宜価値は、開けやすい、使いやすい、持ちやすい、捨てやすいといったパッケージの改良によって高めることができる一方、感覚価値は、パッケージ・デザインに対する情緒面の感覚が中身にまで移るような感覚転移の効果を生じさせることによって高めることができる。

オ　ブランドを他の文化圏へ拡張する際に、パッケージがブランド・エクイティの維持や活用にどの程度役割を果たすかという点で評価される基準は、防御可能性と呼ばれる。パッケージ上のネームやカラーは、拡張先の特徴や文化的意味合いを考慮しながら移転を進める必要がある。

第37問

次の文章を読んで、下記の設問に答えよ。

サービス・マーケティング研究は、①顧客満足研究と相互に影響しあいながら新しい考え方を生み出してきた。市場の成熟化にともない②経済のサービス化が進む中、顧客満足を追求する企業のマーケティング手法にも、新しい発想が求められている。

設問1 ●●● ★重要★

文中の下線部①に関する記述として、最も適切なものはどれか。

ア　企業の現場スタッフが顧客と接する瞬間における顧客満足を向上させ、好ましいブランド体験を安定的に提供するためには、顧客に接する最前線の現場スタッフの権限を高める一方、中間のマネジャーは現場スタッフを支援する役割を担う。

イ　新規顧客の獲得が難しい現況においては、不良顧客に対して最も多くの企業資源を配分し、彼らの顧客レベルを上げるべく積極的にサービスを展開し、サービスからの退出を防ぐべきである。

ウ　中程度に満足している顧客でも、簡単に他社へスイッチすることがなく、値引きに対する要求は少ないため、今日的な顧客満足戦略では、不満状態から満足状態への引き上げを極めて重視している。

エ　日本では高度経済成長期の頃から、企業は新規顧客の獲得よりも既存顧客維持の重要性を認識していた。

設問2

文中の下線部②に関して、サービス・マーケティングにおいて注目されているサービス・ドミナント・ロジックに関する記述として、最も適切なものはどれか。

ア　近年のサービス・ドミナント・ロジックに基づく製品開発においては、他社の技術や部品を採用したり、生産や設計のアウトソーシングを進めたりして、製品の機能やデザイン面の価値を高めることを重視している。

イ　サービス化の進展は、サービス・エンカウンターにおいて高度な顧客対応能力を有する従業員の必要性を高めている。しかしながら、売り手と買い手の協業によって生産される価値はサービス財より低いため、製造業においてはインターナル・マーケティングは必要ない。

ウ　製造業では、商品におけるモノとサービスを二極化対比することによって、モノとは異なるサービスの特性を明らかにし、サービスの部分で交換価値を最大化する方向を目指すべきである。

エ　製造業は、製品の使用価値を顧客が能動的に引き出せるようにモノとサービスを融合して価値提案を行うことが望ましい。例えば、顧客に対して、コト消費を加速させる製品の使用方法を教育するイベントを開催したり、その情報を積極的に発信したりすることなどである。

令和 2 年度

解答・解説

令和2年度 解答

問題	解答	配点	正答率※
第1問	ウ	2	D
第2問	ア	2	B
第3問	エ	2	C
第4問	ウ	3	A
第5問	オ	2	A
第6問	オ	2	C
第7問	エ	3	A
第8問	エ	3	B
第9問	イ	3	B
第10問	イ	3	B
第11問	エ	3	C
第12問	イ	2	C
第13問	オ	3	A
第14問	ウ	3	C

問題	解答	配点	正答率※
第15問	ウ	2	C
第16問	ウ	3	C
第17問	イ	3	C
第18問	エ	3	B
第19問	イ	2	B
第20問	ウ	2	B
第21問	イ	3	C
第22問	エ	2	C
第23問	イ	3	C
第24問	ア	2	E
第25問	エ	2	C
第26問	エ	2	C
第27問	イ	2	E
第28問	エ	3	A

問題		解答	配点	正答率※
第29問	(設問1)	ウ	2	C
	(設問2)	イ	2	D
第30問		ウ	2	B
第31問		ア	3	D
第32問	(設問1)	イ	2	B
	(設問2)	イ	2	D
第33問		オ	3	C
第34問	(設問1)	エ	2	C
	(設問2)	エ	2	B
第35問		ウ	3	C
第36問		エ	3	C
第37問	(設問1)	ア	2	B
	(設問2)	エ	2	A

※TACデータリサーチによる正答率
正答率の高かったものから順に、A～Eの５段階で表示。
A：正答率80%以上　B：正答率60%以上80%未満　C：正答率40%以上60%未満
D：正答率20%以上40%未満　E：正答率20%未満

解答・配点は一般社団法人日本中小企業診断士協会連合会の発表に基づくものです。

令和 2 年度 解説

第1問

VRIOフレームワークに関する問題である。

ア ×：ある経営資源が、外部環境の機会を適切にとらえ脅威を無力化することができるものであっても、数多くの企業に保有されているのであれば、他社も同様のことが可能である。よって、**一時的とはいえ競争優位の源泉とはならない。**

イ ×：経営陣のチームワークや従業員同士の人間関係などの組織属性が経済価値を生むのであれば、この組織属性は、特性として社会的複雑性を有している（この時点で模倣困難性が高い可能性が高い）。この経営資源が希少性が高く、かつ他の企業による模倣が困難な場合、**この組織属性は企業の持続的な競争優位の源泉となる。**なお、持続的な競争優位の源泉となるため、一時的な競争優位の源泉も満たす（含まれる）と考えれば適切な内容ではあるが、出題者は、「一時的ではなく持続的なので不適切」という意図で出題していると思われる。

ウ ○：正しい。保有している経営資源が、業界内で希少であり、模倣困難性を伴わない場合には、現時点では他の競合企業は有していないものの、獲得することは可能である。よって、一時的な競争優位の源泉になり得る（持続的な競争優位の源泉とはならない）。

エ ×：経営資源によって持続的な競争優位を築くには、その経営資源が、価値があり（Value）、希少性が高く（Rarity）、模倣困難性が高いこと（Inimitability）、そして、その経営資源を十分に活用することができる組織であること（Organizations）、という4つを満たす必要がある。よって、**その経営資源を活かす組織の方針や体制が整っていないのであれば、4つ目の要件を満たしていないため、持続的な競争優位は築けない。**なお、本選択肢は、「模倣困難性」という文言が明示はされていない。そのため、模倣困難性を満たしていないため持続的な競争優位の源泉にはならない、よって不適切な選択肢、と読むこともできるが、文頭の「他の企業が獲得できない」という表現は、「模倣困難性」を表現していると読むこともできる。仮にそのようにとらえると、本選択肢はVRIO分析でいうところの、VRIを満たしているが、Oは満たしていない、という状況が記述されている。そして、文末には持続的な競争優位の“源泉”と書かれている。持続的な競争優位を築くには、VRIを満たした経営資源が競争優位の“源泉”となり、それに加えてOを満たすと、実際に持続的な競争優位を築くことになる。この点で考えれば、「その経営資源を活かす組織の方針や体制が整っていないこと」は、経営資源が持続的な競争優位の“源泉”であるか否かとは無関係であるため、厳密には疑問の残る表現である。
よって、**ウ**が正解である。

第2問

企業における意思決定に関する問題である。

H.I.アンゾフは、企業の意思決定を、戦略的意思決定、管理的意思決定、業務的意思決定の３つに分類している。組織の原則からすれば、これらの意思決定は、組織の階層によって割り振られている状態が望ましいと考えられるが、現実には、トップマネジメントは、戦略的意思決定だけでなく、管理的意思決定、業務的意思決定も行うことになる。

＜意思決定の分類＞

	戦略的意思決定	管理的意思決定	業務的意思決定
問題	企業の資本収益力を最適度に発揮できるような製品－市場ミックスを選択すること	最適度の業績をあげるために企業の資源を組織化すること	資本収益力を最適度に発揮すること
問題の性格	総資源を製品－市場の諸機会に割り当てること	資源の組織化、調達、開発	主要な機能分野に資源を予算の形で割り当てること 資源の利用と転化を日程的に計画すること 監督しコントロールすること
主要な決定事項	諸目標および最終目標 多角化戦略 拡大化戦略 管理面の戦略 財務戦略 成長方式 成長のタイミング	組織機構－情報、権限、および職責の組織化 資源転化の組織化－仕事の流れ、流通システム、諸施設の立地 資源の調達と開発－資金調達、資源および設備、人材、原材料	業務上の諸目標と最終目標 販売価格とアウトプットの量的水準（生産高） 諸業務の諸水準－生産の日程計画、在庫量、格納 マーケティングの方針と戦略 研究開発の方針と戦略 コントロール

主たる特性	集権的に行われるもの 部分的無知の状態 非反復的 非自然再生的	戦略と業務の間の葛藤 個人目標と組織目標との葛藤 経済的変数と社会的変数の強い結びつき 戦略的問題や業務的問題に端を発していること	分権的に行われるもの リスクと不確実性を伴うこと 反復的 多量的 複雑さのために最適化が二義的にならざるを得ないこと 自然再生的

(出所：Ansoff（1965）邦訳p.12を加筆修正）

（『新　経営戦略論』寺本義也　岩﨑尚人編　学文社p.101）

ア　○：正しい。上図にも示されているように、管理的意思決定とは、「最大の業績能力（成果）を生み出すように企業の資源を組織化すること（組織の中に組み込み、その資源が組織目的達成のために有効に機能すること）」であるとされる。

イ　×：上図にも示されているように、企業の多角化戦略は、**戦略的意思決定における主要な決定事項のひとつである。**戦略的意思決定は、「主として企業の内部問題よりもむしろ外部問題に関係あるもの」とされており、より具体的には、自社が現在どんな業種であり、将来どのような業種に進出すべきかに関する問題を決める意思決定であるとされる。

ウ　×：上図にも示されているように、戦略的意思決定は、自然再生的なものではない。そのため、**自動的にトップマネジメントの関心に上がってくるものではない(意識的に関心を寄せなくても、自ら明らかになるわけではない)。**これは、戦略的意思決定については、それを積極的に追求するのでないかぎり、業務的意思決定や管理的意思決定に忙殺され、自動的に排除されてしまうことが多いからである（意思決定（計画）のグレシャムの法則）。

エ　×：選択肢**イ**の解説でも述べたように、戦略的意思決定は、「**主として企業の内部問題よりもむしろ外部問題に関係あるもの**」とされている。

オ　×：上図にも示されているように、資源配分は戦略的意思決定において重要な要素である。しかしながら、**固定資産や機械設備など企業内部の資産に対する投資の意思決定と同じではない。**資源配分とは、保有している資源をどのように配分して活用していくかを考えることである。もちろん、たとえば、ある事業に対して財務的経営資源を配分し、それによって機械設備に投資するといったことはあり、まったく無関係ではないが、このような意思決定は、原則的には、配分の話というよりは、その投資による効果（正味現在価値法などによるその投資の妥当性の判断）によって意思決定することになる（その資産の内容にもよるが、上図にも示されているように原則的には管理的意思決定に該当する内容である)。

よって、**ア**が正解である。

第3問

交渉力に関する問題である。

ア　×:新たな企業が売り手として参入できる場合であるので、言い方を変えると、参入障壁が低いということである。つまり、売り手としては同業他社(ライバル企業)が多いということになる。この場合、売り手にとっては顧客(買い手)を獲得することの困難性が高く、買い手にとっては仕入れ先(売り手)を確保することの困難性が低い。つまり、買い手側のほうが優位に取引を行うことが可能である。よって、**売り手に対する買い手の交渉力は高くなる**。

イ　×:ある売り手が供給する製品と他社の競合製品との間での互換性が高いということは、取り換えが利くということである。この場合には、買い手側にとっては、特定の売り手からしか調達できないわけではないため、買い手側のほうが優位に取引を行うことが可能である。よって、**売り手に対する買い手の交渉力は高くなる**。

ウ　×:ある売り手が供給する製品を買い手が他社の競合製品に切り換える際に、買い手がその製品の使用方法をはじめから学び直す必要がある場合とは、買い手にとってスイッチングコストが高い状況である。この場合、買い手は、その特定の売り手の製品を購入し続けることを望むため、売り手側のほうが優位に取引を行うことが可能である。よって、**買い手に対する売り手の交渉力は高くなる**。

エ　○:正しい。前方統合とは、原材料の生産から製品の販売に至る業務を垂直的な流れと見て、原材料に近い方を川上、製品販売に近い方を川下とした際に、自社にとって川下方向の企業を統合するということである。売り手が前方統合できる場合、買い手にとっては、同業者が統合されるということになる。このようなことが生じると、買い手はその売り手を失うことになる。このような場合、売り手側のほうが優位に取引を行うことが可能である。よって、売り手に対する買い手の交渉力は低下する。

オ　×:ハーフィンダール指数とは、市場集中度を示す指標のひとつであり、参入している企業のマーケットシェアの自乗の和で表される。これがゼロに近づくということは、市場集中度が低い状況である。よって、売り手側のハーフィンダール指数がゼロに近づくとは、売り手側には、大きなシェアを有した企業がおらず、また、企業の数が多い状況である。この場合、売り手にとっては顧客(買い手)を獲得することの困難性が高く、買い手にとっては仕入れ先(売り手)を確保することの困難性が低い。つまり、買い手側のほうが優位に取引を行うことが可能である。よって、**買い手に対する売り手の交渉力は低くなる**。
よって、**エ**が正解である。

第4問

企業の競争優位に関する問題である。

ア　×：PIMS（Profit Impact of Market Strategy）プログラムとは、1970年代にハーバード大学ビジネススクールが中心となった研究プロジェクトで提唱された分析ツールである。多くの企業を分析した結果から、「市場シェア」と「知覚される相対的な品質」の２つが、収益性の向上に貢献する主要因であることを導き出している。そして、市場シェアの高さは知覚される相対的な品質の高さによって規定されたと指摘している。よって、２つは連動したものであるとしているものであるため、**両立できないことが明らかにされたものではない**。

イ　×：経験効果（経験曲線効果）は、累積生産量が倍増するたびに、“一定の”比率で単位あたりコストが減少する現象である。そのため、縦軸にコスト、横軸に累積生産量をとると、右下がりの直線を描くことになる。直線であるので、傾きが一定となり、この累積生産量の倍増にともなう一定のコスト低下水準を習熟率（習熟度）といい、これが傾き、つまり係数となる。そして、経験効果における習熟度（それによるコスト低下のペース）は、同一産業内の企業であれば、大きな違いはないと考えられている（もちろん、厳密には完全には等しくならないが、ほぼ等しいと仮定して支障はないとされている）。しかしながら、**業界の特性が異なれば、それは同一（一定）ではない**。

ウ　○：正しい。経験効果を利用したコスト・リーダーシップを追求するのであれば、競合企業よりも多くの累積生産量を達成する必要がある。そして、累積生産量の多さは、操業期間の長さに比例する。よって、できるだけ早い時点で参入することは有効な方策となる。

エ　×：製品差別化が有効ということは、顧客は自社の製品を他社の製品とは異なるものと認識し、かつ支持をしているということである。そのため、たとえ自社の製品価格が上昇しても、競合する製品への乗り換えが生じにくいことは正しい。しかしながら、**需要の交差弾力性は低くなる**。交差弾力性とは、ある財の価格変化に対する別の財の需要変化を表す弾力性である。たとえば、A財に対するB財の価格の交差弾力性は次式で表される。

「A財に対するB財の価格の交差弾力性＝B財の需要変化率／A財の価格変化率」

つまり、A財の価格が変化した際に、B財の需要量がどう変化するかを示すものである。よって、製品Aの価格変化が製品Bの販売量（需要量）にもたらす影響を交差弾力性で表すと、製品Bの需要量の変化率を、製品Aの価格の変化率で割った値となる。本選択肢に当てはめると、自社製品がA財、競合する製品がB財である。選択肢に書かれている状況は、A財の価格が上昇しても、B財の需要はそれほど増えないということである。つまり、上記式に対応させると、A財の価格変化率（分母）が大きくても、B財の需要変化率（分子）は小さいということである。

オ　×：多角化することで範囲の経済が生じるのであれば、それは多角化を進める要因となる。その効果が大きいのであれば、特定の事業に集中してコスト・リーダーシップを追求するよりも、相対的に魅力がある可能性が高まる。よって、どのような事業展開をするのが得策であるかを考える際に（特定の事業においてコスト・リーダーシップを追求すべきか否か）、影響をもたらすことになる。

よって、**ウ**が正解である。

第5問

多角化とM&Aに関する問題である。

ア　○：正しい。M&Aには、契約成立前の「準備段階」と「交渉段階」、契約成立後の「統合段階」というフェーズがある。そして、準備段階では、買収が自社にとってどれだけ有益であるかなどを把握する必要があり、企業の資産価値などの適正評価を行うことであるデューデリジェンス（due diligence）を行うことになる。その中で、自社と買収対象企業における、研究開発、生産、販売などの重複部分や補完関係を明確化することも重要になる。あまりに重複部分が多ければ買収のメリットが少ない可能性もあるし、補完関係になる要素が多ければ買収のメリットが多い可能性がある。そして、これをしっかりと行っておくことで、実際に買収した後の統合段階において機能統合をスムーズに行うことが可能になる。もちろん、このことは異業種、同業種問わずに重要である。

イ　○：正しい。M&Aを同業種相手のものと異業種相手のものとで分類した場合、異業種相手に行えば、基本的には、事業領域が拡大するため、範囲の経済、リスク分散といったメリットがある。同業種相手に行えば、特定の事業の規模が拡大することになるため、規模の経済、取引交渉力の増大、経験効果の実現といったメリットがある。また、M&Aにはさまざまな形態があるものの、ひとつの企業全体を買収するとなれば、必ずしも自社が必要としている資源だけを獲得できるわけではない。よって、自社の必要としない資源までも獲得してしまうリスクも生じる。

ウ　○：正しい。外的な成長誘引は、外部環境にある機会や脅威に分類することができる。外部環境に機会を見出した場合には、それに対応することによって成長することができると感じ、脅威を見出した場合には、それを回避したり、乗り越えたりするために成長する必要に迫られる。いずれにせよ、このような成長誘引は企業を新たな事業へと参入させる（多角化する）動機づけ（条件）となり、企業の主要な市場での需要の低下という脅威はその一因であるといえる。

エ　○：正しい。企業が多角化し、複数の事業を展開することによる効果にはさまざまなものがあり、その主要なものとして相乗効果と相補効果がある。相乗効果とは、相互に効果をもたらし、全体として大きな成果を得るというものである。相補効果とは、互いに足りない部分を補い合うことで、市場における需要変動や資源制約に対応するというものである。また、２つの違いとして、「直接的な相互作用があるか否か」というものがある。つまり、AとBという事業があった際に、AとBという特定の事業の組み合わせだからこそ生じる効果は、直接的な相互作用があるということである。そして、基本的には、相乗効果は直接的な相互作用があることで生じ、相補効果は直接的な相互作用がない場合であっても生じることになる。

オ　×：選択肢**イ**で述べたように、同業種のM&Aにおいては、規模の経済や取引交渉力の増大、経験効果の実現などが、主なメリットとなる。しかしながら、同業種であるため、異業種と比較すれば組織文化は類似している可能性はあるが、企業が異なれば組織文化がまったく同じということはなく、**組織文化の調整と統合にコストがかからないなどということはない。**

よって、**オ**が正解である。

第6問

完成品メーカー（A社）の垂直統合度を高くする要因に関する問題である。

垂直統合とは、原材料の生産から製品の販売に至る業務を垂直的な流れとみた際に、２つ以上の生産段階や流通段階を１つの企業内にまとめ、市場取引から組織内取引へと変化させることである。たとえば完成品メーカーが、部品や原材料メーカーといった仕入れ先、流通業者などの販売先といった企業などと合併するといったことである。

ア　×：選択肢に書かれている状況であれば、A社は、**取引コストが低く、交渉力の面で不利に立たされることもなく、安定した仕入れを行うのにまったく支障がない。**よって、垂直統合度を高くする必要性がない。

イ　×：選択肢に書かれている状況であれば、その部品メーカーにとってA社は重要な販売先である（関係特殊的投資）。よって、各部品メーカーは、このような特殊な投資を行って築いたA社との関係性を重要視することになる。一方、A社としても、自社専用の部品を製造できるメーカーが市場に存在しているわけではないため、関係性は重要である。そのため、部品メーカーを垂直統合する妥当性があるが、「A社が使用する部品を製造している“すべての”メーカー」ということであるので、それなりの数の部品メーカーと取引関係を築くことに成功している。よって、関係を維持していくための一定の取引コストは生じるが、**交渉力の面で不利に立たされる状況にはない**。このことも併せて考えれば、垂直統合度を高くする必要性はない。

ウ ×：選択肢に書かれている状況であれば、A社としては、**受注がストップしたり、交渉力の面で不利に立たされたりする状況にはない**。よって、垂直統合度を高くする必要性はない。

エ ×：選択肢に書かれている契約を交わせるのであれば、**A社が不利になることはないため**、現状の取引構造を変える必要性がない。よって、垂直統合度を高くする必要性はない。

オ ○：正しい。選択肢に書かれている状況であれば、販売代理店は、A社にとってのライバル会社の製品も販売している。そして、景気の回復局面になると、そのライバル会社の製品を優先して販売するということであれば、A社の製品の販売量が伸びない。よって、この販売代理店や他の販売代理店を垂直統合することによって、A社の製品を安定的に販売できるようにすることが必要である。

よって、**オ**が正解である。

第7問

商品開発に関する問題である。

A：ステージゲートが該当する。ステージゲートとは、多くの製品や技術開発テーマを効率的に絞り込んでいく方法である。R&Dのテーマや商品アイデアの創出に始まり、多数創出されたアイデアを対象に、R&Dや事業化・商品化活動を複数の活動（ステージ）に分割し、次のステージに移行する前に評価を行う場（ゲート）を設け、それをパスしたテーマのみを次のステージに進め、事業化・商品化する。

B：重量級プロジェクト・マネジャーが該当する。プロジェクト・マネジャーは、さまざまな技術や部品を担当する機能部門を横断してつくられた商品開発プロジェクト・チームを強力に先導する立場である。そして、責任範囲の広さや権限の強さによって、大きく軽量級プロジェクト・マネジャーと重量級プロジェクト・マネジャーに分類される。いずれにしても、機能横断的に組織化したプロジェクト・チームを先導することになる。

C：プラットフォーム・マネジャーが該当する。プラットフォーム・マネジャーとは、複数の商品開発プロジェクトをまとめてマネジメントする立場である。1980年代までに、重量級プロジェクト・マネジャーの設置により、機能横断的なプロジェクトがうまく実施できるようになっていたが、その後は、複数プロジェクトの統合という問題に直面することとなり、1990年代に、複数のプロジェクト・マネジャーの上位にプラットフォーム・マネジャーが導入されるようになった。

D：コンカレント・エンジニアリングが該当する。コンカレント・エンジニアリングとは、開発における各機能を、各機能が業務を終了してから次の機能に引き渡すシーケンシャル型（逐次型）に対し、各機能の業務を並行させて開発を進めるものである。

<シーケンシャル型プロセスとコンカレント型プロセス>

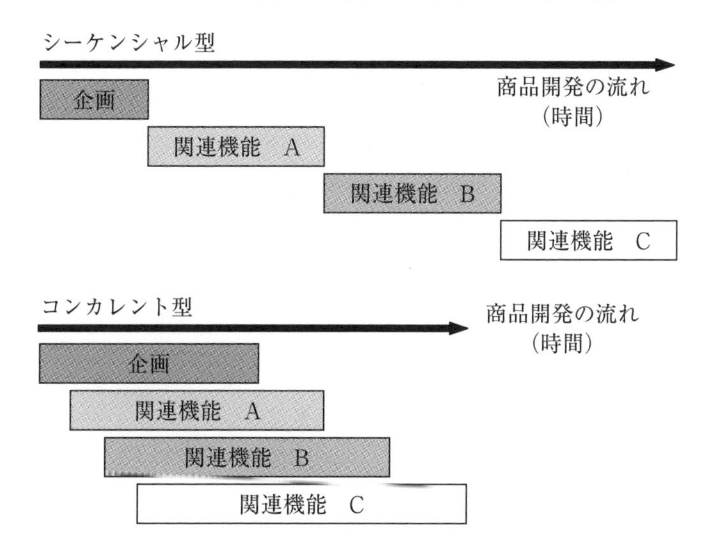

（『MOT［技術経営］入門』延岡健太郎著　日本経済新聞出版社p.211）

よって、**エ**が正解である。

第8問

イノベーションを推進するための取り組みに関する問題である。

a：リバース・エンジニアリングとは、競争企業が販売している製品を分解、解析し、その企業のノウハウを解明することである。

b：リエンジニアリングとは、企業の戦略に合わせて業務プロセスを抜本的に見直し、再構築することで、企業体質や構造を変革していくものである。

c：バウンダリー・スパンニングとは、組織と外部環境の要素とを結びつけ、調整することである（外部環境との橋渡し役）。主として情報の交換にかかわるもので、①環境の変化についての情報を察知して組織に取り入れること、②組織に有利に働く情報を環境に送り込むこと、である。

d：リバース・イノベーションとは、新興国で生まれた技術革新（イノベーション）や新興国市場向けに開発した製品などを、先進国にも導入して世界に普及させることである。

よって、①はd、②はc、③はa、④はbがそれぞれ当てはまるため、**エ**が正解である。

第9問

J.A.ティモンズのベンチャー企業が成功するためのモデルに関する問題である。

このモデルにおいては、新規事業創造の必要条件である起業プロセスの３つの構成要素として、「創業者」「起業機会（事業機会）の認識」「必要資源（経営資源）」をあげ、成功する多くのベンチャー企業は、「創業者」が「経営者チーム」を形成していくとしている（経営者チームを形成しない場合、「単独企業家」となる）。

<起業活動を取り巻く環境と主要な推進力>

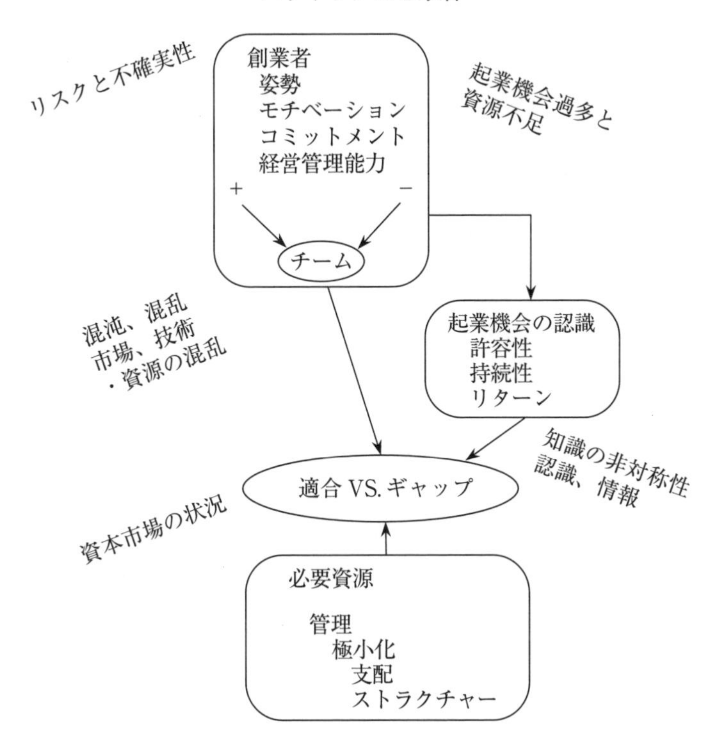

(『ベンチャー創造の理論と戦略』ジェフリー・A・ティモンズ著　ダイヤモンド社p.29)

ア　×：上述したように、「事業機会」「経営資源」「経営者チーム」は、ベンチャー企業の成功において重要な構成要素であり、これらが適合していることが重要なことである。しかしながら、**不均衡が一時的にでも生じないように3つの要素を管理する能力が起業家に求められるわけではない。**ベンチャー企業が成功する確率は決して高くはないが、それは、この時点で、これら3つの要素を必要なだけ満たすことの困難性の高さも一因である。そして、そのような中でも成功するためには、起業家がアントレプレナーシップ（何もないところから価値を創造する）を発揮し、3つの要素が満たされない中でもバランスを取っていくことが求められる。

イ　○：正しい。選択肢**ア**の解説で述べたとおりである。

ウ　×：仮に、「単独企業家」ではなく、経営者チームを編成する場合であっても、最初からしっかりとメンバーが揃えられるとは限らない。成長の過程においてメンバーが充実していくこともあり、時間を要することも多い。そのため、**最初から優れた経営者チームによって始められることを前提にしているわけではない**。したがって、**経営者チームが他の要素と比べて弱くなる状態も想定される**（事業機会が目の前にあっても、それを完全な形で活かすだけのメンバーがいないということはあり得る）。

エ　×：3つの要素のバランスを取る起業家の立場からすれば、何にも増して重要なのは、成長段階において最も重要な時期に資金繰りに失敗することがないようにすること（財務的経営資源の獲得）であるとされる。よって、**必要な経営資源不足への対応は、起業家の重要な役割である**。そして、もちろん資金が重要なのは、立ち上げ段階においても同様である。ただし、潜在能力の高い事業機会を見出しており、優秀な人材（経営者チーム含む）を確保し、成功の見通しを示すことができれば、ベンチャーキャピタルなどから資金は調達可能である可能性が高い。そして、そのベンチャーキャピタルが投資判断において最も重要視するとされるのが、経営者チームの質（過去の実績含む）であるとされる。よって、3つの要素は相互に関連もしており、すべて重要であるが、**最も重要なものをひとつあげるのであれば経営者チーム（の能力）である**。

よって、**イ**が正解である。

第10問

組織が有する特性によって生じる弊害に関する問題である。

a：経路依存性とは、ある歴史的出来事が、その後の出来事に影響を与えるため、その特定の経路に依存しないと（同様の経緯を経ないと）同様の現象が再現されないといったことである。よって、①に書かれている、「歴史的経緯で外部から導入した製造プロセスの改良技術に基づき、技術関係部門同士の連携による問題解決が定型化されて続いている」という状況は、当時導入した製造プロセスの改良技術（ある歴史的出来事、特定の経路）に依存しているということである。

b：グループ・シンク（集団浅慮）とは、集団で意思決定を行うことで、かえって短絡的に決定がなされてしまうという現象のことである。よって、③に書かれている、「全員一致で意思決定」しているが、「建設的なアイデアや現実的な解決策が顧みられない」というのは、まさにグループ・シンクが要因であると考えられる。

c：組織文化の逆機能とは、組織文化が強固になる、あるいは共有されることによって生じる弊害である。組織文化生成の基盤にある特定の環境条件が変化した場合には、そこで成功するための行動パターンや、ものの見方・考え方も変化する必要がある。つまり、環境が大きく変化すれば、組織文化も変化が求められるが、強い文化が共有されているほど、その組織文化が適応しやすい環境条件では機能的であるが、そうでない環境条件においては機能的ではないということになる。よって、②に書かれている、「創業以来の企業の価値観は、現在も社員の間で共有されている」その一方、「伝統的な価値観に基づく戦略による過去の成功が現在の戦略を機能させていない」というのは、その価値観（組織文化）が機能的ではないということである。

よって、①は**a**、②は**c**、③は**b**がそれぞれ当てはまるため、**イ**が正解である。

第11問

スリー・サークル・モデルに関する問題である。

スリー・サークル・モデルとは、ファミリービジネス（創業者や創業者の親族といった創業家が中心となって経営している企業）を理解するためのフレームワークであり、ファミリービジネスを、所有（オーナーシップ）、事業（ビジネス）、家族（ファミリー）という３つの要素で構成されていると考えるものである。

<ファミリービジネスのスリー・サークル・モデルと構成者>

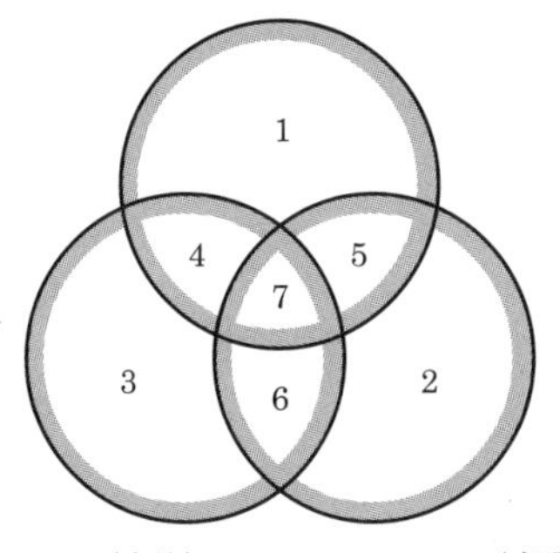

1	外部の投資家
2	非家族の経営者か従業員
3	所有者でも従業員でもない家族
4	所有権を持つ家族であるが、社外
5	所有権を持つ経営者か従業員
6	所有権を持たない家族で経営者か従業員
7	家族、所有者、経営者もしくは従業員の３要素を持つ

（『ファミリービジネスの経営力創成』小嶌 正稔　経営力創成研究　第９号　2013）

本問における登場人物４人のそれぞれの状況を整理すると以下のようになる。問題文には色々と書かれているが、結局、サークル内の位置の変化に影響を及ぼす変化は、

「4人それぞれの持株比率」である。

	社長交代前		社長交代後	
B氏 （前社長、現会長）	所有：○（55%） 家族：○ 事業：○	位置：**1**	所有：×（0%） 家族：○ 事業：○	位置：**4**
C氏 （BとDの長男、10年前から役員、現社長）	所有：○（5%） 家族：○ 事業：○	位置：**1**	所有：○（60%） 家族：○ 事業：○	位置：**1**
D氏 （Bの妻）	所有：○（10%） 家族：○ 事業：×	位置：2	所有：×（0%） 家族：○ 事業：×	位置：7
E氏 （BとDの長女）	所有：○（10%） 家族：○ 事業：×	位置：**2**	所有：○（20%） 家族：○ 事業：×	位置：**2**

※表内の「位置」の数値は、上記の図の番号ではなく、問題文に記載されている数値。

よって、**エ**が正解である。

第12問

国際的に展開する企業の経営スタイルに関する問題である。

C.A.バートレットとS.ゴシャールは、グローバル経営の現実とそれに適合する組織形態について、グローバル統合とローカル適応という2つの次元をベースにしたうえで、多国籍企業を4つに分類している。

<バートレットとゴシャールの組織モデル>

〈インターナショナル型組織モデル〉

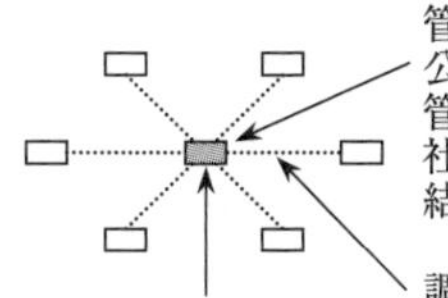

管理的統制
公式的な経営計画と管理体制によって本社と子会社は密接に結びついている

調整型連合体
多くの能力や権限、意思決定権は分散しているが本社の管理を受ける

インターナショナル
経営者側は海外での事業を本社の付属であるとみなしている

〈マルチナショナル型組織モデル〉

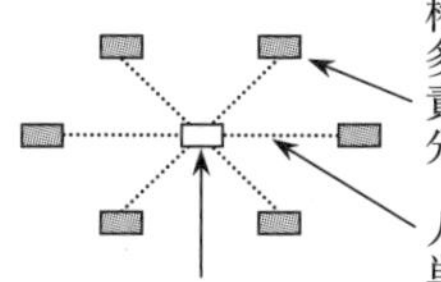

権力分散型連合体
多くの重要な資源、責任、意思決定権が分散している

人的管理
単純な財務統制の上に成り立つ、非公式な本社と子会社の関係

マルチナショナル
経営精神
経営者側は海外での事業を独立した事業体の集合とみなしている

〈グローバル組織モデル〉

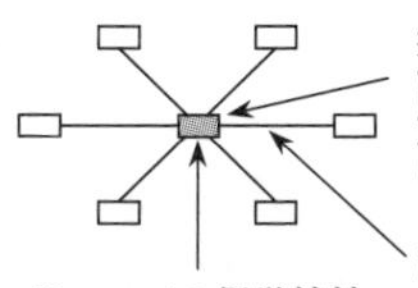

集中中枢
能力、権限、意思決定権の大部分が中央に集中している

業務コントロール
意思決定、情報に関する中央の厳しい統制

グローバル経営精神
経営者側は海外での事業をグローバル市場への配送パイプラインとみなしている

〈総合ネットワーク〉

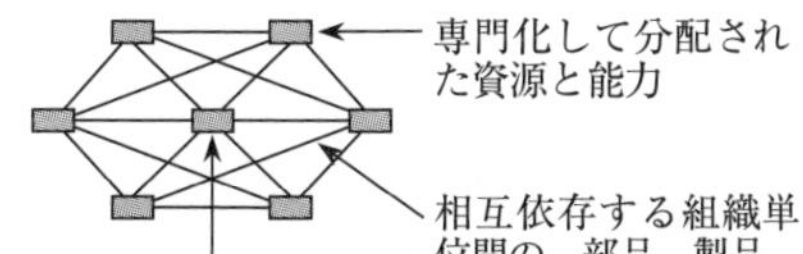

専門化して分配された資源と能力

相互依存する組織単位間の、部品、製品、資源、人材、情報の大きな流れ

意思決定を分担する状況での調整と協力の複合的プロセス

（出所：Bartlett and Ghoshal (1989)；『地球市場時代の企業戦略』吉原英樹監訳、日本経済新聞出版社より抜粋）

（『経営学概論』山田幸三著　一般社団法人　放送大学教育振興会p.247）

a：グローバルが該当する。グローバルは、世界を単一の市場とみなし、世界規模での効率性を追求する本社集中型のスタイルである。本社は、グローバルレベルで強く統制し、資源と能力を集中して保有する。現地子会社は、自由裁量の程度は低く、本社の戦略を忠実に実行する。

b：インターナショナルが該当する。インターナショナルは、本社の持つ知識や能力を世界的に広めて適応させることを目的とし、企業組織の中核となる要素（コア・コンピタンスの源泉）は本社に集中し、他の部分は現地に任せるスタイルである。本社は、技術やノウハウを開発して海外に移転し、優位性を獲得しようとする。現地子会社は、本社の能力を活用して、それぞれの地域での事業展開を図る（自由裁量の程度は、グローバルとマルチナショナルの中間）。

c：トランスナショナルが該当する。トランスナショナルは、グローバル統合による世界規模での効率性、ローカル適応による柔軟な国別の対応、世界的な規模での学習とそれによるイノベーションという３つを追求するスタイルである。本社のイノベーションの現地子会社への移転、現地子会社のイノベーションの世界的な移転といったことが行われ､分散しつつも相互に依存する関係にある。現地子会社は専門的な能力を有し、指導的な立場になることもある。

d：マルチナショナルが該当する。マルチナショナルは、各国の現地市場の違いに敏感に適応する分散型のスタイルである。現地子会社は、自由裁量の程度が高く、自律的に行動し、地域市場でのきっかけを活用して成長していく。

よって、aはグローバル、bはインターナショナル、cはトランスナショナル、dはマルチナショナルがそれぞれ当てはまるため、**イ**が正解である。

第13問

デファクト・スタンダードやネットワーク外部性に関する問題である。

ア　×：デファクト・スタンダードは、その規格の需要者や供給者によって認められた事実上の業界標準である。よって、**ISOのような国際的な標準化機関（公的な標準化機関）の認定を必要とするものではない（重要な役割を果たすものではない）**。市場競争の結果にかかわらず、あるいは市場競争を経ずに公的な機関が定める業界標準は、デジュリ・スタンダードといわれる。

イ　×：デファクト・スタンダードが、パーソナルコンピュータやスマートフォンのOS（基本ソフト）のようなソフトウェアにおいてよく見られるため、重要な役割を果たすものであることは正しい。しかしながら、**情報技術がかかわらない領域で生じないわけではない**。もともとは、インターネットの通信規格であるTCP/IPや、接続規格の多いコンピュータ関連分野で使われ始めた言葉だったが、その後、これらの分野だけでなく、各種商品やサービスで広く使われるようになっている。よって、市場において認められた規格であれば該当することになる。

ウ　×：デファクト・スタンダードは、市場に認められた業界標準であるため、その地位を獲得するということは、多くの需要者や供給者に用いられているということである。その際に重要な要素としてよくあげられるのがネットワーク外部性である。ネットワーク外部性とは、同じネットワークに参加するメンバーが多いほど、メンバーの効用が高まるということである。つまり、その規格を広めようとしている側のなにがしかの努力によって参加メンバーを増やすことができれば、たとえ、性能や品質に劣るものであっても、それ以上に参加メンバーが多いことによる魅力が大きく、市場で支持される規格となる。よって、**基本性能が最も高いものがデファクト・スタンダードとしての地位を獲得するというわけではない**。

エ　×：ネットワーク外部性には、ネットワークの大きさが直接便益の拡大をもたらす「直接効果」と、補完財が介在する「間接効果」がある。よって、選択肢に書かれている、**補完財の多様性が増大したり価格が低下したりすることで得られる便益は、間接効果である**。直接効果とは、ネットワークの参加者が多いことそのものによる便益である（電話やFAXは利用者が多いことでその便益が高まる）。間接効果とは、たとえば、スマートフォンのOSごとに、使用できるアプリが異なる場合、アプリの開発者は、ネットワークの参加者が多いOS向けに開発することになる。その結果、そのネットワークの参加者は多くのアプリを利用することができ、便益が向上する、といったことである。

オ　○：正しい。選択肢**ウ**の解説で述べたとおりである。

よって、**オ**が正解である。

第14問

C. I. バーナードが示した組織の要素に関する問題である。

バーナードは、組織が成立するのは、①互いに意見を伝達できる人々がおり、②それらの人が行為を提供しようとする意欲をもって、③共通目的の達成を目指すとき、であるとしている。

よって、**ウ**が正解である。

第15問

企業が利用する生産技術に関する問題である。

生産技術に関して強い影響を与えたものとして、ジョアン・ウッドワードが行った研究がある。この研究から、製造プロセスの技術的な複雑性は、製造プロセスの機械化の程度と連動するとし、複雑性が高くなれば、作業の多くが機械で行われる必要性が高まるとした。同時に、技術の複雑化とともにマネジメントを強化する必要性が高まるとしている。そして、具体的に以下の３つの生産技術を想定している。

1．小バッチ単位での生産（小規模バッチ生産技術）

顧客の特定のニーズに応える少数の注文品の製造。労働者の作業に大きく頼っており、高度な機械化はされていない。

2．大バッチ単位での生産（大規模バッチのマスプロダクション技術）

標準化された部品などを長い生産ラインで製造する製造工程である。顧客が個々に特定のニーズを有しているわけではないため、生産後は在庫され、注文に応じて出荷される。

3．連続工程生産（連続的処理を行うプロセス技術）

全工程が機械化されている。自動化された機械が連続工程を制御する。例として、化学プラント、石油精製工場、酒造所、原子力発電所などがある。

そのうえで、技術的な複雑性が増すにつれて、①マネジメント階層の数が増加し、マネジャーの全従業員に占める比率も増加する（マネジャーの人数は増加するが、階層も増加するため、１人のマネジャー（監督者）の部下数は増加する)、②複雑な機械を支え、維持していくために、より多くの間接労働者（スタッフやスペシャリスト）が必要になる（このことによって、間接労働者を支援する管理職の比率も高まる)、③技術の複雑性が低い（機械化の程度が低い）場合、労働者が生産工程で大きな役割を果たすが、技術の複雑性が高まる（機械化の度合いが高まる）と、作業の多くが機械で行われることになり、１人あたりの労務費が低下することが多い、といった傾向が生じることを導き出した。

<ウッドワードによるイギリスの会社の生産システム別分類>

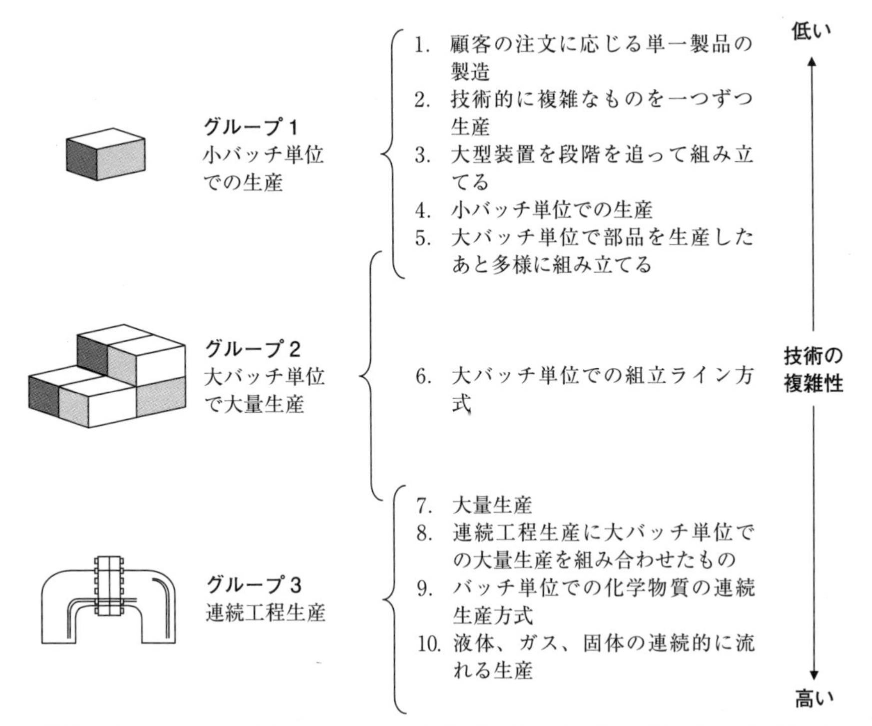

出典：Extracts from Management and Technology by Joan Woodward. (London, Her Majesty's Stationary Office, 1958)。© Crown copyright material is reproduced with the permission of the Controller of HMSO and Queen's Printer for Scotland.

(『組織の経営学』リチャードL.ダフト著　高木晴夫訳　ダイヤモンド社p.125)

よって、「小規模バッチ生産技術」から「大規模バッチのマスプロダクション技術」、さらに「連続的処理を行うプロセス技術」へ移行するにしたがって、文中のように変化していくため、**ウ**が正解である。

第16問

組織内部の管理システムに関する問題である。

T.バーンズとG.M.ストーカーは、安定した環境において有効な組織を機械的組織（機械的管理システム）、不安定な環境において有効な組織を有機的組織（有機的管理システム）とした。機械的組織は職能の細分化、明確な階層構造と権限、定型的なコミュニケーションなどを特徴とし、有機的組織は、役割分担にあいまいさがあり、その都度調整が図られるもので、階層的なタテの関係というよりヨコの関係に近く、緊密なコミュニケーションを特徴としている。この概念がコンティンジェンシー理論の先駆けとなった。

ア　×：上述のとおり、不確実性が高い環境下において、有機的管理システムが有効であることは正しい。しかしながら、**階層トップへの知識が集中し、階層構造を強化するというのは、機械的管理システムの特徴である。**

イ　×：上述のとおり、不確実性が高い環境下において、有機的管理システムが有効であることは正しい。しかしながら、**有機的管理システムの場合、組織内の各タスクは、組織の全体状況や技術との関係は強いものとなる。**これは、機械的管理システムの場合、課業が職能別に専門分化するため、組織全体が直面する課題は職能別に分解されているが（各タスクと組織全体との関係は相対的には希薄）、有機的管理システムの場合、組織全体の共通の課題に対して貢献するような性質の専門知識や経験を、各人が有するようになるからである。

ウ　○：正しい。上述のとおり、不確実性が高い環境下においては、有機的管理システムが有効である。そして、有機的管理システムの場合、組織内の伝達の内容は指示・命令というよりも情報共有や助言といったものが多くなる。相対的に、組織構成員は自律性を持ち、同時に責任も明確になる。つまり、他人の責任にしたり、社会的手抜き（集団内で働くときに単独で働くときほど努力をしなくなる）をしたりといったこともなくなる。その結果、タスクそのものや優れた仕事をしようとすることへのコミットメントが強くなりやすい。

エ　×：上述のとおり、不確実性が低い環境下において、機械的管理システムが有効であることは正しい。しかしながら、**横断的相互作用を通じたタスク間の調整を重視するのは、有機的管理システムの特徴である。**

オ　×：上述のとおり、不確実性が低い環境下において、機械的管理システムが有効であることは正しい。しかしながら、**上司の指示や命令に支配された職務よりも、スタッフによる助言的内容のコミュニケーションが重視されるのは、有機的管理システムの特徴である。**

よって、**ウ**が正解である。

第17問

組織の発展段階モデルに関する問題である。

J.R.ガルブレイスとD.A.ネサンソンが、事業展開の状況に応じた組織の発展経路をモデル化したものが以下である。大まかな変遷について述べると、単純な事業、単純な組織でスタートし、その単一の事業の規模が一定程度拡大する（単一職能組織）。その後、さらなる成長のために、戦略として重要視する点に見合った拡大を図る（事業部制組織、集権的職能部門制組織、持株会社）。そして、海外展開を図る（「世界的職能部門制組織」「世界的多国籍企業」「世界的持株会社」）ということである。

<発展段階モデルの要約>

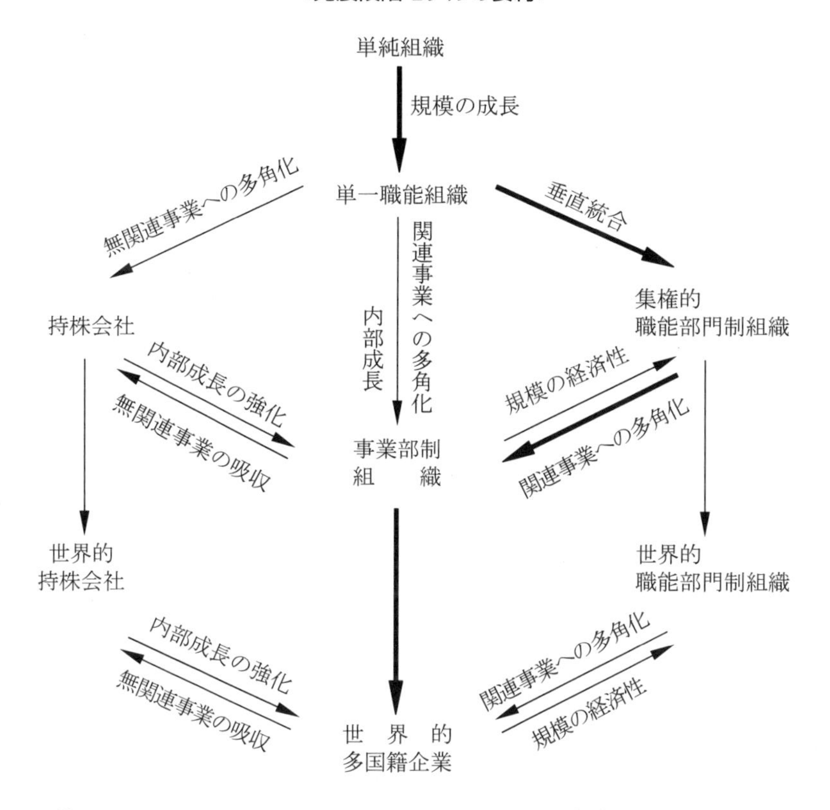

（『経営戦略と組織デザイン』J.R.ガルブレイス　D.A.ネサンソン著　岸田民樹訳
白桃書房p.139）

（創業時）

単一の職能と単一の製品ラインだけの「単純組織」からスタートする。

（規模の成長）

量的な拡大が生じ、分業の必要性が生じ、その分化された仕事を調整するために「単一職能組織」となる。

（垂直統合、関連多角化、無関連多角化）

・供給あるいは流通が重要で、垂直統合を志向する場合、大規模な集権化組織が必要であるので、「集権的職能部門制組織」となる。
・関連事業への多角化戦略によって内部成長を志向する場合、「事業部制組織」となる。
・買収などによって無関連多角化を志向する場合、「持株会社（またはコングロマリット）」となる。

※「集権的職能部門制組織」や「持株会社」を経て、「事業部制組織」となる場合もある。
※「事業部制組織」から、関連性のある製品ライン間で標準化を図り、規模の経済性を発揮する場合、「集権的職能部門制組織」となる。
※「事業部制組織」から、外部成長を追求して、無関連な多角化を図る場合、「持株会社」となる。

(海外への進出)

海外展開する前段階は、「事業部制組織」「集権的職能部門制組織」「持株会社」である。よって、海外進出する際に、それぞれが単純に“世界的”な形に移行すれば、「世界的多国籍企業」「世界的職能部門制組織」「世界的持株会社」となる。

また、「世界的多国籍企業」から「世界的職能部門制組織」や「世界的持株会社」となる、あるいは、世界的職能部門制組織から世界的多国籍企業、世界的持株会社から世界的多国籍企業となるのは、上述した国内組織の場合と同様である。

よって、Aは垂直統合、Bは関連多角化、Cは規模の経済の活用、Dは非関連事業の買収がそれぞれ当てはまるため、**イ**が正解である。

第18問

組織メンバーの帰属集団に対する一体化とリーダーシップに関する問題である。

ア ×：集団の凝集性とは、集団のメンバーが互いに惹きつけられ、その集団にとどまるように動機づけられる程度である。集団の凝集性が高いほど、通常は、一体感も高まるため、**個人が集団の意思決定に参加していると感じる程度は高くなる**。また、集団圧力とは、客観的な事実とは無関係に、集団のメンバーが共有している価値観や規範に同調するように強要するものであり、斉一性の圧力ともいわれる。集団の凝集性が高い場合、**この集団圧力は強くなる**。このような状況においてはオープンなリーダーシップスタイルが有効である。つまり、メンバー参加型の意思決定である。これにより、集団圧力によって異論が言いにくくなっているという凝集性のネガティブな側面が大きくならないようにすることが重要になる。よって、公式の権限（上席者として、指示・命令する権限）に基礎を置くリーダーシップをとることは、本来的には通常の状態であるが、**本選択肢の状況においては有効ではない**。

イ ×：集団に属していることで個人の欲求が充足される程度が高くなれば、その集団に所属し続けることを望むことになる。そのため、集団の目標達成に貢献する動機づけが強くなる（**目標に一体化する**）。このような状況においては、集団内の相互作用を支援するようなリーダーシップをとることは、個人の欲求だけでなく、集団の目標達成に寄与することになるため、必要な対応であることは正しい。

ウ　×：組織の外部に参加することができる代替的選択肢を持っているメンバーは、現在所属している集団である帰属集団の一員であることを維持することに対する執着の程度が相対的に低くなる。それにより、**帰属集団の目標への一体化の程度も低くなる**。その集団の目標達成を考えるリーダーとしては、**そのメンバーに対して、集団への帰属意識を高める必要があるが、集団外部の人々と交流を促してしまっては、一層、その意識が低下する可能性が高く、有効ではない。**

エ　○：正しい。他の集団との競争が激しくなる中で、帰属集団の威信が高くなると、集団に対する一体化の程度が強くなる。メンバーが自らの集団の威信を感じている場合、組織内（企業内）において、それに見合った評価や見返りを望むことになる。よって、それを獲得するためには、上位集団や他の集団に対する影響力を持ったリーダーシップが有効になる。これができないと、本来得られてもよいはずの適切な評価や見返りが得られず、メンバーの不満が高まる可能性がある。

よって、**エ**が正解である。

第19問

期待理論に関する問題である。

期待理論は、得られる報酬がもつ魅力である「誘意性」と、その報酬を獲得できる主観的確率である「期待」との積和がその活動に対する動機づけの強さを決定することになる。また、期待理論の論者の１人であるローラーは、上述の「期待」を２つに分けることで、①「誘意性」と、②「努力」すれば「業績（成果）」が向上するという期待、③「業績（成果）」が望ましい「報酬」の入手につながるという期待、が重要だとしている。

ア　○：正しい。上記③のとおりである。

イ　×：期待理論で想定している報酬に対する認知は、本人の内的な問題であり、本人の態度、パーソナリティ、欲求が勘案されるとされる。いずれにしても、**他者と比較して認知するということではない。**

ウ　○：正しい。上記②のとおりである。

エ　○：正しい。報酬がもたらしうる満足の程度とは、報酬がもつ魅力、つまり誘意性と言い換えられる。よって、上記①のとおりである。

よって、**イ**が正解である。

第20問

職務特性モデルに関する問題である。

職務特性モデルでは、職務における「技能多様性」「タスク完結性」「タスク重要性」

「自律性」「フィードバック」の５つの特性を中核的職務特性とし、これらの状況と内発的な動機づけの関係を考察している。

<職務特性モデル>

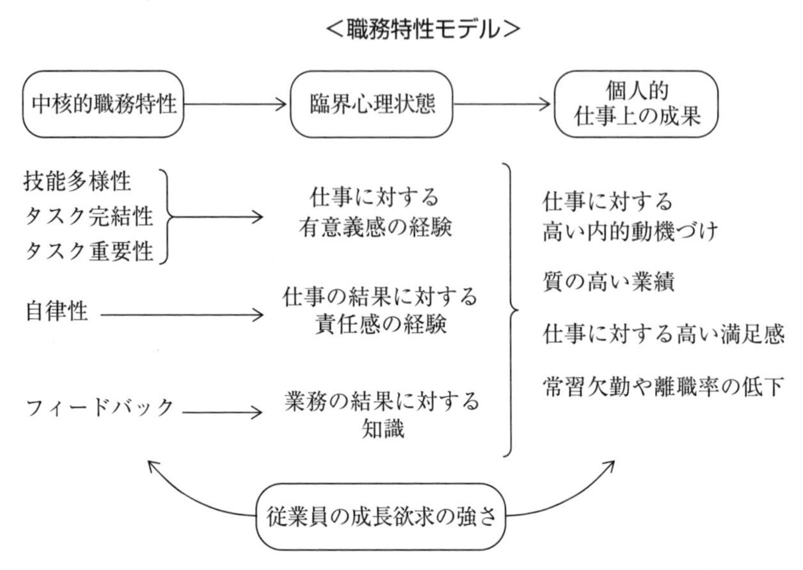

出所：J.R. Hackman and J.L. Suttle, eds, *Improving Life at Work*（Glenview, IL Scott, Foresman, 1977）p.29
（『組織行動のマネジメント』スティーブンP.ロビンス著　髙木晴夫訳 ダイヤモンド社p.94）

ア　×：職務特性モデルにおける「フィードバック」とは、業務を実行した結果、その業務の有効性が、その個人に対して直接提供される度合いである。よって、**上司からのフィードバックについて論じているわけではないし、この程度が低いことで内発的に動機づけられるわけでもない**。職務の自律性（裁量が個人に与えられているかを示す特性）が高いことが、内発的に動機づけられる要因になることは正しい。

イ　×：職務特性モデルで想定している「タスク完結性」は、仕事全体や特定の仕事を完結させる際に、ある職務がその仕事の多くにかかわっている度合いである。よって、**職務が細分化され、他の職務への依存度が高い場合というのは、それとは逆の状況である**。そして、上図のように、「職務の有意義感」を高めるのは、「技能多様性」「タスク完結性」「タスク重要性」といった要素であるが、選択肢に書かれている内容はこの３つを高める状況ではない（**職務の有意義感は高まらない**）。

ウ　○：正しい。上図でも示されているとおり、内発的動機づけが高まるための要素には、「仕事に対する有意義感の経験（職務に対する有意義感の実感）」「仕事の結果に対する責任感の経験（責任の実感）」「業務の結果に対する知識（結果についての理解）」があり、最終的にはこれらの積によって動機づけの強さが決まる。よって、3つがそろうことが必要である。

エ　×：職務の特性が成果につながるかどうかは、成長欲求の高さ、つまり、自尊心や自己実現に対する従業員の欲求に左右されるとしている。つまり、この成長欲求の高さが動機づけを後押しするが、**職務特性に関わりなく、内発的動機づけが高くなるわけではない**。5つの特性の状況が前提にあり、その上で、成長欲求が高い場合、動機づけを一層高めるということである。

よって、**ウ**が正解である。

第21問

経験学習モデルに関する問題である。

D.コルブは、経験をとおして学ぶ過程を4つの要素のサイクルとしてモデル化している。そして、その4つの要素はそれぞれ以下のようなものである。

具体的経験（Concrete Experience）：その人自身の状況下で、具体的な経験をすること。

内省的観察（Reflective observation）：自分自身の経験を多様な観点から振り返ること。

抽象的概念化（Abstract Conceptualization）：他の状況でも応用できるよう、一般化、概念化すること。

能動的実験（Active Experimentation）：新しい状況下で実際に試してみること。

そして、これらの順序は上記の順序であり、かつ、このサイクルによって、多くの経験を通じた学びが蓄積されていくことになる。

よって、Aは具体的経験、Bは内省的観察、Cは抽象的概念化がそれぞれ当てはまるため、**イ**が正解である。

第22問

コンピテンシーに関する問題である。

コンピテンシーとは、「職務上の高い成果や業績と直接的に結びつき、行動として顕在化する職務遂行能力」と定義され、パーソナリティや知的能力も含む、きわめて包括的な概念である。つまり、能力に焦点が当たっており、成果や業績そのものではない。

ア　×：「顕著な個人的成果」は、職務遂行能力ではないため、**コンピテンシーには**

含まれない。

イ　×：上記のように、性格やパーソナリティは、**コンピテンシーに含まれる。**

ウ　×：「職務上の高い"成果や業績"」は職務遂行能力ではないため、**コンピテンシーには含まれない。**

エ　○：正しい。「組織の成果」に結びついており、同僚支援は職務上の行動であり、「能力」である。よって、コンピテンシーに含まれる。

よって、**エ**が正解である。

第23問

評価バイアスに関する問題である。

人事評価における大きな課題のひとつに、「他人による評価の限界」がある。客観性、公平性を厳密に担保するのは容易ではなく、人間の認知能力に由来したバイアスが発生することになる。以下は、そのおもなものである。

<人事考課の代表的なエラー>

エラー	内容
ハロー効果	特に優れた点、劣った点があると、それによってそれ以外の評価が影響されてしまうエラー
論理的誤差	密接な関係がありそうな考課要素や事柄が意識して関連づけられてしまうエラー
寛大化傾向	評価者の自信欠如から評価を甘くつけてしまうエラー
厳格化傾向	評価を辛くつけてしまうエラー
中心化傾向	厳しい優劣の判断を回避して評価が中央に集中してしまうエラー
逆算化傾向	先に評価結果を決めておいて、その結果になるように１つひとつの評価を割り付けていくエラー
対比誤差	自分の得意分野か不得意分野かによって評価が甘くなったり辛くなったりするエラー
遠近効果	最近時のことは大きく、何カ月も前のことは小さくなってしまうエラー

（『人事・人材開発３級［第２版］』木谷宏監修　社会保険研究所p.72）

よって、**A**は寛大化傾向、**B**は対比誤差、**C**は逆算化傾向がそれぞれ当てはまるため、**イ**が正解である。

第24問

36協定による時間外労働の限度時間に関する問題である。2019年４月１日（中小企業は2020年４月１日）より、時間外労働の上限は下表のようになった。なお、問題文にある建設事業、自動車運転手、医師等に加えて、労働基準法では新たな技術、商品又は役務の研究開発に係る業務については適用しないと規定されている。

	原則	通常予見することのできない業務量の大幅な増加等に伴い臨時的に限度時間を超えて労働させる必要がある場合
１か月	45時間以内（休日労働時間を含まない） （※42時間以内　休日労働時間を含まない）	100時間未満（休日労働時間を含む）
１年	360時間以内（休日労働時間を含まない） （※320時間以内　休日労働時間を含まない）	720時間以内（休日労働時間を含まない）
共通の制限	１か月100時間未満（休日労働時間を含む） 複数月平均80時間（休日労働時間を含む）	

※３か月を超える１年単位の変形労働時間制を適用した場合

ア　×：冒頭で述べたとおり、時間外労働（ないし時間外労働に休日労働を加えた時間）の上限に関する規定は、新たな技術、商品又は役務の研究開発に係る業務については適用しない。

イ　○：正しい。上記表にあるとおり、時間外労働の限度時間は、原則として１か月について45時間、１年について360時間であり、３か月を超える１年単位の変形労働時間制が適用される事業場では、１か月について42時間、１年について320時間である。

ウ　○：正しい。上記表にあるとおり、通常予見することのできない業務量の大幅な増加等に伴い臨時的に限度時間を超えて労働させる必要がある場合の時間外労働の限度時間は、１か月について100時間未満（休日労働時間を含む）、１年について720時間（休日労働時間を含まない）である。

エ　○：正しい。上記表にあるように、通常予見することのできない業務量の大幅な増加等に伴い臨時的に限度時間を超えて労働させる必要があるか否かにかかわらず、36協定で定めた場合であっても、休日労働時間を含む時間外労働の限度時間は、

1か月100時間未満である。

よって、**ア**が正解である。

第25問

フレックスタイム制に関する問題である。

ア ×：選択肢の前半部分は正しいが、フレックスタイム制の一定期間（清算期間）は**1か月を超えてもよく、3か月以内**の期間まで認められる。

イ ×：労働基準法では、休憩時間や休憩の与え方（途中付与・一斉付与・自由利用）に関して規定されているが、フレックスタイム制を採用した場合でも、原則として、労働基準法に規定されているように休憩を与えなければならない。つまり、**一斉付与の原則は適用される。**

ウ ×：フレックスタイム制を採用する場合、**対象労働者にかかわらず、清算期間における法定労働時間の総枠を超えて労働した時間及び深夜労働に対する割増賃金を支払わなければならない**。なお、高度プロフェッショナル制度を採用する場合、対象労働者には労働時間、休日及び深夜労働に関する割増賃金の支払いを要しない。

エ ○：正しい。フレックスタイム制を採用する場合、労使協定において以下の事項を定める必要がある。

① フレックスタイム制により労働させることができることとされる労働者の範囲

② 清算期間及びその起算日

③ 清算期間における総労働時間

④ 標準となる1日の労働時間

⑤ コアタイム（労働者が労働しなければならない時間帯）を定める場合、またはフレキシブルタイム（労働者がその選択により労働することができる時間帯）に制限を設ける場合には、その時間帯の開始及び終了の時刻

⑥ 清算期間が1か月を超えるものである場合にあっては、労使協定（労働協約による場合を除く。）の有効期間の定め

よって、**エ**が正解である。

第26問

パワーハラスメント防止対策に関する問題である。2020年6月1日より、労働施策の総合的な推進並びに労働者の雇用の安定及び職業生活の充実等に関する法律（労働施策総合推進法）が改正され、パワーハラスメントの防止のために雇用管理上必要な措置をとることが事業主の義務となった。なお、中小事業主は、2022年4月1日から義務化され、それまでは努力義務である。

労働施策総合推進法の第30条の２では以下のように規定している。

「事業主は、職場において行われる「優越的な関係」（空欄**A**に該当）を背景とした言動であって、「業務上必要かつ相当な」（空欄**B**に該当）範囲を超えたものによりその雇用する労働者の「就業環境」（空欄**C**に該当）が害されることのないよう、当該労働者からの「相談」（空欄**D**に該当）に応じ、適切に対応するために必要な体制の整備その他の雇用管理上必要な措置を講じるように努めなければならない。」

なお、セクシュアルハラスメントは男女雇用機会均等法第11条に、妊娠、出産、育児休業等に関するハラスメント（マタニティハラスメント）は男女雇用機会均等法第11条の２および育児・介護休業法の第25条に根拠法令がある。

よって、**エ**が正解である。

第27問

外国人雇用及び外国人技能実習制度に関する問題である。技能実習制度は2010年７月１日施行の改正出入国管理及び難民認定法により設けられたもので、日本で開発され培われた技能等を開発途上国へ移転すること等を目的としている。また、特定技能制度は2019年４月１日施行の改正出入国管理及び難民認定法により設けられたもので、即戦力となる外国人を受け入れていく仕組みを構築し、人材を確保することを目的としている。特定技能１号は、特定産業分野に属する相当程度の知識又は経験を必要とする技能を要する業務に従事する外国人向けの在留資格であり、特定技能２号は、特定産業分野に属する熟練した技能を要する業務に従事する外国人向けの在留資格である。

ア　△：実習期間は2016年から従来の最長３年から最長５年に延長された。また、４年目の実習開始前、または４年目の実習開始後１年以内に１か月以上一旦帰国することになっているが、この期間は実習期間に含まれていないとされている。しかしながら、選択肢文中には、「一旦帰国する期間を“含め”最長で５年間」とあり、本選択肢は不適切な内容であると思われる。試験当局の発表によれば、**イ**が正解とされているが、本選択肢も正解肢たり得るのではないかと、疑問を呈しておきたい。

イ　×：事業主は雇入れ時に国籍・地域や在留資格等の必要事項を届け出なければならないが、その届け先は、**公共職業安定所（ハローワーク）**であり、地方入国管理局ではない。

ウ　○：正しい。特定技能１号は在留期間が通算で上限５年までとされている。

エ　○：正しい。特定技能２号は、特定技能１号と異なり、在留期間の上限が定められていない。

よって、**イ**が正解である。

第28問

マーケティング・コンセプトおよび顧客志向に関する問題である。

ア　×：「マーケティング」という言葉は、20世紀初頭のアメリカで生まれたが、それ以前は、販売に関しては、「セリング」という言葉が用いられていた。そして、この2つの言葉の違いは以下のようなものである。

<セリングとマーケティング>

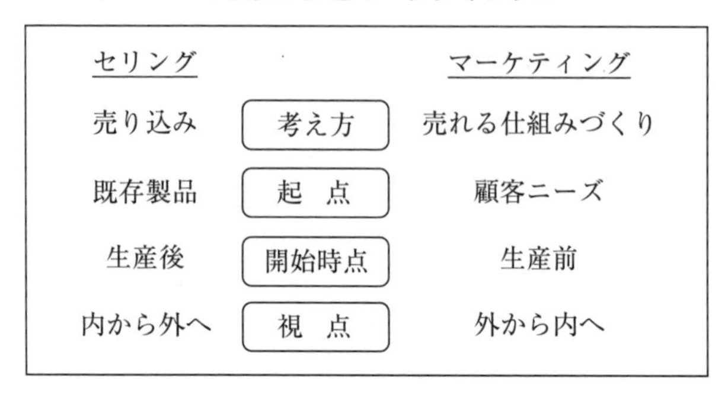

（出所：嶋口（1994）p.27　表1および恩藏（2004）p.15　図表1-1を参考に筆者作成）
（『マーケティング論』芳賀康浩　平木いくみ著　一般財団法人 放送大学教育振興会p.16）

つまり、「セリング志向」とは、売り込む（押し売り）ということである。それに対してマーケティングという言葉は、「売れる仕組みづくり」と表現することができる。よって、**選択肢に書かれている内容は「セリング志向」ではない。**

イ　×：顧客志向を掲げるのであれば、選択肢に書かれているアンケートの結果を踏まえると、89%が選んだ「おいしさ、味」を重要視することはもちろんであるが、26%が選んだ「パッケージ・デザイン」も無視できる数値ではない。よって、**今後パッケージの出来栄えは無視し、味に注力するというのは、顧客志向に基づいた対応ではない。**

ウ　×：「シーズ志向」とは、シーズは種であるので、企業が有する事業化、製品化の可能性のある技術やノウハウなどをベースに製品開発するというものである。「プロダクト志向」とは、はじめに製品ありき、つまり、市場や顧客とは無関係に製品を作り出して販売するというものである。2つとも、生産者志向の製品開発ということになる。そのため、顧客ニーズを踏まえたものである「顧客志向」という概念が登場し、市場において定着していくことになった。しかしながら、昨今においては、「シーズ志向」や「プロダクト志向」によってそれまでにはない画期的な製品が生まれることも多い。これは、顧客ニーズをベースにしていないからこそ、消費者の発想にはないものが生み出されることも多いからである。アップル社が生み出している製品などはその典型である。よって、**技術者の独りよがりである可能性が高いとは言い切れないし、採用するべきではないということもない。**

エ　〇：正しい。マーケティング・コンセプトは、生産者志向である「シーズ志向」や「プロダクト志向」といったコンセプト、販売部隊の強化によって売り切ることに主眼が置かれる「販売（セリング）志向」、顧客ニーズを踏まえた仕組み作りを重視する「顧客志向」といった流れで変遷を遂げてきた。そして、昨今は、自社の利潤の最大化を図るだけでなく、自社が社会に与える影響についても考慮に入れる「社会志向」によるマーケティング活動が行われるようになっている。

オ　×：「Marketing is to make selling unnecessary」とは、P.F.ドラッカーがマーケティング・コンセプトについて説明した言葉であり、マーケティングを「**販売（セリング）を不要にする**」と定義したものである。

よって、**エ**が正解である。

第29問

設問1

標的市場（ターゲットセグメント）の設定に関する問題である。

ア　×：小型電動バイクと従来型のバイクが、エンジンの構造などの機能面に差異があることは事実であろう。しかしながら、**違いがそれだけに限定されるわけではない。**そして、仮にエンジンの構造などの機能面でセグメントすると、その性能に対する嗜好やこだわりの違いなどによって市場が細分化されることになる。しかしながら、今回のX社の製品が有する「温室効果ガスを一切排出しない」「小型」「電動」といった特性を踏まえれば、「環境意識」「生活の中の利用シーン」といった観点で細分化することも有効になる。よって、**ライフスタイルに基づくセグメントが適さないということはない（むしろ適していると考えられる）。**

イ　×：走行性能（馬力、最高速度など）の点では、小型電動バイクが従来型のバイクに比較して多くの面で劣るというのはそのとおりであると考えられる。しかしながら、**ベネフィット（顧客が商品から得られる利益、便益、恩恵など）によるセグメントを検討することが、この製品にとって不利ということはない。**従来型のバイクとは明らかに求める要素が異なり、むしろ走行性能はほとんど気にしない消費者も多く、「スペースをとらない」「維持費が安い」「騒音が少ない」「手軽、気軽」といった点がベネフィットになると考えられ、これらの点では従来型のバイクに勝ることになる。

ウ　〇：正しい。選択肢**ア**と**イ**でも見てきたように、従来型バイクと小型電動バイクのユーザーは明らかに特性が異なり、求めている要素も異なる。よって、ターゲットから除外するのは適切である。なお、そうはいっても正誤判断として、「除外してしまってよいのか」という点で、悩ましいのは事実である。ただし、「保守的で権威主義的なユーザーは従来型のバイクを“強く”好むことが“分かった”」ということであるので、この事実を前提に判断すると、除外するのは妥当、ということになる。

エ　×：調査により、「保育園に子供を連れて行くための静かで小型の乗り物」を求める消費者が存在することが明らかになったということであり、ここまでに見てきたように、X社の小型電動バイクはこの層に支持される可能性が高いと考えられる。しかしながら、**ここからさらにセグメントをより細分化する必要があるわけではないであろう**（「保育園に子供を連れて行くための静かで小型の乗り物を欲する層」で十分であると考えられる）。そもそも市場細分化は細かくやればやるほどよいというわけではない。また、「子供を連れて行く時間帯」によるニーズの違いは、多少は考えられるかもしれないが、「保育園の規模」によるニーズの違いは考えにくく、**細分化する基準としても適切ではないと考えられる**。

よって、**ウ**が正解である。

設問2

価格政策に関する問題である。

ア　×：開発に要した多大な費用を早期に回収するために、初期価格を高く設定する（これによって革新的な消費者を獲得し、利益を得る）ことは正しい。これは初期高価格戦略、あるいは上澄吸収価格戦略といわれる。**市場浸透価格戦略とは初期低価格戦略である**。また、多額の広告費を集中投入するのは、一般的な消費者にも早期に目にとめてもらい、多くの顧客を獲得することを狙うものである。そして、通常は、そのような消費者にも早期に購入してもらうためには、**比較的低価格で市場投入することが必要になる**。また、**多額の広告費を投入するのであれば、追加的な費用負担が大きく、開発費用の早期の回収が困難である**。

イ　○：正しい。4モデルのラインナップにおいて、最上位モデルのDの価格を他のモデルと乖離させることで、品質が高いイメージを訴求させることができる。そして、価格によって品質を推し量るのは、価格の品質バロメーター機能といわれる。この機能は、消費者がその製品の機能や品質などについてあまり詳しくない場合に機能しやすくなる（詳しくないので、価格をより所に判断する）。本問におけるX社が市場投入する小型電動バイクは、「数年間にわたって（開発に）取り組んできた」「新しい」ものである。つまり、これまでにはない画期的な製品であるため、消費者にとってはその価値が計りにくい。もちろん、あまりにも法外な金額であればその限りではないが、そうでなければ、品質の高さを知覚してもらうために有効な価格政策になり得る。

ウ　×：ターゲット・コスティングとは、目標価格を出発点とし、そこから必要とする目標利益を算出することで、目標（ターゲット）とするコストを設定していくものである。よって、**コストに基づいて価格を決めるのではなく**、価格を設定し、それに基づいて利益、そして、コストが設定されることになる。

エ　×：選択肢**イ**の解説でも述べたとおり、今回X社が市場投入する製品は「これまでにない画期的なもの」である。そのため、消費者の中に内的参照価格（過去の購買経験から形成された消費者の記憶内にある価格水準）も形成されておらず、価格感度も高くない（価格の変動によって消費量に大きな変化は生じない）。よって、**ユーザーの価格に対する影響力は相対的に低くなる。少なくとも、多くのユーザーが“極めて”“大きな”影響力をもつということはない。**

オ　×：コストベース価格設定（コストプラス法）とは、文字どおり、かかったコストを基準に価格を設定する方法である。よって、**ユーザーが支払ってもよいと考える対価をベースに設定されるものではない。**

よって、**イ**が正解である。

第30問

広告に関する問題である。

ア　×：BtoBマーケティングのコミュニケーションにおいては、BtoCと比較すれば受け手は特定少数の顧客となる。しかしながら、**だからといって広告が不要というわけではない。**BtoBにおいても、広告によって引き合いがくることはもちろんあり得るため、興味を持ちそうな企業の目にとまりそうな形で広告を出すことは有効である。

イ　×：DAGMARモデルとは、広告効果測定のための広告目標設定をモデル化したものである。1961年にラッセル・H.コーレイが提唱したものであり、**Defining advertising goals for measured advertising resultsの頭文字をとり、**DAGMAR（ダグマー）とよばれる。意味は、「広告結果を計測するために、広告の目的を定義すること」である。消費者の反応段階を認知、理解、確信、行動という４段階でとらえ、各段階において広告効果を測定するものである。よって、**近年のオンライン上の消費者行動を表したものでもない。**

ウ　○：正しい。売上高比率法とは、過去の売上高（利益高）や将来の見込売上高（見込利益高）に、ある一定の比率を掛けて広告費を決定する方法である。競争者対抗法とは、ライバル企業の広告予算額や支出額などを基準に、自社の予算額を決める方法である。タスク法とは、マーケティング目標によって計画された広告目標を達成するために必要な広告費支出の細目を見積もって総額を算定する方法で、ビルド・アップ法ともいわれる。このように、広告予算の算出方法には、さまざまなものがあるが、実際には、単純に前期の広告予算実績に基づいて広告予算を決めてしまっている企業も多く見られる。

エ　×：テレビCMなどでメッセージを途中まで流し、「続きはこちらで」などとして検索ワードを表示してWebに誘導しようとする方法は、**「ティーザー広告」である**。ティーザー広告とは、情報を小出しにすることで消費者を焦らし、好奇心や興味を集め、期待を膨らませることを目的とする。「ステルス・マーケティング」とは、「ステマ」ともよばれ、何らかの宣伝・広報であることを消費者に隠して行う活動である。ヤラセやサクラなどもこの一例である。ステルス・マーケティングが、非難される場合が多く、消費者庁も注意を喚起していること自体は正しい。

よって、**ウ**が正解である。

第31問

デジタル・マーケティングに関する問題である。

ア　○：正しい。O2Oとは、「Online to Offline」の略であり、ネット上（オンライン）から、ネット外の実店舗（オフライン）に消費者を呼び込むものである。企業側がこのような戦略をとるのは、選択肢に書かれているように、デジタル技術の進展によって消費者の多くがオンライン上でさまざまな情報を収集する（認知・検討も行う）ようになっていること、また、それを踏まえてオフラインで購買するといった行動をとるようになってきたことが要因である。そのため、オンライン上の情報によって実店舗に効果的に誘導できるようにすることの重要性が高い。たとえば、飲食店や小売店などが、オンライン上で割引クーポンを提供したり、位置情報サービスによって店舗の認知や来店を促したりするといったことが行われる。

イ　×：クラウドソーシングとは、コンテンツの創造や問題解決、あるいは研究開発を行うために、不特定多数の人々に対して公募形式で資源の提供を求めるものであり、その余剰能力を労働力のプールとして用いるものである。クラウドソーシングによって製品開発を行おうとする場合、企業がネットコミュニティを開設し、そこに消費者が参加することになる。しかしながら、**参加者同士のコミュニケーションが活発に行われなければ、製品開発が成功しないというわけではない**。クラウドソーシングの場合には、確かに参加者の仲間意識が生まれる側面もあるが、このことが絶対要件というものではなく、基本的には消費者個々が、有している能力を活かすことができることに対して内発的モチベーションを高めることで動機づけられることが源泉である。そして、コミュニティの主導権は企業側にあるのが特徴である。一方で、消費者主導で製品開発を行うコミュニティをイノベーション・コミュニティという。これは、さまざまな場所に分散しているユーザー・イノベーターを、インターネットを介することで、協働させるものである。具体的には、リナックスなどのソフトウェアなどがある。

<クラウドソーシングとイノベーション・コミュニティ>

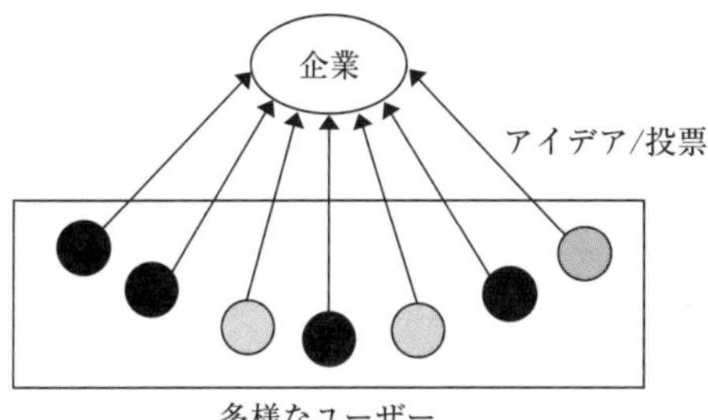

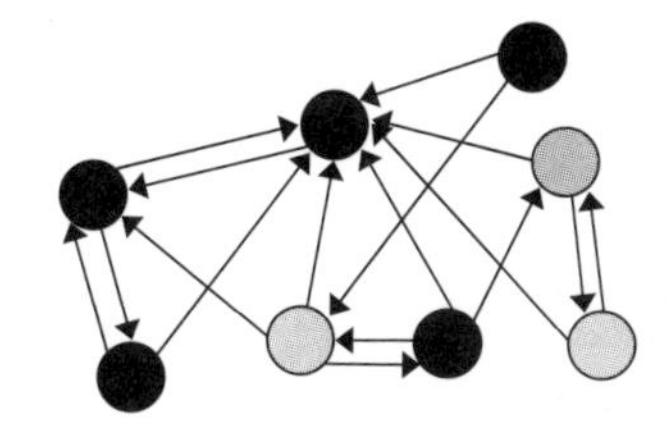

(『1からのデジタル・マーケティング』西川英彦　澁谷覚編著　碩学舎　中央経済社 p.89、91)

ウ　×：プラットフォーマーとは、物やサービスを利用する人と、提供者をつなぐ場であるプラットフォームを提供する事業者である。よって、異なる複数のユーザー・グループを結びつけ、交流させて価値を創出するのは正しい。しかしながら、プラットフォーマーは、あくまで売り手と買い手といった参加者をマッチングさせ、取引コストを削減するというのが提供価値であり、それによって収益を獲得する。よって、**プラットフォーマー自身が、プラットフォーム上でビジネスなどを行う（ユーザー・グループに向けて自社の製品・サービスの販売を行う）ことはほとんどない。**

エ　×：ユーザーにとってのプラットフォームの価値は、ユーザー間のネットワーク効果（同じネットワークに参加するメンバーが多いほど、参加者の効用が高まること。ネットワーク外部性と同義）によって作り出されるものである。プラットフォームの参加者が少なければ、その価値は著しく低くなる。その意味で、その価値は、プラットフォーム自体によって作られるものではないというのも、相対的な意味としては正しい。しかしながら、**ネットワーク効果が重要であるので、プラットフォ**

ームを切り替えると、スイッチングコストが発生する。特に、大きなネットワーク効果が生じている場合、そのネットワークに参加していることで大きな効用が得られるが、他のプラットフォームに切り替えると、その効用を得られなくなる。

オ　×：レンタルは、たとえば、CDのレンタルなどに見られるように、貸し出す製品そのものは、貸し手が保有している。それに対して、シェアリングとは、基本的には、そのサービスを提供する事業者が保有している製品ではなく、保有している消費者と、その製品を使用したい消費者をマッチングさせるものである。原則はこのような意味合いになるが、**昨今は、シェアリング・サービスの事業者自身が、マッチングを行うとともに、自社で保有する製品を貸し出すことの両方を行っている例が見られている**。たとえば、アメリカのカーシェアリング大手のジップカーなどはこのような事業形態である。

よって、**ア**が正解である。

第32問

設問1

マーケティング・リサーチに関する問題である。

ア　×：フォーカスグループ・インタビューとは、体系的に組織立てられていないグループに対してインタビューを行うものである。訓練された聞き手の誘導に基づき、特別なコンセプトや製品、あるいは課題に集中してインタビューを行うことになる。そして、フォーカス・グループとはグループ・インタビューを行うために集められた一定の条件を満たす人たち（企業側が設定した属性の人など）である。もちろん、これによって、顧客の製品に対する意見などを収集することになるが、フォーカスグループ・インタビューは、通常は10名程度といった人数で行われる。本選択肢においても、「数名」ということであるので、**この少人数でこのセグメントのニーズに関する一般論を導き出すのは困難である**。

イ　○：正しい。エスノグラフィー調査とは、調査員が生活者の家庭に入り込み、家族と生活を共にしながらライフスタイルなどを記録・研究するものである。当然、このような調査によってフォーカスグループ・インタビューとは異なる結果が得られることはあり、両者の結果を考慮して製品開発を進めることは妥当な対応である。

ウ　×：調査の方法にはさまざまなものがあり、質問法（面接法、電話法、郵送法、留置法、インターネット調査など）、観察法（導線調査、通行量調査など）、実験法（マーケティング要素を変化させることによる影響度の調査）といったものに大別される。質問票を用いる方法は、文字どおり質問内容を記した書面やオンライン上で回答してもらうものであり、質問法の具体的手法のひとつである。機械装置を用いる方法とは、アイトラッキング調査（消費者の視線の動きを解析する）、ニューロマーケティング調査（血流や脳波から意識や感情を測定する）などがあり、これらは観察法の具体的手法である。よって、これらは調査対象者の身体的反応を測定する方法といえる。このような機械装置は、通常はそれぞれの企業が自ら保有しているわけではないため、マーケティング・リサーチ会社などに依頼することになる可能性が高い。そして、これらによって得られるデータはその後の解析などが必要になるため、少なくとも質問法などの従来型の方法と比べれば複雑である。よって、その分析や解釈は専門的な知見を有したマーケティング・リサーチ会社（リサーチャー）に行ってもらうことが有効である。しかしながら、**その調査結果から導かれる戦略策定については、アドバイスをもらうといったことはあっても、完全に任せるわけではなく、最終的には自社で意思決定することになる。**

エ ×：**社外ですでに行われた調査や報告などは、二次データである。**組織外に存在している外部データを入手でき、それによって目的が達成できるのであれば、コストをかけてマーケティング・リサーチを行わずに済むため、入手できないか十分に検討すること自体は妥当である。一次データとは、特定の目的のためにマーケティング・リサーチを行うことによって、新規に収集されたデータである。

よって、**イ**が正解である。

設問2 ●●●

製品ミックスに関する問題である。

ア ×：ブランドをどのように展開するかは、さまざまな考え方があり、企業全体として統一したブランド（ファミリーブランド）で展開していく場合もあれば、製品ラインごとにブランドを用意する場合もある。どのようにするのが望ましいかは、企業の戦略や、製品の特性などによって異なる。よって、**1つの製品ラインに1つのブランドが対応していなければならないなどということはない（A社としても、発売する製品ライン数と同じだけのブランドを用意する必要があるわけでもない）。**

イ ○：正しい。働く若い女性や女子学生というターゲットセグメントを考えれば、製品アイテムのバリエーションがある程度あることは必要であると考えられる。よって、妥当な検討である。

ウ ×：S社が実験的に行ったのは、製品ラインの“アイテム数”の削減であり、これによって売上と利益がともに増加している。よって、アイテム数の削減についてさらに検討するのであれば妥当であるが、この実験的な取り組みは、**製品“ライン”の幅が広すぎると判断する材料にはなっていない。**

エ　×：製品ラインを構成する要素が、製品ミックスと製品アイテムなのではなく、**製品ミックスを構成する要素が、製品ラインと製品アイテムである。**
よって、**イ**が正解である。

第33問

消費者と社会的アイデンティティに関する問題である。

ア　×：製品やサービスを、感覚や好みに基づいて選択する場合と、専門的知識が必要な場合を比較した場合、**感覚や好みに基づいて選択する場合のほうが、属性や価値観が自分と類似している他者の意見やアドバイスを重視することになる。**感覚や好みに基づいて選択するのであれば、属性や価値観が自分と類似している他者からの意見やアドバイスが適合する可能性が高いからである。なお、専門的知識が必要で、かつそれについて意見やアドバイスを求めたい状況では、もちろん、自らはその知識を有していない。そうであれば、属性や価値観が自分と類似している他者も有していない可能性が高い。

イ　×：自己アイデンティティを示すとは、「自らは何者なのか（どういう人間なのか）」を示すということである。この場合には、消費者は拒否集団をイメージさせるブランドの選択を避ける傾向が強くなる。拒否集団とは、準拠集団のひとつであり、自らが所属したくないと考える集団である（準拠集団は、所属集団、願望集団、拒否集団の大きく３つに分類される）。そして、この拒否集団に所属してしまうと、自己アイデンティティを誤って（自分が望まない形で）認識されるおそれがあり、避けたいと感じることになる。そして、このような認識をされるのを避けたいという感覚は、**他者から見られていない状況で行う選択よりも、見られている状況において行う選択で顕著に強くなる。**

ウ　×：社会的アイデンティティとは、○社に所属している、△サークルに所属している、といった社会集団の一員としての自己の側面である。これが顕著になっているということは、周囲が認識している自らが、社会的アイデンティティのイメージになっているということである（あの人は、△サークルに所属している人）。この場合には、自分が所属している内集団で共有される典型的な特徴を支持する可能性が高くなる（メンバーを支持し、他の集団よりもその集団のほうが好ましいととらえる）。一方で、自分が所属していない外集団に対しては、**無関心ではなく、競争的、差別的、場合によっては批判的になる。**無関心になる場合もあるかもしれないが、少なくとも、**すべてに対して無関心ということはない。**

エ　×：自分に影響を与えようとする意図をもった他者が存在する場合、もちろん、その他者から影響を受けることはあるが、**常に強く影響を受けるとは限らない。**その他者について、どのように認識しているのかによって異なることになる（準拠集団に属しているなら影響を受けることになる）。また、単にその場にいるだけの他者ということは、準拠集団とは限らないが、この場合であっても、**影響を受けることがある**。たとえば、数名で飲食店に入って料理を注文する際に、他の人と同じものを注文したくないために、本来注文しようと思っていたのとは異なる料理を注文することが非常に多いことが、多くの調査で明らかになっている。

オ　○：正しい。自己高揚とは、自分自身を肯定的に思いたい（否定的に思いたくない）という欲求である。そして、自己高揚はポジティブな方向により高めていきたいというものであるとされている。そのため、このレベルが高い消費者は、自分の所属集団よりも、願望集団（自らが所属したいと思う集団）で使用されているブランドとの結びつきを強める傾向がある。願望集団は少なくとも現時点では所属していないため、ここと結びつくことは、自己高揚を高めることに寄与すると感じるためである。なお、類似したものに自己確証があるが、これは自分に対する他者の評価が自己概念と矛盾しないように保とうとすることである。自己確証を目標としている場合には、所属集団で使用されているブランドとの結びつきを強める傾向がある。

よって、**オ**が正解である。

第34問

設問1 ●●●

ブランド戦略に関する問題である。

与えられた図に各ブランド戦略を当てはめると以下のようになる。この枠組みは、すべて「既存製品」について論じられていることがポイントである。認知度の高い枠組みであるP.コトラーのブランド戦略（ライン拡張、ブランド拡張、マルチブランド、新ブランド）とは明確に異なる。

		既存製品	
		既存ブランド	新規ブランド
市場	既存市場	ブランド強化	ブランド変更
	新規市場	ブランド・リポジショニング	ブランド開発

ア　×：ブランド・リポジショニングとは、既存製品に付されている既存ブランドのポジショニングのみを変える戦略である。ポジショニングを変えることで、通常はターゲットセグメントも変化する（新規市場）ことになる。

イ　×：ブランド開発とは、既存製品を、新規市場に対して、新規ブランドを開発して投入する戦略である。

ウ ×：ブランド強化とは、既存製品に付され、既存市場で使用している既存ブランドを、より強化していく戦略である。

エ ○：正しい。ブランド変更とは、既存製品に付され、既存市場で使用している既存ブランドの、名称を換える戦略である。

よって、**エ**が正解である。

設問2

ブランドに関する問題である。

ア ×：近年のグローバル版のブランド価値ランキングでは、GAFA（グーグル、アマゾン、フェイスブック、アップル）のようなIT企業ブランドが存在感を増していることは正しい。日本版の企業ブランド価値ランキングにおいては、**トヨタ、ホンダ、日産といった自動車メーカーを筆頭に、ソニー、キヤノン、ユニクロといったメーカーが上位を占めている**。

イ ×：想起集合とは、最終的な購買候補となるブランドの集まりである。そして、**想起集合に入るブランドは、3ブランド程度であるとされており、これが大きくなっているということもない**。また、製品カテゴリーによって違いはあると考えられるが、基本的には、企業間の製品開発競争は激しさを増していく傾向にある。そして、想起集合にとどまるためには、強いブランドであることは重要な要素であるが、**それが以前より容易になっているということはない**。

ウ ×：成分ブランディングとは、コ・ブランディングの特殊なケースであり、最終製品に用いられる部品や原材料のブランド力を借用するものである。たとえば、パソコンという最終製品にインテルが用いられていることは、パソコンという最終製品を販売するためにインテルのブランド力を借用しているといえる。このような製品を構成する成分のブランドが、最終製品（自社製品）の品質評価を高めるために有効な方法であることは正しい。当然、強いブランド（最終製品のブランド）ほど、採用した成分ブランドによって良いイメージが生まれていることになる。しかしながら、**必ずしも1つの成分ブランドを採用するというわけではない（多種多様なブランド化された成分を含むことがある）**。たとえば、シンガポール航空が提供するビジネスクラスでは、「ジバンシィ」のエレガントなキャビン（客室）、「ウルティモ」のシート、「クリスワールド」のエンターテイメントシステム（映画、テレビ、音楽、ゲームなどが楽しめる）、といった成分ブランドで構成されたサービスを提供している。

エ ○：正しい。選択肢の記述のとおりである。たとえ同等の機能を有し、同程度の品質の製品であっても、強いブランドは他のブランドとの大きな違いを生み出し、高い経済価値を有しているため、顧客は高い金額を支出しても購入したいと思うし、購入人数も多くなる。

オ　×：ブランド・エクイティとは、そのブランドが有する資産価値のことである。選択肢**エ**の解説でも述べたとおり、ブランド・エクイティは「同等の製品であっても、そのブランド名が付いていることによって生じることになる」が、**ブランド間の価値の“差”ではない**（それぞれのブランドが有する価値そのものを指す）。多くのブランド連想を有することは、そのブランド・イメージを強化し、ブランド・イメージの強化によってブランド・エクイティは高くなる。

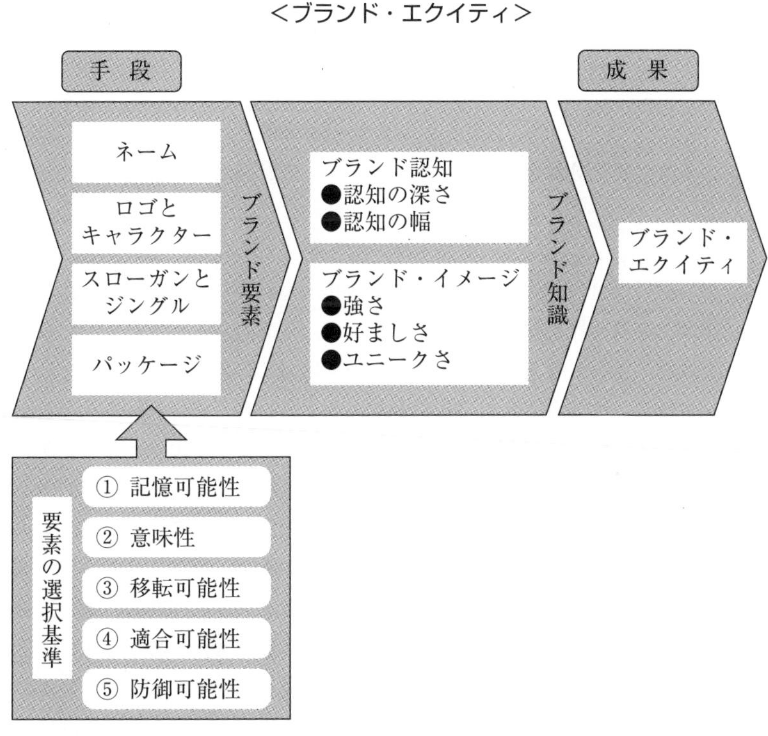

よって、**エ**が正解である。

第35問

ソサイエタル・マーケティングに関する問題である。

ソサイエタル・マーケティングとは、企業の社会的影響力（社会的価値）を考慮したマーケティング活動のことである。

<マーケティング志向>

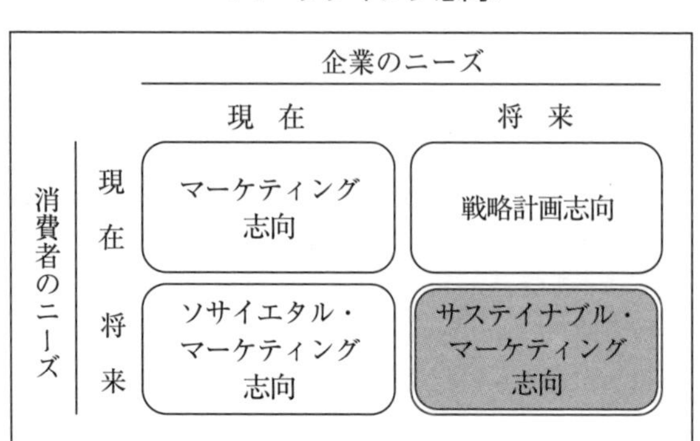

（出所：コトラー他（2014）p.374　図15.1を一部修正）

（『マーケティング論』芳賀康浩　平木いくみ著　一般財団法人　放送大学教育振興会 p.240）

ア　×：「啓発された自己利益（enlightened self-interest）」とは、企業が社会貢献を行うことは、直接的な利益にはつながらないが、長期的あるいは間接的に企業にとって利益になるという考え方（経済団体連合会1994）である。ソサイエタル・マーケティングはこの「啓発された自己利益」の考え方のもとで行われる社会貢献活動であることは正しい。しかしながら、上図のように、ソサイエタル・マーケティングは、企業と消費者双方のニーズを満たしていくものであるため、**長期的あるいは間接的にも企業やブランドのイメージ、ブランド・ロイヤルティといったマーケティング成果への効果を期待している。**

イ　×：上図のように、サステイナブル・マーケティングが、消費者、企業双方の長期的な利益や経営計画などの統合（ニーズを満たす）を目指すものであることは正しい。一方、ソサイエタル・マーケティングは、現在の企業のニーズと将来の消費者のニーズを満たしていくことに主眼が置かれている。よって、**同義ではない。**

ウ　○：正しい。コーズリレーテッド・マーケティングとは、特定の製品の売上の一部を社会貢献事業に対して寄付するマーケティング活動のことである。通常の寄付行為とは異なり、事業収益と関連づけるのが特徴である。そして、冒頭に記したように、ソサイエタル・マーケティングは企業の社会的影響力（社会的価値）を考慮したものである（社会的価値と密接に結びつけられている）。

エ　×：マーケティングと社会とのかかわりを扱うものをソーシャルマーケティングといい、その中には、「非営利組織のマーケティング」と「ソサイエタル・マーケティング」の大きく２つの分野がある。非営利組織のマーケティングは、マーケティングの考え方や手法を非営利組織にも適用するというものである。一方、ソサイエタル・マーケティングは、企業の社会的影響力（社会的価値）を考慮したマーケティング活動である。そして、ソサイエタル・マーケティングは、非営利組織のマーケティングと区別するために登場してきた概念であるという背景がある。よって、**非営利組織で培われた考え方を営利組織にも適用したマーケティングではない。**

よって、**ウ**が正解である。

第36問

パッケージ・デザインに関する問題である。

ア　×：アフォーダンスとは、アメリカの知覚心理学者ジェームズ・J・ギブソンが提唱したものであり、環境のさまざまな要素が人間や動物に影響を与えることで、感情や動作が生まれることである。たとえば、ドアを見た際に、ノブがなく平らな金属片が付いた扉は、その平らな場所を押せばよいことがわかり、引き手のついた引き出しは、引けばよいことがわかる。つまり、その形（デザイン）によって使い方を理解することができる。選択肢に書かれている蓋は左に回せば開くというのも、習慣として身についているため、たとえば回す形状の蓋を見れば、無意識に左に回す行動をとることになる。よって、パッケージもこのことを考慮した形になっている。そして、このことについては、通常とは異なるものにすると、使い方がすぐに理解できず、ストレスになる可能性が高い。よって、**アフォーダンスとは異なる新しい使い方となるパッケージにしても、効果的な差別化を図れるわけではないし、価値を高めやすいということはない。**

イ　×：消費者がブランドに対して抱くイメージに対して、パッケージ・カラーは強く影響し、食品パッケージの色を濃くすれば、濃い味の商品であることを伝達する（イメージさせる）ことができる。そして、このことは、**実際の商品の味覚にまで影響することがある。**このことを説明する根拠に、人間が持つ感覚と知覚の違いがある。つまり、感覚は同じであっても、知覚は異なることがあるということである。この２つの違いは、現在においても議論があり、明確な定義が確定しているとはいえないとされるが、以下は１つの見解である。２つの区別は明確でないが、単純な条件下の単一の刺激により生じる感性体験を感覚といい、より複雑な条件下で刺激パターンから生じるそれを知覚とよぶ場合が多い。知覚は対象性と意味をもち、空間的・時間的な広がりをもつことが多いが、感覚にはそれらがない。たとえば、バラの香りを嗅ぐのは感覚であるが、それによってバラの花の存在を感じることは知覚である。色が赤いと見えること自体は感覚であるが、信号機の赤信号は空間的に定位され意味をもって知覚される対象である。このような感覚と知覚の違いを前提とすれば、味に関して、感覚は同じでも、知覚は異なるということが起こり得るということである。なお、食事や飲料は、その盛り付けや注いでいる容器によっても、その味（知覚）が変わるという実験結果も多くある。あるいは、濃い味を連想させるようなキャッチコピーや説明文などによっても同様の影響が生じる可能性があるとされる。このように、実際の味の濃さが変化していなくても、舌で感じるという経験以外の要素によって味の知覚が形成されることは、多くの実験で明らかにされている。

ウ　×：パッケージにおける画像と文字の配置は、製品の視覚的重量感の知覚に影響を与えるとされる。具体的には、画像は上側に配置されている方が軽く、下側に配置されているほうが重く知覚される。また、文字を左から右へ読む文化圏では、視覚で最初に捉える左側が視覚的支点となり、画像は右側に配置されるほうが重く知覚される。よって、パッケージの上や左に画像が配置されるのをライト配置、下や右に画像が配置されるのをヘビー配置という。そして、製品によって重いイメージが好ましい場合と、軽いイメージが好ましい場合が異なる。たとえば、クッキーとクラッカーでは、クッキーのほうが重いイメージであり、クラッカーは軽いイメージである。よって、パッケージにおいて、**どんな場合でも画像は右に、文字は左に配置したほうが商品の評価を高められるわけではない**。そのため、**ほとんどのパッケージ・デザインで採用されているわけでもない**。なお、脳の半球優位性（大脳半球優位性）とは、ヒトの運動・認知機能において、左右どちらかの大脳半球（左脳・右脳）が、より優位に働くことである。たとえば、左脳は発話、文字や単語の読み書き、右脳は顔や幾何学図形の理解、図形の心的回転（心の中で図形を回転させる作業）、イメージ処理などに優れるといったことがいわれている。また、身体の左右での偏向した使用は手や足にもみられるが（利き手、利き足）、目にも利き目がある。そして、利き目についての多くの研究では、人口の約70%が、右目が利き目であるとしている。しかしながら、画像と文字の配置を左右で考えた場合、どのように知覚するか（重い、軽い）は、文字を左から右へ読むということ、脳や目の働き、といったことと無関係ではないと思われる。

エ　○：正しい。便宜価値とは、便利さや使い勝手の良さ、購買のしやすさといったことである。たとえば、シャンプーであればポンプ付きの容器に入っているといったことである。また、価格が安い、購入時の持ち運びがしやすい、といったことも含まれる。よって、選択肢に書かれているようなパッケージの改良によって高めることができる。また、感覚価値とは、購買や使用に際して、消費者に楽しさを与えるなど、主観的なものであり、ブランド価値の源泉ともなるものである。たとえば、パッケージ・デザインによる心地よさといったことである。よって、パッケージ・デザインに対する情緒面の感覚（感慨深い感覚など）が中身（商品そのもの）にまで移るような感覚転移の効果を生じさせることによって高めることができる。

オ　×：ブランドを他の文化圏に拡張する際に、パッケージがブランド・エクイティの維持や活用にどの程度役割を果たすかという点で評価される基準は、**移転可能性である**。移転可能性とは、ブランドをさまざまな製品に移転することが可能（ブランド拡張がしやすい）、さまざまな地域に移転可能（海外展開の際にもそのまま使用できるなど）、といったことである。これを満たす場合、移転がしやすくなる。移転の際には、ネームやカラーがまったく同じでよいとは限らないため、拡張先の特徴や文化的意味合いを考慮しながら進める必要がある。防御可能性とは、法律上の防衛可能性が高い（知的財産が取得しやすい）といったことや、競争上の防御可能性が高い（消臭元、消臭力みたいになってしまうと、区別がしにくくなる）といったことである。

よって、**エ**が正解である。

第37問

設問1

顧客満足に関する問題である。

ア　○：正しい。スカンジナビア航空のヤン・カールソンは、旅行客が従業員と接する時間は平均すると約15秒という短い時間であり、その短い時間における対応が、そのサービスに対する顧客の評価を決めることになるとしている。そのため、その時間内にいかに顧客を満足させる適切な対応ができるかが重要だとし、その接する瞬間を「真実の瞬間」としている。よって、企業の現場スタッフが顧客と接する時間における顧客満足を向上させることは重要であり、好ましいブランド体験を安定的に提供することにつながる。そして、そのためには、顧客に接する最前線の現場スタッフが権限を有していることが必要であり、同時に中間のマネジャーは現場スタッフを支援する役割を担う。

イ　×：新規顧客の獲得が難しい状況においては、既存顧客を維持することの重要性が高くなる。その際には、**優良顧客に対して最も多くの企業（経営）資源を配分していくのが一般的である**。これは、既存顧客のうちの上位20％の優良顧客からの売上が、全体の80％を占めるという80対20の法則なども背景にある。**不良顧客に対して企業として働きかけることも大切なことではあるが、通常は最も多くの企業資源**

を配分するということはない。

ウ　×：中程度に満足している顧客でも、簡単に他社にスイッチすることがないのは、なにがしかの要因によってスイッチングコストが高い、製品特性上、関与が低い購買行動になる可能性が高く、常日頃購入しているブランドを惰性で購入している消費者が多い、といったことが考えられる。もちろん、このような場合においても顧客を不満状態から満足状態へ引き上げられるに越したことはないが、選択肢の文脈からは、そのような状態にすることの困難性が高い状況も想定される。そもそも、中程度に満足している顧客でも固定客化が図れる状況であるので、不満状態の顧客は、満足状態ではなく、不満の解消を行うことに焦点を当てればよいともいえる。いずれにしても、本選択肢に書かれている状況（中程度の満足でも離反しない状況）において、今日的な顧客満足戦略に当てはめても、**不満状態から満足状態への引き上げを"極めて"重視しているということはない。**

エ　×：日本は、1955～1973年頃の期間において高度経済成長期を迎え、飛躍的な経済発展を遂げてきた。その過程においては、三種の神器とよばれた白黒テレビ・洗濯機・冷蔵庫、続いて、新三種の神器とよばれたカラーテレビ・クーラー・カー（自家用車）を所有することがステータスであるなど、それまでの生活の中になかったものが市場に溢れるようになった。つまり、これらの新たな製品を世の中に送り出し、**新規顧客を獲得することに比重が置かれていたといえる。**その後、これらの製品を消費者の誰もが保有するようになり、新規顧客を獲得することの困難性が高まっていった中で、既存顧客維持の重要性を認識するようになっていったという変遷をたどってきている。

よって、**ア**が正解である。

設問2 ● ● ●

サービス・ドミナント・ロジックに関する問題である。

従来のマーケティングや経済活動は、企業が商品の価値を決め、顧客はその対価を支払うことで商品を獲得するという「価値交換」を行うというものであった。これをグッズ・ドミナント・ロジックという。これに対し、サービス・ドミナント・ロジックとは、経済活動をすべてサービスとしてとらえ、企業は顧客と共に価値を創造していくという「価値共創」の視点からマーケティングを組み立てる考え方である。より具体的には、製品やサービスには価値の一部が埋め込まれているものの、それを実際に価値あるものにするのは顧客自身であり、顧客は単なる製品の買い手ではなく、価値を実現する共創者であるというものである。

ア　×：上述したとおり、サービス・ドミナント・ロジックは、サービスの観点を重視し、顧客との共創によって価値を高めるものであるため、**製品の機能やデザイン面といった、製品そのものの価値を高めることを重視するものではない。**

イ　×：サービス・エンカウンターとは、サービス提供者の管理下において、顧客がサービスに出会う場面、つまり、顧客がサービス提供者との相互作用の中でサービスを経験している場面である。具体的には、販売員によって接客している場面、顧客が機械を操作している場面、顧客が企業にメールを送信しようとしている場面などである。これらは顧客による企業の評価が決定される「真実の瞬間」が生じる場面でもある。サービス化の進展が、サービス・エンカウンターにおける高度な顧客対応能力を有する従業員の必要性を高めていることは正しい。しかしながら、上述してきたように、サービス・ドミナント・ロジックは、売り手と買い手の協業によって生産される価値が大きなものとなるという考えであり、**その価値が通常のサービス財より低いということはない。**また、サービス・ドミナント・ロジックにおいては、物的な財を取り扱う製造業であっても、文字どおりサービスの観点が重要であるため、**インターナル・マーケティングが必要ないということはない（むしろ必要である）。**

ウ　×：上述してきたように、サービス・ドミナント・ロジックとは、物的な財を取り扱うのであっても、すべてサービスとしてとらえるというものであり、モノとサービスが組み合わさることで価値が創造されるものである。よって、**モノとサービスを二極化対比する（モノとサービスをまったく異なる両極端なものとしてとらえて対比する）ということではないし、「モノとは異なるサービスの特性を明らかにする」「サービスの部分で交換価値を最大化する」といった、モノとサービスを別々に考えることではない。**

エ　○：正しい。サービス・ドミナント・ロジックの考え方においては、顧客の行動が価値を高めることになるため、企業側が、それを高めるための価値提案を行うことが重要であり、「使用方法を教育するイベント」「情報の積極的な発信」は有効な取り組みである。

よって、**エ**が正解である。

参考資料 出題傾向分析表

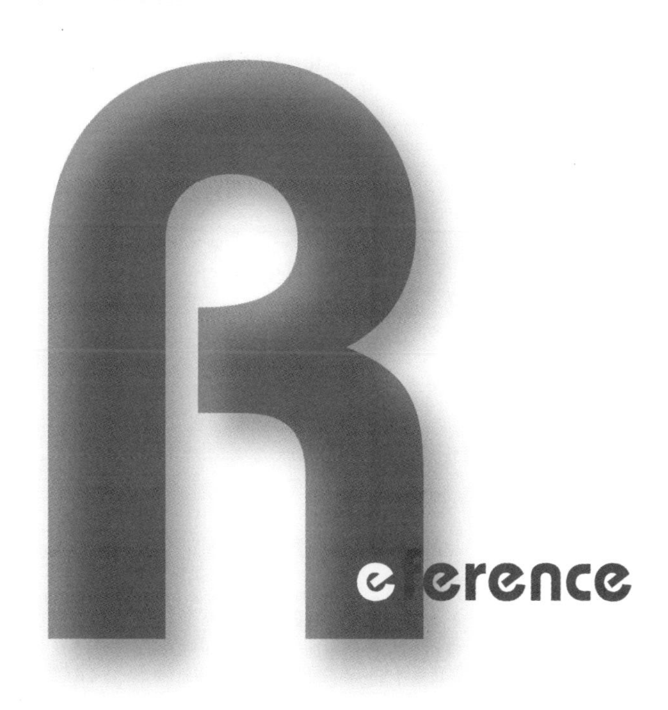

参考資料 出題傾向分析表

第1編　経営戦略

		R2	R3
第1章	企業活動		
	経営戦略の全体概要		
第2章	事業戦略の概要		
	ポーターの競争戦略論	交渉力 3 企業の競争優位 4	5フォースモデル 6 競争戦略 7
	競争地位別戦略		
	速度の経済性・先発優位性と後発優位性		
第3章	企業戦略の概要		
	ドメイン		
	リソースベースドビュー	VRIOフレームワーク 1 組織が有する特性によって生じる弊害10	コアコンピタンス 4
	製品＝市場マトリックス		
	多角化戦略	企業の競争優位 4 多角化とM&A 5	多角化 1
	PPM		PPM 2
	外部組織との連携	多角化とM&A 5 完成品メーカーの垂直統合度を高くする要因 6	M&A 3
第4章	研究開発		
	イノベーション	イノベーションを推進するための取り組み 8	
	製品アーキテクチャ		
	デファクトスタンダードと知的財産戦略	デファクト・スタンダードやネットワーク外部性13	特許戦略 11 情報材 12
	ベンチャー企業のマネジメント	ベンチャー企業が成功するためのモデル 9	
第5章	企業の社会的責任（CSR）		CSR 13 SDGs 28
	コーポレートガバナンス		
その他		商品開発 7 スリー・サークル・モデル11 国際的に展開する企業の経営スタイル12	年平均成長率 5 エフェクチュエーション 8 スリー・サークル・モデル 9

※出題領域の区分は、弊社「2025年度版　最速合格のためのスピードテキスト」に準拠したものです。
※表中の項目名とともに付されている白抜き数字は、本試験における問題番号となります。

R4	R5	R6
		見えざる資産 2
		創発的戦略 1
環境分析のフレームワーク 3	5 フォース分析 3 経験曲線効果 4	5 フォース分析 7 衰退業界の戦略 8
市場シェアと競争地位別戦略 4	競争地位別戦略 5	
	先行者優位性 6	後発優位36
	ドメイン 1	
環境分析のフレームワーク 3	VRIO フレームワーク 2	
多角化 1		多角化の分類 3
PPM 2 市場シェアと競争地位別戦略 4		PPM4
M&A 5 垂直統合 6 海外進出する際の形態 11	M&A や戦略的提携 7	買収防衛策 5 垂直統合 6
イノベーションのジレンマ 9 渉外担当者15	イノベーション 9 オープン・イノベーション30	イノベーションの進化 9
		製品アーキテクチャ10
	デファクトスタンダード 8	
ISO26000 12	企業の社会的責任36	CSR と ESG 投資12
ファミリービジネスの 4C モデル 7		
エフェクチュエーション 8	プラットフォーム10	国際的に展開する企業の経営スタイル11 エフェクチュエーション13

第2編　組織論

		R2	R3
第1章	組織の概念と均衡条件	バーナードが示した組織の要素 14	伝達の特徴としての権威 14
	組織構造の設計原理	企業における意思決定 2	
	分業システムとしての組織		
	組織構造の形態	組織の発展段階モデル 17	経営戦略に関連する組織の運営・設置 15
	組織のライフサイクル	イノベーションを推進するための取り組み 8	
	外部環境と組織	完成品メーカーの垂直統合度を高くする要因 6 企業が利用する生産技術 15 組織内部の管理システム 16	
第2章	モチベーション理論	期待理論 19 職務特性モデル 20	
	組織の中の集団	組織が有する特性によって生じる弊害 10 組織メンバーの帰属集団に対する一体化とリーダーシップ 18	集団思考 18 コンフリクト 19
	リーダーシップ論	組織メンバーの帰属集団に対する一体化とリーダーシップ 18	リーダーシップ理論 16
	組織文化と戦略的な組織変革	組織が有する特性によって生じる弊害 10 経験学習モデル 21	SECI モデル 10 組織変革の 8 段階モデル 23
第3章	人的資源管理の全体像	コンピテンシー 22	
	雇用管理		
	人事評価（人事考課）	評価バイアス 23	
	報酬制度		
	能力開発		
	労働関連法規	時間外労働の上限 24 フレックスタイム制 25 雇用管理上の措置等 26 外国人雇用及び外国人技能実習制度 27	労働基準法の定め 24 変形労働時間制などに関わる労使協定の届出 25 賃金 26 解雇 27
その他			組織コミットメント 17 パワーの源泉 20 同型化 21 両利き組織 22

※出題領域の区分は、弊社「2025 年度版　最速合格のためのスピードテキスト」に準拠したものです。
※表中の項目名とともに付されている白抜き数字は、本試験における問題番号となります。

R4	R5	R6
無関心圏 14 組織スラック 19		
経営組織の形態と構造 13	主要な組織形態14	
組織のライフサイクルモデル 18		組織のライフサイクル23
組織スラック 19	機械的管理システムと有機的管理システム15 資源依存パースペクティブ21	取引コストアプローチ 6 組織デザインの方策14 組織間関係論と組織間ネットワーク21
モチベーション理論 16 勤務形態 21	職務特性モデル16 目標設定理論17	欲求段階説と ERG 理論18
	グループダイナミクス19	コンフリクトへの対処20
政治的行動 17	パス・ゴール理論18	変革型・交換型リーダーシップ 17
知識創造理論 10 組織スラック 19	組織的知識創造理論11 組織学習サイクル20 組織変革への抵抗23	組織文化15 組織学習22
勤務形態 21		
人事評価における評価基準と評価者 22		
労働基準法の定め 23 就業規則 24 災害補償又は労働者災害補償保険法 25 労働組合法の定め 26	賃金および退職金24 労働者の定義25 労働時間26 健康保険および厚生年金保険27	募集・採用、労働契約、男女雇用機会均等法24 労働者派遣25 育児休業26 就業規則27
個体群生態学モデル 20	企業活動のグローバル展開12 制度的同型化22	制約された合理性16 手続き的公正19

第3編　マーケティング

		R2	R3
第1章	マーケティングのコンセプト	マーケティング・コンセプトおよび顧客志向28 ソサイエタル・マーケティング35	
	マーケティングの定義		
第2章	マーケティングマネジメントプロセス		
	マーケティング環境の分析と目標設定		
	ターゲットマーケティング	標的市場（ターゲットセグメント）の設定と価格政策29	
	マーケティングミックスの開発・実行		
第3章	マーケティングリサーチ	マーケティング・リサーチと製品ミックス32	マーケティングリサーチ37
第4章	消費者購買行動	消費者と社会的アイデンティティ33	クチコミ34 広告と広告の消費者の心理や行動に及ぼす影響35
	組織購買行動		
第5章	製品の概要	マーケティング・リサーチと製品ミックス32	
	製品ライフサイクル		
	ブランド	ブランド34	顧客リレーションシップと顧客ロイヤルティ38
	パッケージング	パッケージ・デザイン36	
	新製品開発のプロセス		共創30
	サービスマーケティング	顧客満足とサービス・ドミナント・ロジック37	
第6章	価格の設定	標的市場（ターゲットセグメント）の設定と価格政策29	サブスクリプション・サービスとダイナミック・プライシング32
第7章	チャネルの設計		
	物流戦略		
第8章	プロモーションミックス		
	プロモーション戦略の構築	広告30	広告と広告の消費者の心理や行動に及ぼす影響35

※出題領域の区分は、弊社「2025年度版　最速合格のためのスピードテキスト」に準拠したものです。
※表中の項目名とともに付されている白抜き数字は、本試験における問題番号となります。

R4	R5	R6
	ソーシャル・マーケティング36	ソーシャル・マーケティング29
		セグメンテーション38
		マーケティングリサーチ39 リサーチ手法40
		ブランド・カテゴライゼーション28 カスタマー・ジャーニー30 準拠集団38 アサエルの購買行動38
準拠集団27	代替案評価29 クチコミ32 消費者の購買意思決定プロセス35	BtoB マーケティング31
製品ライフサイクル33		ブランド・マネジメント28
ブランド28 サービスと顧客満足32	ブランディング34	
	パッケージ37	コンテンツ・マネジメント・プロセス32
製品開発プロセス34	新製品開発30	
サービスと顧客満足32 サービス・マーケティング37		価格設定37 テクノロジーライフサイクル38
価格29	価格設定戦略 4 キャズム 8 ダイナミック・プライシング32	
流通チャネルの構造30	流通チャネル31	
		コミュニケーションと SNS 33 PR 34 人的販売35 共同格付け38

		R2	R3
第9章	関係性マーケティング	顧客満足とサービス・ドミナント・ロジック37	顧客リレーションシップと顧客ロイヤルティ38
	デジタルマーケティング	デジタル・マーケティング31	流通政策31 インターネット広告33
その他			消費者の知覚に対応したマーケティング 29 製品やサービスの4つの価値 36

※出題領域の区分は、弊社「2025年度版　最速合格のためのスピードテキスト」に準拠したものです。
※表中の項目名とともに付されている白抜き数字は、本試験における問題番号となります。

R4	R5	R6
リレーションシップ・マーケティング31		
	デジタルマーケティング32 トリプルメディア32	
デジタル社会における消費スタイル35 地域ブランド36	顧客価値28 インターネット・コミュニケーション33 消費者に及ぼす心理的効果35 サステイナブルな消費行動36	

MEMO

MEMO

中小企業診断士　2025年度版
最速合格のための第1次試験過去問題集 1 企業経営理論

(2005年度版　2005年3月15日　初版　第1刷発行)
2024年12月2日　初　版　第1刷発行

編著者　TAC株式会社
(中小企業診断士講座)
発行者　多田敏男
発行所　TAC株式会社 出版事業部
(TAC出版)
〒101-8383
東京都千代田区神田三崎町3-2-18
電話 03(5276)9492(営業)
FAX 03(5276)9674
https://shuppan.tac-school.co.jp
印　刷　株式会社 ワコー
製　本　株式会社 常川製本

ISBN 978-4-300-11415-5
N.D.C. 335

中小企業診断士講座のご案内

学習したい科目のみのお申込みができる、学習経験者向けカリキュラム

1次上級単科生（応用＋直前編）

- □ 必ず押さえておきたい論点や合否の分かれ目となる論点をピックアップ!
- □ 実際に問題を解きながら、解法テクニックを身につける!
- □ 習得した解法テクニックを実践する答案練習!

カリキュラム ※講義の回数は科目により異なります。

1次応用編 2024年10月～2025年4月

1次上級講義
［財務5回／経済5回／中小3回／その他科目各4回］
講義140分/回
過去の試験傾向を分析し、頻出論点や重要論点を取り上げ、実際に問題を解きながら知識の再確認をするとともに、解法テクニックも身につけていきます。
［使用教材］
1次上級テキスト（上・下巻）（デジタル教材付）

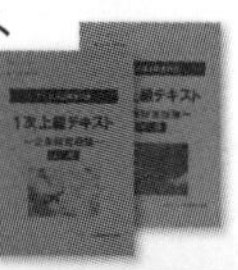

➡INPUT⬅

→

1次上級答練
［各科目1回］
答練60分＋解説80分
1次上級講義で学んだ知識を確認・整理し、習得した解法テクニックを実践する答案練習です。
［使用教材］
1次上級答練

⬅OUTPUT➡

1次養成答練 ［各科目1回］ ※講義回数には含まず。
基礎知識の確認を図るための1次試験対策の答案練習です。
（配布のみ・解説講義なし・採点あり）

⬅OUTPUT➡

1次直前編 2025年5月～

→

1次完成答練
［各科目2回］
答練60分＋解説80分/回
重要論点を網羅した、TAC厳選の本試験予想問題による答案練習です。
［使用教材］
1次完成答練

⬅OUTPUT➡

→

1次最終講義
［各科目1回］
講義140分/回
1次対策の最後の総まとめです。法改正などのトピックを交えた最新情報をお伝えします。
［使用教材］
1次最終講義レジュメ

➡INPUT⬅

1次試験【2025年8月】

さらに! 「1次基本単科生」の教材付き！（配付のみ・解説講義なし）

◇基本テキスト（デジタル教材付）

◇講義サポートレジュメ

◇1次養成答練

◇トレーニング

◇1次過去問題集

開講予定月

◎企業経営理論／10月　◎財務・会計／10月　◎運営管理／10月　◎経済学・経済政策／10月
◎経営情報システム／10月　◎経営法務／11月　◎中小企業経営・政策／11月

学習メディア

教室講座　ビデオブース講座

Web通信講座

1科目から申込できます! ※詳細はホームページまたは資料をご請求ください。（右上参照）

TAC出版 書籍のご案内

TAC出版では、資格の学校TAC各講座の定評ある執筆陣による資格試験の参考書をはじめ、資格取得者の開業法や仕事術、実務書、ビジネス書、一般書などを発行しています！

TAC出版の書籍

*一部書籍は、早稲田経営出版のブランドにて刊行しております。

資格・検定試験の受験対策書籍

- 日商簿記検定
- 建設業経理士
- 全経簿記上級
- 税　理　士
- 公認会計士
- 社会保険労務士
- 中小企業診断士
- 証券アナリスト
- ファイナンシャルプランナー(FP)
- 証券外務員
- 貸金業務取扱主任者
- 不動産鑑定士
- 宅地建物取引士
- 賃貸不動産経営管理士
- マンション管理士
- 管理業務主任者
- 司法書士
- 行政書士
- 司法試験
- 弁理士
- 公務員試験(大卒程度・高卒者)
- 情報処理試験
- 介護福祉士
- ケアマネジャー
- 電験三種　ほか

実務書・ビジネス書

- 会計実務、税法、税務、経理
- 総務、労務、人事
- ビジネススキル、マナー、就職、自己啓発
- 資格取得者の開業法、仕事術、営業術

一般書・エンタメ書

- ファッション
- エッセイ、レシピ
- スポーツ
- 旅行ガイド（おとな旅プレミアム/旅コン）

みんなが欲しかった!
中小企業
診断士
合格への
はじめの一歩
フルカラー
本気でやさしい入門書

2025
中小企業
診断士の
教科書
上
独学
初学
3分冊

2025
中小企業
診断士の
教科書
下
独学
初学
4分冊

2025
中小企業
診断士の
問題集
上
正答率60%
3分冊

2025
中小企業
診断士の
問題集
下
正答率60%
4分冊

2025
中小企業診断士
最速合格のための
スピード問題集
1 企業経営理論
スピードテキストとの反復学習で
効果抜群の問題集!
こたえかくすシート

受験対策書籍のご案内　TAC出版

1次試験への総仕上げ

科目別 全7巻

①企業経営理論
②財務・会計
③運営管理
④経済学・経済政策
⑤経営情報システム
⑥経営法務
⑦中小企業経営・中小企業政策

最速合格のための
第1次試験過去問題集

A5判　12月刊行

● 過去問は本試験攻略の上で、絶対に欠かせないトレーニングツールです。また、出題論点や出題パターンを知ることで、効率的な学習が可能となります。

全2巻

1日目
（経済学・経済政策、財務・会計、企業経営理論、運営管理）

2日目
（経営法務、経営情報システム、中小企業経営・中小企業政策）

最速合格のための
要点整理ポケットブック

B6変形判　1月刊行

● 第1次試験の日程と同じ科目構成の「要点まとめテキスト」です。コンパクトサイズで、いつでもどこでも手軽に確認できます。買ったその日から本試験当日の会場まで、フル活用してください!

2次試験への総仕上げ

最速合格のための
第2次試験過去問題集

B5判　2月刊行

●問題の読み取りから解答作成の流れを丁寧に解説しています。抜き取り式の解答用紙付きで実践的な演習ができる1冊です。

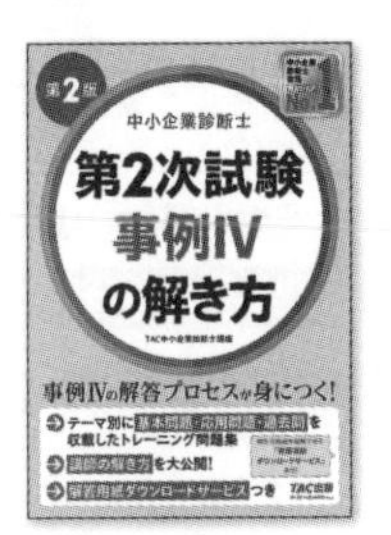

第2次試験
事例Ⅳの解き方

B5判　**好評発売中**

●テーマ別に基本問題・応用問題・過去問を収載。TAC現役講師による解き方を紹介しているので、自身の解答プロセスの構築に役立ちます。

第2次試験
外さない答案への
攻略ロードマップ

B5判　**好評発売中**

●演習に加えて、テーマ設定、プロセス確認、出題者の意図の確認、出題者の立場での採点などを行うことにより、2次試験への対応力を高め不合格を回避できる力を身につけることができます。

TACの書籍はこちらの方法でご購入いただけます

1 全国の書店・大学生協　2 TAC各校 書籍コーナー　3 インターネット

アドレス https://bookstore.tac-school.co.jp/

・2024年7月現在　・価格等詳細は、決定しだい上記のサイバーブックストアに掲載されますのでご参照ください

書籍の正誤に関するご確認とお問合せについて

書籍の記載内容に誤りではないかと思われる箇所がございましたら、以下の手順にてご確認とお問合せをしてくださいますよう、お願い申し上げます。
なお、正誤のお問合せ以外の**書籍内容に関する解説および受験指導などは、一切行っておりません。**
そのようなお問合せにつきましては、お答えいたしかねますので、あらかじめご了承ください。

1 「Cyber Book Store」にて正誤表を確認する

TAC出版書籍販売サイト「Cyber Book Store」の
トップページ内「正誤表」コーナーにて、正誤表をご確認ください。

CYBER BOOK STORE TAC出版書籍販売サイト

URL:https://bookstore.tac-school.co.jp/

2 1の正誤表がない、あるいは正誤表に該当箇所の記載がない ⇒ 下記①、②のどちらかの方法で文書にて問合せをする

★ご注意ください★

お電話でのお問合せは、お受けいたしません。
①、②のどちらの方法でも、お問合せの際には、「お名前」とともに、
「対象の書籍名(○級・第○回対策も含む)およびその版数(第○版・○○年度版など)」
「お問合せ該当箇所の頁数と行数」
「誤りと思われる記載」
「正しいとお考えになる記載とその根拠」
を明記してください。
なお、回答までに1週間前後を要する場合もございます。あらかじめご了承ください。

① ウェブページ「Cyber Book Store」内の「お問合せフォーム」より問合せをする

【お問合せフォームアドレス】

https://bookstore.tac-school.co.jp/inquiry/

② メールにより問合せをする

【メール宛先 TAC出版】

syuppan-h@tac-school.co.jp

※土日祝日はお問合せ対応をおこなっておりません。
※正誤のお問合せ対応は、該当書籍の改訂版刊行月末日までといたします。

乱丁・落丁による交換は、該当書籍の改訂版刊行月末日までといたします。なお、書籍の在庫状況等により、お受けできない場合もございます。
また、各種本試験の実施の延期、中止を理由とした本書の返品はお受けいたしません。返金もいたしかねますので、あらかじめご了承くださいますようお願い申し上げます。

(2022年7月現在)